Les
huiles essentielles
pour votre santé

Collection « médicale et paramédicale »

DU MÊME AUTEUR

L'Ostéopathie et le coût de la santé (Institut français d'ostéopathie, 1984).

Rapport d'enquête sur le rôle socio-économique des ostéopathes dans le système de santé français (Fédération des ostéopathes de France et Association des ostéopathes de France, janvier 1987).

L'Ostéopathie : deux mains pour vous guérir. Origine, principes et techniques. Indications thérapeutiques (Éditions Dangles, 1987).

La Santé au féminin. Hygiène, prévention et traitements naturels des maladies de la femme (Éditions Dangles, 1988).

Les Étonnantes Plantes d'Amazonie (à paraître).

Guy ROULIER

Les
huiles essentielles
pour votre santé

Traité pratique d'aromathérapie :
propriétés et indications thérapeutiques
des essences de plantes

Dessins : Alain Roulier

Éditions Dangles
18, rue Lavoisier
45800 ST-JEAN-DE-BRAYE

Couverture : photo Robert Callier.
Vase et bol de Fabien Comte.

ISSN : 0244-3023
ISBN : 2-7033-0346-7

© Éditions Dangles, St-Jean-de-Braye (France), 1990

L'AUTEUR :

Né en 1945 à Paris, Guy Roulier débute sa carrière de kinésithérapeute en 1967. La mort brutale de son père, atteint d'un cancer du foie décelé au dernier moment, lui fait remettre en cause la valeur de la médecine, reprendre des études orientées essentiellement vers les méthodes naturelles et s'engager activement dans la défense de la santé et de la nature. Il entreprend dès 1970 des études d'ostéopathie et de naturopathie (d'abord en Grande-Bretagne puis en France), et s'initie conjointement à l'hygiène vitale, à la naturopathie, à l'acupuncture traditionnelle, aux plantes médicinales et à l'aromathérapie. Un premier voyage en Chine et au Japon lui révèle l'univers du taoïsme, l'étroite relation existant entre le corps et l'esprit, entre l'homme et son environnement.

Il préside l'association G.E.R.M.E.S. (Groupe d'études et de recherches sur la médecine écologique et la santé), ce qui lui vaut d'être confronté à de nombreux démêlés juridiques motivés par ses idées trop avancées pour leur temps.

En 1980, il s'installe à Angers comme praticien pluridisciplinaire (ostéopathe-acupuncteur-naturopathe) et, en 1984, soutient une thèse sur « l'Ostéopathie et le coût de la santé » pour l'obtention de son diplôme ostéopathique. Cette étude a d'ailleurs servi de base de réflexion dans le cadre de la Commission pour l'évaluation des médecines manuelles créée par le ministère de la Santé ; puis il préside à l'élaboration d'un « Rapport national sur le rôle socio-économique des ostéopathes de France », dont la presse spécialisée s'est largement fait l'écho, qui chiffrait l'intérêt économique de cette médecine alternative. En 1989, il participe à la fondation du S.O.K., premier syndicat d'ostéopathes.

Diplômé en Acupuncture traditionnelle (F.), Heilpraktiker (H.P., R.F.A.), Naturopathy, Osteopathy et Physiotherapy (G.-B.), sympathicothérapeute (vice-président du C.E.R.S.), il s'oriente depuis quelques années vers la phyto-aromathérapie et collabore à la recherche appliquée en étroite relation avec des scientifiques spécialisés dans les huiles essentielles et les plantes tropicales.

En 1987, il effectue au cœur de la forêt amazonienne et dans les laboratoires de recherche du Brésil, deux missions d'études scientifiques sur les plantes médicinales, aromatiques et alimentaires. Depuis, il participe à la promotion de produits naturels nouveaux et est devenu consultant auprès d'entreprises spécialisées dans les plantes et produits naturels où il établit le lien entre la recherche et les besoins des consommateurs.

A ma femme et mon fils pour leur patience et leur soutien.

A mes amis brésiliens Lucia Sauer, Marina Lana, Sylvio Lins et José A. Abourrea qui m'ont permis de découvrir les trésors de la flore amazonienne et de prendre conscience de l'importance écologique vitale de la forêt tropicale pour la survie de l'espèce humaine.

Je remercie de leur aide et de leurs conseils : N. Bellanger, P. Gabard, M. Jouy, M. Sicot, D. et F. Stephan.

Je remercie les scientifiques botanistes, chimistes, phytochimistes, pharmaciens, médecins et paramédicaux spécialisés en médecine naturelle, ainsi que les producteurs et distillateurs qui m'ont directement aidé dans mon travail de recherche et de clarification sur les huiles essentielles, tant en Europe, qu'en Amérique du Sud et en Asie. Je les prie de bien vouloir me pardonner la faible place que j'accorde dans ce livre à l'aspect scientifique des huiles essentielles :

Professeur Akisue, R. Balz, professeur C. Bassani de Barros, professeur J. Bruneton, docteur P. Caudal, professeur P. Chanel, professeur A. Craveiro, G.R. Donalisio, P. Franchomme, professeur O. Gottlieb, professeur P. Jolivet, Maria A. Kaplan, docteur H. Kiefer, docteur R. Lago, G. Levy, professeur M. Lane, E. Manach, A.F. Martins, professeur Mauro Taveira Magalhaes, professeur F.J. de Abreu Matos, professeur J.G.S. Maia, professeur S. Moro, docteur N. Mohr, professeur W. Mors, docteur G. Nezan, professeur F. de Oliveira, J. Paltz, docteur L. Sauer, professeur N. Sharapin, docteurs Seki, H.K. Shimizu, Maria Biachara Zogbi...

Avertissement

Ce livre pratique **n'a pas la prétention de remplacer une consultation auprès d'un praticien**. Il a pour but essentiel de mieux prévenir les troubles de santé en apprenant à utiliser les méthodes naturelles, savoir traiter les troubles bénins dès leur apparition ou consulter en cas de trouble grave.

Il se situe dans la perspective d'une meilleure prise en charge de sa santé par une information de base et une coopération corps médical/malade, essentielle au succès dans la lutte contre les maladies qui, malgré les progrès de la recherche et de la technique, continuent à se développer.

Introduction

Les végétaux sont les premiers maillons de la vie terrestre. Grâce à la présence de chlorophylle, ils sont capables de fabriquer à partir de l'énergie solaire, des sucres et des matières organiques leur permettant ainsi de croître et de se multiplier. Ils servent de nourriture de base à la chaîne alimentaire : micro-organismes, animaux et, enfin (en bout de chaîne), êtres humains. Sans le végétal aucune vie animale ne pourrait exister ; c'est dire l'importance capitale de la protection des forêts et de la flore maritime !

Le monde des plantes m'a toujours captivé, héritant sans doute en cela de mon grand-père qui, dans son Morvan natal, récoltait les herbes et écorces sauvages pour approvisionner la pharmacie du village. Mais cet intérêt devait s'accroître encore lorsque je découvris les étonnants pouvoirs des plantes aromatiques et la magie de leurs parfums. Véritables condensés d'énergie solaire, ces molécules odoriférantes se présentent sous la forme d'une substance liquide, huileuse et volatile appelée l'**huile essentielle** (H.E.).

L'huile essentielle est fabriquée à partir des sucres issus de la photosynthèse, par des cellules spécialisées (ou sécrétrices) situées le plus souvent dans les fleurs et les feuilles, mais aussi dans les fruits, bois et racines.

Je vous invite, dans ce livre, à découvrir au travers de l'histoire, les végétaux à huiles essentielles d'Europe et du monde. Vous apprendrez à en apprécier les qualités et à les utiliser sans risques pour votre santé ou votre plaisir, en association avec d'autres méthodes naturelles.

J'ai essayé de simplifier le propos et de rendre les explications accessibles à tous par des illustrations claires et précises réalisées par mon frère Alain Roulier que je remercie vivement.

Les lois de la vie et de la santé sont à la fois simples et complexes. **La santé constitue un tout**, une harmonie physique et mentale au sein de l'être, mais aussi et avant tout une harmonie entre l'homme et son environnement.

Je vous convie donc à une approche plus naturelle de votre santé, approche essentielle en notre époque assombrie par les conséquences des pollutions graves en tout genre qui menacent la survie de nombreuses espèces végétales et animales et, à terme, des générations futures.

Guy Roulier

Mots clefs à connaître :

Absolues : essences obtenues par dissolution dans l'alcool des essences *concrètes* (voir ce mot). Utilisées en parfumerie florale.

Acupuncture : partie de la médecine chinoise consistant à traiter l'énergie corporelle par l'implantation d'aiguilles, les moxas et les massages.

Adaptogène : se dit d'une substance alimentaire contenant tous les éléments nécessaires à une meilleure adaptation aux stress.

Aromacosmétique et **phytocosmétique** : utilisation des propriétés des huiles essentielles (H.E.) et des plantes pour les soins de l'épiderme.

Aromates : appelés aussi *plantes* ou *végétaux aromatiques*, ils génèrent une odeur pénétrante utilisée aussi bien en médecine qu'en parfumerie et cuisine.

Aromathérapie : thérapeutique basée sur l'utilisation des H.E., et reposant sur des principes proches de l'allopathie en utilisant les propriétés des molécules aromatiques. L'aromathérapie *de terrain* se rapproche de la *naturopathie* en corrigeant certaines causes organiques.

Aromatologie : science des arômes.

Arômes végétaux : captés par les cellules sensorielles de l'odorat, ce sont des composés de molécules naturelles volatiles et odoriférantes contenues en très faibles quantités (de 0,01 à 4 ou 5 %) dans diverses parties de végétaux dits *aromatiques* (fleurs, fruits, feuilles, tiges, racines, bulbes, rhizomes, bois).

Baume : oléorésine s'écoulant du tronc de certains arbres après incision (baume de copaïba, Tolu, Pérou, Canada).

Concrètes ou **essences concrètes** : essences obtenues à partir de l'extraction à l'aide d'un solvant ou par enfleurage (dissolution dans des corps gras) de substances végétales fraîches (iris, rose, jasmin...).

Bioélectronique : méthode mise au point par le professeur Louis-Claude Vincent qui définit les principaux paramètres électroniques favorables à la vie et à la santé : le **pH**, le **rH$_2$** (redox) et la **résistivité** qu'il est possible d'analyser non seulement au niveau du sang, de la salive, des urines, mais aussi de l'eau, des aliments et des produits végétaux (à l'aide d'un appareil appelé *bioélectronimètre*).

Biothérapies : soins préventifs et curatifs naturels qui comprennent une association de méthodes synergiques telles que : homéopathie, phytothérapie (plantes médicinales), phyto-gemmothérapie (emploi de bourgeons de plantes jeunes), oligothérapie, organothérapie, vitaminothérapie, neuralthérapie...

Blocage : terme qui se retrouve fréquemment en médecine naturelle. Il traduit une interruption totale ou partielle d'une fonction, secondaire à une perturbation physique (coup de froid, vent, sécheresse, chaleur, humidité, choc...), psychique (choc émotionnel, fatigue, sentiments excessifs...) ou biochimique (toxines ingérées ou injectées). Il se règle par un traitement naturel visant à éliminer la cause et ses séquelles.

Condiments : aromates utilisés dans l'art culinaire (voir *Épices*).

Cosmétique : méthode de soins consistant en l'application de substances pour améliorer l'état de l'épiderme.

Eau florale ou *eau aromatique* : voir *Hydrolat* et *Hydrosol*.

Énergétique : se dit d'un nutriment qui fournit de l'énergie.

Énergétisante ou **énergisante** : se dit d'une méthode ou d'une substance qui donne de l'énergie et renforce l'énergie défensive.

Énergie : concept universel qui recouvre des réalités très différentes. L'énergie est la forme la plus subtile de la matière qu'elle crée en se condensant. Inversement, elle résulte de la dégradation de la matière. « *Rien ne se crée, rien ne se perd, tout se transforme.* »

Énergie défensive : énergie électromagnétique qui alimente nos cellules et conditionne notre résistance aux agressions externes.

Énergie motrice : énergie qui alimente nos cellules et permet leur fonctionnement.

Énergie vitale : définit notre réserve d'énergie physiologique. Elle est la somme de notre *énergie héréditaire* (patrimoine génétique), de l'*énergie respirée* (oxygène) et de l'*énergie d'origine alimentaire*. Elle se divise en énergie motrice et énergie défensive.

Épices : substances végétales aromatiques destinées à l'assaisonnement des préparations culinaires. Exemple de la formule « des quatre épices » : cannelle (ou gingembre) + girofle + muscade + poivre noir.

Essences déterpénées : obtenues par distillation fractionnée dans le but d'éliminer les terpènes irritants, et de conservation aléatoire (voir chapitre *La chimie aromatique*). Ces produits sont utilisés principalement en parfumerie et en cosmétique. En aromathérapie familiale, je conseille des produits naturels non déterpénés.

Holistique : se dit de méthodes et de médecines naturelles considérant l'homme dans sa globalité et de façon synthétique sur ses divers plans physiologiques (énergétique, biochimique, physique, psychique et spirituel), en tenant le plus grand compte de ses rapports avec son environnement.

Huile essentielle (H.E.) : substance odorante et volatile fabriquée à partir de l'énergie solaire par des cellules végétales spécialisées.

Hydrolats et **hydrosols** : appelés aussi *eaux florales*, ce sont des produits légèrement aromatiques qui contiennent de très faibles quantités d'H.E. (environ 1/1 000). L'hydrolat est obtenu par récupération, après condensation, de l'eau de distillation (2 à 4 l d'eau pour 1 kg de plantes fraîches). L'hydrosol est obtenu par imprégnation prolongée d'H.E. dans une eau pure.

Naturopathie : utilisation des méthodes naturelles pour la prévention et les soins : diététique, balnéothérapie, homéopathie, plantes atoxiques et H.E., massage, gymnastique douce, yoga, iridologie... La naturopathie renforce les défenses naturelles et corrige les erreurs d'hygiène.

Ostéopathie : méthode naturelle (d'enseignement supérieur post-kinésithérapique) qui cherche à mettre en évidence et à réparer les causes mécaniques des troubles de santé par des manœuvres douces et précises.

Parfumerie : art et science consistant à mélanger divers produits odoriférants (huiles essentielles, essences, matières animales et chimiques) dans le but de créer une harmonie vibratoire perçue par notre odorat comme une sensation agréable.

Photosynthèse : processus spécifique aux végétaux d'utiliser l'énergie solaire par l'intermédiaire de la chlorophylle pour fabriquer des sucres et autres substances organiques.

Relaxant : action calmante qui diminue l'excitabilité du système nerveux.

Résinoïdes : produits aromatiques odoriférants, obtenus par extraction à base de solvants, de substances végétales telles que résines, oléorésines, gommes-résines et baumes.

Stimulant : qui excite le système nerveux sympathique.

Synergie : association de plusieurs facteurs ou de plusieurs méthodes vers la même action physiologique.

Synergétique ou **synergique** : s'appliquant aux complexes d'H.E., ce terme indique que chacune renforce l'action des autres.

Tonifiant : qui recharge le système nerveux sympathique.

PREMIÈRE PARTIE

L'univers
des plantes aromatiques
et des huiles essentielles

CHAPITRE I

Histoire des plantes aromatiques

L'histoire des plantes aromatiques se trouve associée, sur tous les continents, à l'évolution des civilisations. Les fouilles effectuées sur le site archéologique de Shanidar (Irak) ont permis de retrouver des graines d'achillée millefeuille, de rose trémière, de centaurée que notre lointain ancêtre, l'homme de Neandertal, guidé par son instinct, récoltait et consommait déjà 60 000 ans avant notre ère. Dans toutes les régions du monde, l'histoire des peuples montre que les plantes aromatiques ont toujours occupé une place importante en médecine, en cuisine (épices, condiments, fines herbes) et dans la composition de parfums.

1. Les temps antiques

La **Chine**, berceau de la phytothérapie, à qui revient la primeur de l'usage rationnel des plantes médicinales et aromatiques. La médecine chinoise, surtout connue par l'acupuncture, remonte au troisième millénaire avant Jésus-Christ. L'empereur Chen-Nong (2800 av. J.-C.), médecin érudit, consigne son savoir relatif aux plantes médicinales dans un livre, le *Pen Ts'ao*, qui relate l'usage de plus de 100 plantes parmi lesquelles figurent l'anis, la cannelle, le curcuma et le gingembre. Ce livre fera autorité jusqu'au XVIᵉ siècle où il est revu et corrigé par un médecin botaniste et pharmacologue curieux et lettré, Li Che Tchen, qui ne recense pas moins de 1 000 plantes médicinales utiles.

En **Inde**, l'*Ayurveda*, livre sacré écrit par Brahmā, révèle les secrets de la longévité en conseillant l'usage des plantes aromatiques en médecine et dans l'alimentation. Trente siècles avant notre ère, le célèbre médecin Susruta connaissait déjà l'art de l'anesthésie pratiquée à l'aide de plantes (chanvre indien), et enseignait comme règles de santé l'hygiène et la diététique, conseillant couramment les plantes médicinales et aromatiques.

Au **Moyen-Orient**, 4 000 ans av. J.-C., les Sumériens connaissaient et faisaient, eux aussi, usage des plantes médicinales et aromatiques (telles que l'acore, l'ammi, le fenouil, le galbanum, le pin...). Sur des plaquettes d'argile de cette époque, retrouvées en Syrie (près d'Alep en 1973), figurent les formules des premiers médicaments végétaux connus dans le monde.

Les Arabes, géographiquement situés à la jonction entre l'Orient et l'Occident, conservèrent pendant des millénaires le monopole du commerce des épices et contribuèrent largement aux progrès des techniques d'extraction des huiles et des parfums.

En **Égypte**, vers 2700 av. J.-C., les plantes aromatiques, transportées des lointains pays d'Orient par bateau ou caravane, étaient vendues à prix d'or : cèdre du Liban, encens et myrrhe d'Arabie, d'Éthiopie et de Somalie, roses de Damas, labdanum et nard (espèce de valériane)... Le célèbre Imhotep, architecte constructeur de la pyramide de Saqqarah, médecin du pharaon Djoser (IIIe dynastie), pratiquait la médecine en utilisant largement les plantes aromatiques parmi lesquelles figuraient l'ail, l'anis, la cannelle, la cardamome, le cumin, l'encens (oliban), le laurier, la menthe, la myrrhe...

Les Égyptiens maîtrisaient la fabrication de produits aromatiques (huiles et eaux parfumées, préparations cosmétiques), mais aussi de préparations destinées à l'embaumement des momies (à base de cannelle, myrrhe et canéfice ou fausse can-

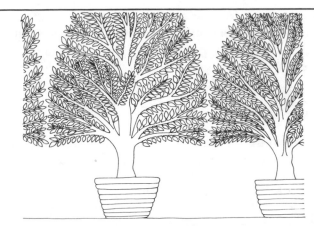

Bas-relief du temple de la reine Hatshepsout (1520-1484 av. J.-C.) à Deir el-Bahari. Les arbres à encens recueillis par les Égyptiens lors de leur expédition au pays de Pount.

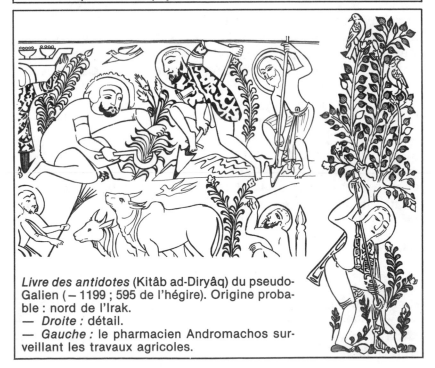

Livre des antidotes (Kitâb ad-Diryâq) du pseudo-Galien (– 1199 ; 595 de l'hégire). Origine probable : nord de l'Irak.
— *Droite :* détail.
— *Gauche :* le pharmacien Andromachos surveillant les travaux agricoles.

nelle). Lors des cérémonies funéraires, les prêtres usaient d'onguents et d'huiles odorantes, brûlant des aromates et des résines dont les effluves odoriférantes symbolisaient le souffle de la vie éternelle. Les temples recelaient de véritables laboratoires de parfums, et de nombreuses recettes sont parvenues jusqu'à nous sous forme de hiéroglyphes gravés sur leurs murs (Edfou, Medynet Abou).

Les **Hébreux**, héritant des pratiques de l'Égypte où ils avaient vécu, accordaient une grande importance à l'hygiène corporelle. Selon les textes bibliques, pendant l'Exode, Jéhovah donne à Moïse la formule d'un encens destiné à être brûlé sur l'autel d'or et d'une huile réservée aux prêtres et au service divin. Marques d'hommage, les précieuses substances aromatiques (comme l'encens et la myrrhe) figuraient parmi les offrandes qu'apportèrent les Rois mages à l'enfant Jésus.

En **Grèce**, dès le XIIe siècle av. J.-C., les marchands phéniciens ramenèrent de leurs voyages en Orient la cannelle, l'encens, le gingembre, la myrrhe et le poivre. La Grèce, porte de l'Orient, hérite du savoir des civilisations anciennes. Asclépios, roi de Thessalie et médecin, devient le dieu de la médecine. Ses deux filles représentaient — et représentent encore — les deux courants de la médecine : Hygie (déesse de la santé, mère de l'hygiénisme et des méthodes préventives) et Panacée (déesse qui guérit tout, mère de la médecine curative).

La mythologie grecque laisse son empreinte dans le nom de plantes fameuses : l'achillée millefeuille (plante aromatique cicatrisante qui servit à panser les plaies d'Achille), la centaurée (qui doit son nom à Chiron, le centaure), la pivoine (*paeonia*, qui doit son nom à Paeon, médecin des dieux)...

Le temple d'Épidaure, dédié à Asclépios, est au Ve siècle av. J.-C., un des hauts lieux de la médecine grecque où se mêlent magie, usage des plantes et thermalisme. Certains verront dans ces pratiques une exploitation de la crédulité populaire, d'autres une première approche de la médecine psychosomatique actuelle où la psychologie détermine pour une large part le succès du traitement.

Le siècle des philosophes, marqué par Héraclite et Pythagore, tente de donner un support scientifique à la médecine. Empédocle classifie en quatre éléments fondamentaux (air, feu, terre et eau) toutes les choses de la nature. Dans sa lignée, Hippocrate de Cos (460-377 av. J.-C.) tente la première rationalisation de la médecine en consignant toutes les connaissances médicales de l'époque dans une œuvre considérable en 72 livres appelés *Corpus hippocratum*. Sortant la maladie de son « aura » magique, il lui reconnaît des causes naturelles et propose comme principe de base de soigner en favorisant les forces naturelles d'autoguérison. Il recommande l'utilisation des aromates dans l'alimentation et en médecine. C'est à l'époque d'Alexandre le Grand que le commerce des épices culmine, enrichi par les produits rares rapportés des conquêtes de l'Orient, de la Perse à l'Inde. Alexandrie devient, avec sa bibliothèque de 700 000 volumes et son jardin botanique, le phare de la science antique d'Euclide à Théophraste.

Les **Romains** sont de grands consommateurs d'épices et de plantes aromatiques comme nous l'indique l'*Histoire naturelle universelle* de Pline l'Ancien. Dioscoride, médecin du premier siècle après Jésus-Christ et grand voyageur, dresse dans son *De*

De Materia medica de Dioscoride : la lentille. (Nord de l'Irak ou Syrie, − 1229 ou 626 de l'hégire.)

Le roi Assourbanipal dans son jardin.

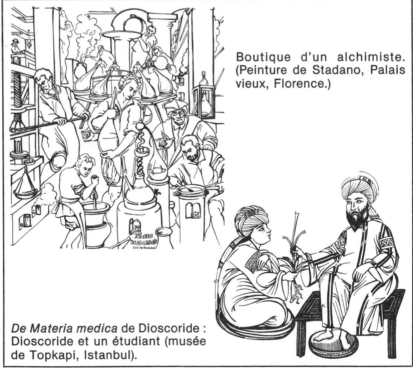

Boutique d'un alchimiste. (Peinture de Stadano, Palais vieux, Florence.)

De Materia medica de Dioscoride : Dioscoride et un étudiant (musée de Topkapi, Istanbul).

Expédition de Pount : fresques d'Assouan représentant le retour de l'expédition au « pays de Pount » (Éthiopie, Somalie, Soudan ?) ; transport des huiles, résines d'encens, aromates et écorces aromatiques.

Art crétois : Knossós, le ramasseur de crocus (environ 1600 av. J.-C.).

Materia medica l'inventaire de 519 espèces de plantes. Véritable précurseur des chercheurs de nos facultés modernes, il en décrit avec précision l'usage médicinal, les variétés les plus efficaces et les modes de préparation. Cet ouvrage devait faire autorité pendant plus de 1 000 ans. L'usage des bains aromatiques, lotions, onguents et crèmes parfumées faisait partie du quotidien du citadin romain.

Un siècle plus tard, Galien, médecin des empereurs successifs Marc Aurèle, Lucius Verus, Commode, Pertinax et Septime Sévère, marque un progrès décisif dans l'histoire de la pharmacie. La galénique (ou mode de préparation des médicaments) rend hommage à ce précurseur qui, pendant 15 siècles, servit de référence en médecine praticienne. A cette époque, les plantes étaient de toutes les fêtes et l'art culinaire ne pouvait se concevoir sans un savant accompagnement d'épices et de condiments.

L'armée romaine exporta, lors de ses conquêtes, de nombreuses variétés de plantes aromatiques, comme en témoignent les graines de moutarde retrouvées sur les vestiges du site romain de Silvester (Grande-Bretagne).

La **Gaule** avait aussi son herbier de santé. Le gui, plante rituelle utilisée par les druides, côtoyait dans la vie quotidienne des Gaulois les simples aromatiques locaux tels que l'ail, l'armoise, le fenouil, le laurier, la menthe, le thym et le serpolet, mais aussi les plantes et produits aromatiques apportés par les conquérants romains (cannelle, mastic, myrrhe, poivre, safran...).

En **Amérique**, Aztèques, Mayas et Incas possédaient une parfaite connaissance des plantes médicinales et aussi des drogues et plantes toxiques. La médecine traditionnelle indienne recèle des trésors de connaissances empiriques que la science ne fait que confirmer. Des recherches effectuées sur l'efficacité des plantes traditionnelles en démontrent l'efficacité dans 80 % des cas. De tout temps, les Indiens utilisèrent les résines s'écoulant naturellement des arbres pour soigner les morsures, les plaies et les infections : ainsi le fameux baume de copaïba d'Amazonie (produit de base d'innombrables préparations à appliquer en cataplasmes : baume du Pérou, baume de Tolu), mais aussi sassafras, bois de gaïac et bois de rose... Les conquêtes devaient mettre en lumière l'extraordinaire richesse de la flore tropicale qui recèle encore des milliers de plantes inconnues. L'Amérique du Nord est riche en essences de conifères, sans oublier la gaulthérie, la vergerette du Canada.

En **Afrique**, la médecine traditionnelle utilise depuis des temps immémoriaux des plantes médicinales et aromatiques. Plusieurs milliers de produits ont été recensés, parmi lesquels de nombreuses herbes et écorces, des oléorésines (ou baumes naturels) : encens (oliban) de Somalie et d'Éthiopie, myrrhe du golfe arabique, ravensare de Madagascar, géranium rosat de la Réunion...

2. Le Moyen Age

Après la chute de l'empire romain, l'Europe connaît un retour à la barbarie, un déclin général du savoir et une longue période d'obscurantisme. Il faudra attendre l'apport des Arabes pour assister à une véritable renaissance de l'activité intellectuelle, artistique et culturelle. L'art oriental, les sciences fondamentales et la médecine, sous l'influence d'Avicenne, Oribase, Constantin l'Africain et l'École de Salerne, connurent une certaine pérennité. Vers le XIIe siècle, les croisades relancent les échanges entre l'Europe et le Moyen-Orient et contribuent à la Renaissance italienne ; le commerce des épices renaît autour des ports de Venise et Gênes. Une nouvelle période de faste s'ouvre enfin. Les mets recherchés se colorent des chaudes nuances du safran, s'enrichissent de la saveur piquante du poivre, du gingembre et de la girofle. Au XIIIe siècle en Angleterre, le poivre est devenu si précieux qu'il sert de monnaie d'échange dans certaines transactions, comme le sel d'ailleurs. Après une longue période de régression, la médecine par les plantes retrouve une place de premier plan.

a) La quintessence des alchimistes

Les philosophes — souvent médecins — se consacrent à l'alchimie, science hermétique, ancêtre de la chimie. Le perfectionnement des techniques permet d'extraire des plantes les parties les plus subtiles (quintessences volatiles des substances aromatiques). Vers l'an 1000, Avicenne, médecin érudit, philosophe, auteur du fameux *Canon de la médecine* qui devait faire autorité jusqu'au XVIIᵉ siècle, invente le serpentin de l'alambic.

L'art de la distillation atteint à cette époque une dimension quasi spirituelle. Opération majeure, symbole de purification et de concentration des forces cosmiques, la distillation de la matière végétale effectuée par l'adepte alchimiste symbolise ses propres métamorphoses intérieures.

Herbier de John Gerard, herboriste anglais (époque élisabéthaine). Détail du frontispice de la première édition. Il disposait d'un jardin botanique personnel à Londres.

Herbes médicinales aromatiques d'après un livre de Galien.

L'alchimie atteint son apogée avec Paracelse (célèbre médecin, chirurgien et chimiste du XVIᵉ siècle) qui établit la correspondance entre l'univers (macrocosme) et les différentes parties du corps de l'homme (microcosme) ; il ouvre la voie de la thérapeutique chimique. L'alchimie, ou *art spagyrique*, ancêtre de la chimie, consiste à dissoudre la matière physique pour condenser la partie subtile, « la quintessence » qui détient toute la puissance curative de la plante, véritable concentré d'énergie cosmique. Les matières premières végétales subissaient de multiples transformations (distillations) et le produit final atteignait une extrême pureté.

La découverte des huiles essentielles connues aujourd'hui est due au raffinement des pratiques des premiers maîtres distillateurs-alchimistes de cette époque.

b) L'exploration du monde par les marins européens

Deux siècles après le voyage de Marco Polo, des explorateurs commandités par plusieurs gouvernements européens partent à la conquête du Nouveau Monde. Les Espagnols découvrent le Mexique et le Pérou, Christophe Colomb, partant à la recherche des Indes, accoste aux Antilles et découvre le Mexique d'où il rapporte la toute-épice, le chili (variétés de piment) et la vanille.

Le Portugais Vasco de Gama passe le cap de Bonne-Espérance et inaugure le passage vers l'Afrique-Orientale, la côte de Malabar où se tenait le comptoir marchand de Calicut. Peu après l'Orient est investi : Malacca, Ceylan, Bornéo et Java. Le port de Lisbonne devient le principal marché européen d'épices.

Les Hollandais et les Anglais partent à leur tour à la conquête des mers et établissent des comptoirs en Indes orientales.

Une lutte sans merci se livre entre les flottes des États concurrents. La guerre des épices voit s'affronter les Portugais et les Hollandais. Après une guerre acharnée, le contrôle de la cannelle et des clous de girofle tombe aux mains de ces derniers. Un siècle plus tard, l'Angleterre, devenue une grande puissance navale, reprend le contrôle des comptoirs hollandais et Londres devient la nouvelle capitale du commerce des épices. Poivre, curry, gingembre, moutarde et thé entrent dans les habitudes alimentaires de la vie britannique.

3. Les Temps modernes

Jusqu'au milieu du XIXe siècle, les plantes aromatiques sont utilisées à l'état naturel dans la cuisine ou sous forme de vinaigres, baumes, huiles aromatiques, onguents... L'extraction industrielle par distillation à la vapeur est relativement récente et coïncide avec la révolution industrielle et le développement de la parfumerie, des secteurs agroalimentaires et des produits domestiques. Aujourd'hui, certains pays producteurs fondent une part importante de leur économie sur la vente d'épices et d'huiles essentielles : noix de muscade de l'île de Grenade, girofle de Madagascar, bergamote de Sicile...

a) Premières expérimentations scientifiques

En France, la première expérimentation scientifique démontrant le pouvoir antiseptique des huiles est effectuée en 1887, par Chamberland ; ses travaux seront confirmés deux ans plus tard par Cadéac et Meunier. En 1910, Martindale classe les huiles essentielles en fonction de leur pouvoir antiseptique par rapport au phénol. L'origan arrive déjà en tête, suivi du thym, de la cannelle et du romarin. D'autres expériences menées à partir de cultures microbiennes exposées à des vapeurs d'essences démontrent que l'huile essentielle de citron tue le pneumocoque en 3 heures et le streptocoque en 3 à 12 heures. Le bacille d'Eberth est détruit de la même manière en 1 à 3 heures par le citron. Ruth Miller, les professeurs Courmont, Morel et Rochaix confirment en 1922 que le thymol et l'eugénol des huiles essentielles sont plus efficaces en contact direct avec les germes que le phénol au pouvoir bactéricide de la menthe sur les bacilles de Koch (tuberculose), d'Eberth (typhoïde), le staphylocoque doré et le proteus vulgaris (agent de la diarrhée). R. M. Gattefossé (précurseur de l'aromathérapie moderne), chimiste et parfumeur, se brûlant la main dans son laboratoire lors d'une expérience, a le réflexe de la plonger aussitôt dans un récipient rempli d'huile essentielle de lavande. Il en ressent un soulagement immédiat et la guérison de la plaie intervient avec une rapidité surprenante. Motivé par ce résultat déroutant, il décide de se consacrer à l'étude des propriétés des huiles essentielles et teste en particulier leur effet sur des souches microbiennes, constatant leur étonnant pouvoir antibiotique et antiseptique.

b) L'aromathérapie médicale

L'aromathérapie connaît son véritable essor avec les livres de Guenther, puis les écrits de Sévelinges et de R. M. Gattefossé dont s'inspirèrent le docteur Jean Valnet et ses disciples. Malgré son efficacité dans de nombreux troubles de santé et son action préventive dans la plupart des maladies de civilisation, l'aromathérapie ne reçoit pas de la part du corps médical l'accueil que son efficacité aurait laissé espérer. Les raisons de ce demi-succès sont multiples : certains thérapeutes considèrent les huiles essentielles uniquement comme des corps chimiques pareils aux médicaments allopathiques ; l'aromathérapie, ainsi réduite à une simple technique, a des effets limités dans le temps. D'autres utilisent des huiles essentielles sans connaissance suffisante des différentes variétés pour une même espèce. Or les huiles essentielles doivent être choisies avec le même soin qu'un médicament homéopathique ; elles doivent correspondre exactement au terrain du sujet (voir *Aromatogramme de terrain*), être bien dosées et pénétrer dans le corps au niveau le plus favorable. Enfin, il faut savoir que les huiles essentielles sont souvent raffinées, donc dénaturées, et que leurs effets thérapeutiques sont alors très inférieurs à ceux du produit naturel et pur.

Les huiles essentielles sont aujourd'hui étudiées de par le monde dans de nombreuses facultés de pharmacie et centres de recherche publics et privés parmi lesquels : aux États-Unis (docteur Schwartz de l'Université de Yale), au Brésil (professeurs Matos, Craveiro, Maia, Mors, Gottlieb, Chanel, Sharapin), en Italie (professeur Rovesti) et en France (professeurs Rouzet de l'Université de Nantes, Bruneton d'Angers, Pellecuer de Montpellier, Durrafourd et Lapraz de Paris, H. Richard E.N.S.I.A. de Paris, Perrin de Saint-Étienne, Gilly d'Antibes, Vernin de Marseille, Mortier de Nancy, Malhuret de Clermont-Ferrand, Étiévant de Dijon...).

c) L'aromathérapie familiale

A côté de l'aromathérapie médicale se développe, depuis une vingtaine d'années, un courant naturopathique qui considère les huiles essentielles comme des vecteurs de santé, d'énergie et de longévité et non comme de simples médicaments végétaux.

Les principes actifs des huiles essentielles sont utiles et efficaces dans de nombreux domaines de la vie quotidienne : parfums, soins cosmétiques de la peau et des cheveux ; ils aident à digérer, à rééquilibrer les nerfs, à lutter contre la douleur (massages sportifs) ou à préparer au sommeil.

Mais l'action la plus intéressante des huiles essentielles s'effectue au niveau de la **recharge en énergie de nos batteries neuro-hormonales** et de la **rééquilibration de notre terrain**. En effet, comme nous le verrons plus loin, une des causes majeures des maladies modernes est la **diminution des défenses immunitaires** de l'organisme qui permet le développement des maladies infectieuses et des cancers, et le vieillissement précoce (cardio-vasculaire, nerveux, articulaire et cérébral).

d) Autres usages

— **Art culinaire :** la diffusion de l'information sur les traditions culinaires étrangères a contribué à l'essor considérable

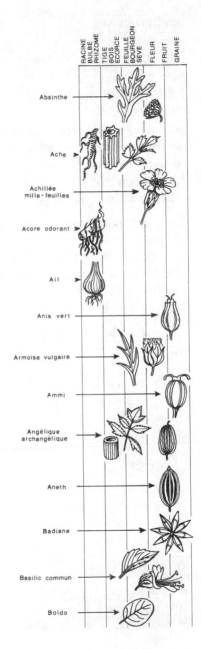

Les huiles essentielles sont fabriquées à partir de certaines parties des végétaux : fleurs, fruits, feuilles, tiges, bois, bulbes, rhizomes, racines...

des herbes aromatiques. La nouvelle cuisine, art de la création gustative, cherche à allier qualité et fraîcheur des produits de base à un savant mélange d'épices et de condiments pour le plus grand profit de notre palais et de notre santé. Apprendre à manier les mille saveurs des plantes aromatiques transforme la cuisine en partie de plaisir.

— **Parfumerie :** artisanat ou industrie, la parfumerie occupe dans nos sociétés modernes une place de premier rang et ne représente plus un luxe, mais une marque de savoir-vivre. Le parfum fait aujourd'hui partie intégrante de notre vie, mettant en valeur notre personnalité.

— **Cosmétique :** elle utilise les vertus des huiles essentielles pour l'entretien et les soins de la peau et des cheveux. La qualité des produits de base est le facteur essentiel de l'efficacité des crèmes, lotions et shampooings. En France, des expérimentations cliniques de toxicité et d'allergie sont effectuées avant la mise sur le marché.

— **Industrie :** depuis le début du siècle, elle s'est emparée des arômes végétaux pour améliorer notre environnement :
— **Industrie de l'hygiène :** savons, déodorants, shampooings, sels de bains, bains moussants, etc.
— **Industrie alimentaire :** ajouts d'huiles essentielles et d'aromates dans les conserves, soupes en sachets, viandes, charcuteries, poissons, sauces et condiments, etc.
— **Industrie domestique :** produits de nettoyage parfumés, désinfectants, déodorants, cires, etc.

*
* *

Sans que nous en ayons toujours conscience, arômes et huiles essentielles font aujourd'hui partie de notre vie quotidienne et constituent les plus sûrs alliés de notre santé et de notre bien-être. Apprenez à les mieux connaître et à les utiliser avec sagesse et modération en fonction de vos besoins.

CHAPITRE II

L'univers des plantes aromatiques

La richesse du monde végétal est difficile à évaluer si l'on ne se réfère pas à un ordre de grandeur. Au début de la botanique, vers le milieu du XVIIIe siècle, Linné classifia ce qu'il pensait être la totalité du monde végétal, soit environ 10 000 plantes. Un siècle plus tard, Lindley multipliait ce chiffre par 10. Aujourd'hui, les botanistes estiment entre 800 000 et 1 500 000 le nombre des espèces végétales dans le monde : levures, champignons, mousses, algues, plantes à fleurs, arbres... Parmi celles-ci, plusieurs centaines de milliers restent encore à découvrir dans les forêts encore vierges de l'Amazonie, de l'Afrique et de l'Océanie.

La flore mondiale est dominée par certaines espèces. Les plantes médicinales et aromatiques appartiennent pour la plupart au groupe des *angiospermes* qui comprend 300 familles et 250 000 espèces subdivisées en 10 500 genres.

1. Qu'est-ce qu'une plante aromatique ?

Les plantes aromatiques se différencient des autres plantes médicinales par leurs principes odoriférants et parfumés appelés *huiles essentielles*. Ces effluves aromatiques naturels peuvent être classifiés en arômes de base : anisé, brûlé, camphré, éthéré, floral, menthé, musqué, piquant, putride...

Elles comprennent les « herbes » nutritionnelles que nos grands-mères cultivaient dans leur jardin, près de la cuisine, mais aussi les épices et condiments, ainsi que de nombreux arbres et arbustes contenant des huiles essentielles ou sécrétant des oléo-résines (baumes).

Le végétal aromatique fabrique de faibles quantités d'huile essentielle (de 0,01 % à 5 %) dans ses cellules sécrétrices à partir des sucres issus de la photosynthèse qu'il concentre ensuite dans des poches situées dans certaines de ses parties : fleurs (achillée), fruit (anis vert), feuilles (basilic), tiges (ciboule), racines (acore), bulbe et rhizome (ail, ache), bois (bois de rose)...

2. Où trouver des plantes aromatiques ?

a) Le grand jardin sauvage

Vous vivez sans le savoir à côté d'innombrables plantes aromatiques. Quand vous vous promenez à la campagne le dimanche, faites preuve de curiosité. C'est dans les fossés, sur les talus de pierrailles, les terres en friches que vous pourrez découvrir les plantes aromatiques sauvages. Si la botanique n'est pas votre point fort, achetez un petit livre illustré en couleurs de botanique pratique afin d'apprendre à les reconnaître. Chacune de vos promenades deviendra ainsi une partie de cueillette et fera la joie de vos enfants. N'arrachez pas les plantes mais coupez-les, et ne prenez que ce qui vous est nécessaire. Si vous voulez faire votre récolte pour votre consommation personnelle, soyez sûr de leur utilité.

Comment les reconnaître parmi les autres plantes ? Une seule condition : ne pas être enrhumé. Vous prendrez vite l'habitude de ne pas vous tromper. Froissez simplement une feuille entre vos doigts : si elle dégage une odeur parfumée plus ou moins forte, vous avez affaire à une plante aromatique. Vous

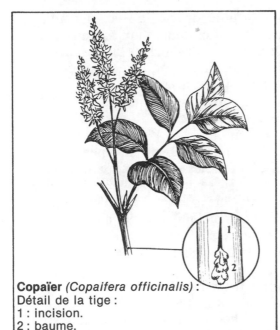

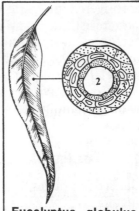

Copaïer *(Copaifera officinalis)* :
Détail de la tige :
1 : incision.
2 : baume.

Eucalyptus globulus
(coupe) :

1 : cellules sécrétrices.
2 : lacune sphérique
contenant l'H.E.
3 : cellules lignifiées
constituant une gaine
protectrice.

Verveine   odorante
(coupe) :
1 : cellules basales.
2 : cellules sécrétrices.
3 : poche sous-cuticu-
laire contenant l'H.E.
4 : cuticule cireuse.

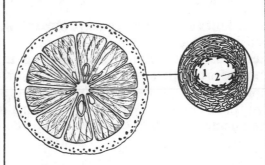

Citron :
1 : cavité recueillant les sécrétions d'H.E.
2 : cellules sécrétantes (qui se segmentent
par agrandissement de la cavité).

éprouverez un grand plaisir à découvrir l'ail sauvage à la tige caractéristique, le millepertuis aux fleurs jaunes et aux feuilles perforées, la camomille aux fleurs rappelant la marguerite, la menthe sauvage au parfum rafraîchissant, la moutarde sauvage aux effluves piquants... et mille autres.

Vous pouvez ainsi vous constituer un herbier ou un album photographique de plantes aromatiques. Rien de plus facile. Laissez sécher vos plantes au chaud, à l'abri de la lumière et bien à plat sur une feuille de papier absorbant, pendant quelques jours jusqu'à ce que les feuilles soient craquantes. Collez-les ensuite dans un livre, protégées par une feuille de Cellophane. N'oubliez pas de bien noter la date et le lieu de récolte ; adjoindre la photo de la plante fraîche. Voici un excellent moyen de joindre l'utile à l'agréable, de vous inciter à faire un peu d'exercice et d'initier vos enfants à la connaissance et au respect de la nature.

Pendant vos vacances renseignez-vous auprès des offices de tourisme. Dans la plupart des sites protégés et des réserves naturelles, des excursions d'herborisation et de découverte de la nature sont organisées, soit par des gardes forestiers, soit par des botanistes ou des amateurs passionnés.

Votre herbier personnel, jardin ou balcon : vous pouvez cultiver un grand nombre de plantes aromatiques dans votre jardin ou sur votre balcon, herbes utilitaires (ail, ciboule, lavande, menthe, mélisse, persil) ou arbustes d'ornement tels que romarin, laurier noble, jusqu'à l'oranger et le citronnier qu'il ne faudra pas oublier de rentrer l'hiver. Achetez un livre de jardinage spécialisé dans la culture des plantes aromatiques.

b) Les plantes du commerce

Plantes aromatiques fraîches : que leur utilisation soit culinaire, médicinale ou cosmétique, les plantes aromatiques employées fraîches présentent l'avantage de conserver toute leur saveur et leur parfum ; vous les trouverez sur les marchés et dans les épiceries fines. Les plantes d'origine tropicale se trouvent plus difficilement à l'état frais. La congélation représente une solution intéressante pour les fines herbes culinaires.

Plantes aromatiques sèches en l'état : elles perdent une partie de leurs huiles essentielles volatiles, mais restent utilisables pendant environ une année si on prend garde de les conserver à l'abri de l'humidité, de la chaleur et de la lumière. Vous les trouverez dans les épiceries, les magasins de produits naturels et diététiques, les pharmacies spécialisées ainsi que quelques herboristeries qui existent encore en France.

Plantes aromatiques en poudre : cette forme d'utilisation permet une meilleure utilisation et une meilleure assimilation digestive pour les plantes fortement concentrées en principes aromatiques : poivre, piment, gingembre... Certaines sont mises en gélules afin d'éviter l'évaporation des principes aromatiques (hygiéniques et médicinales).

Infusion, tisane et thé aromatique : c'est l'usage le plus répandu. Il suffit de verser de l'eau bouillante sur les plantes fraîches ou sèches dans un récipient muni d'un couvercle afin d'éviter l'évaporation des huiles essentielles volatiles. Pour les graines aromatiques, les écraser au préalable. On laisse infuser pendant 5 à 15 mn selon les plantes pour permettre l'extraction des principes actifs, puis on filtre. La dose de plante est variable, mais se situe en général entre 1 à 3 cuillères à café de plantes sèches (1 à 3 cuillères à soupe pour les plantes fraîches) pour 1/2 litre d'eau.

La **décoction** qui consiste à faire bouillir les plantes dans de l'eau ne convient pas pour les plantes aromatiques (les huiles essentielles s'envoleraient).

La **macération** consiste à laisser les plantes aromatiques en contact avec un liquide (eau, vin, vinaigre, huile), afin d'en extraire les principes actifs (voir *Formules culinaires* et *Formules de médecine familiale*).

La **teinture** est un extrait obtenu par macération dans de l'alcool à 70°, à raison d'une partie de plantes fraîches écrasées pour cinq parties d'alcool. Bouchez hermétiquement de 3 à 7 jours ou plus pour les racines. Filtrez. On peut aussi fabriquer des préparations hygiéniques et médicinales, ainsi que de délicieuses liqueurs : anis, coriandre, gentiane, menthe, oranger...

L'**huile essentielle** est un extrait pur, naturel et total de la partie odoriférante des plantes aromatiques.

Abréviations et mesures :

H.A. : hydrosol aromatique ou hydrolat.
H.E. : huile essentielle. Dans 1 g d'H.E. qui correspond environ à 1 ml ou 1 cc, vous aurez en moyenne 30 gouttes. Pour les H.E. les plus fluides, comptez 35 gouttes/ml et pour les plus visqueuses (santal) et les oléorésines, environ 25 gouttes/ml.
H.G. : huile grasse (olive, tournesol, rosa mosqueta...).
T.M. : teinture mère.

Plantes **fraîches** et **sèches** : la plante fraîche contenant environ 80 % d'eau, vous devez tenir compte, pour tout usage, qu'une cuillerée à café de plante sèche = une cuillerée à soupe de plante fraîche.

---

3. Du producteur au consommateur

Les plantes aromatiques et huiles essentielles utilisées à des fins hygiéniques et thérapeutiques doivent répondre à des critères de qualité fondamentaux. **L'exigence de la qualité pour les produits naturels doit être stricte.** En effet, l'engouement du public pour le « naturel » a permis à certains circuits de vente de profiter de l'absence d'information précise pour vendre des produits de qualité médiocre, raffinés ou mélangés... et au prix fort ! Cette situation nous a incité à exiger des fournisseurs en plantes et en huiles essentielles une garantie de **qualité extra.** Par « qualité extra » nous entendons des plantes, H.E. et baumes *naturels* de *qualité biologique* si possible. Le mode d'extraction de l'H.E. est aussi important que le mode de culture et de récolte de la plante elle-même.

a) La production des plantes aromatiques

— **Plantes aromatiques à usage culinaire, hygiénique ou thérapeutique :** dans la mesure du possible, elles doivent provenir de cueillette sauvage ou de cultures sans pesticides ou, mieux encore, de culture biologique. Elles peuvent être consommées fraîches, mais aussi surgelées ou séchées et conservées à l'abri de l'humidité, de la lumière et de la chaleur.

— **Les huiles essentielles :** la garantie de qualité d'une H.E. utilisable pour les soins, tant en médecine, hygiène que cosmétique, repose sur quatre critères :
— L'identité botanique de la plante.
— Le mode de culture et de récolte.
— Le mode d'extraction.
— La composition de l'H.E. elle-même, très variable suivant les lieux et époques de récolte.

Une huile essentielle de **qualité extra** (100 % pure, naturelle et totale) doit présenter les garanties suivantes :
— Origine sauvage ou de culture biologique ou sans pesticides.
— 100 % pure, c'est-à-dire non mélangée avec d'autres H.E.
— 100 % naturelle, c'est-à-dire sans la moindre adjonction d'essence minérale ou d'huile, obtenue sans aucun solvant par simple distillation ou extraction mécanique.
— 100 % totale (c'est-à-dire contenant la totalité des principes aromatiques), non décolorée, non rectifiée, non peroxydée et non déterpénée.

Cette garantie de qualité doit s'étendre aux **hydrosols aromatiques** (hydrolats, eaux florales aromatiques) qui sont censés répondre aux mêmes critères sans adjonction d'autre produit (conservateur ou dissolvant).

— **L'arc-en-ciel aromatique : espèces et variétés.** Les plantes aromatiques utilisées doivent correspondre à une espèce botanique et à un type chimique bien précis (confirmé par la *chromatographie*, technique d'identification d'une grande précision).

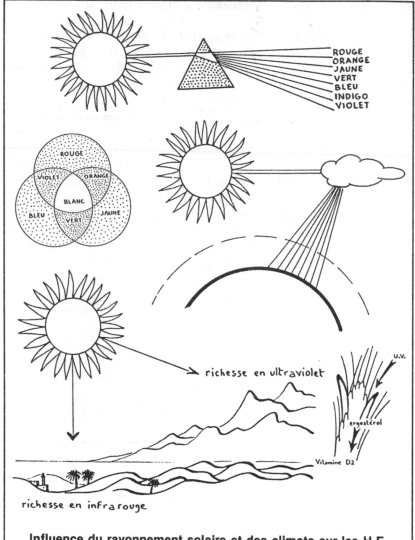

Influence du rayonnement solaire et des climats sur les H.E.
Les composants des H.E. varient en fonction du rayonnement solaire reçu : ainsi le thym doux, récolté en altitude, est-il riche en linalol. Le même thym planté en plaine changera de composition pour s'enrichir en phénols, et deviendra piquant et irritant.

L'exemple du thym est le plus connu ; suivant la variété, son arôme diffère : piquant pour le thym noir et rouge (à phénols), doux pour le thym à linalol, fruité pour le thym citronné, etc. Il en est de même pour la menthe : douce, poivrée, verte, suave... autant de parfums qui, selon la variété, correspondent à des propriétés différentes.

L'infinie diversité des arômes végétaux se conjugue à un arc-en-ciel de couleurs. La coloration des H.E. varie en fonction du groupe chimique de la plante, du terroir, de l'altitude et de la saison de récolte, tout autant que de la technique d'extraction. Ainsi, la couleur de l'H.E. de camomille peut-elle varier de la transparence cristalline au bleu le plus profond, celle du thym du jaune clair au brun, voire au noir. Les H.E. à phénols (sarriette) oscillent de l'oranger au rouge, la verveine et l'inule odorante du jaune au vert.

Il est intéressant de remarquer l'analogie entre la couleur de fond des H.E. et hydrolats et celle des plexus nerveux décrits par les traditions orientales sous le nom de *chakras*.

— **Origine sauvage et culture :** pour l'aromathérapie et la cuisine, les plantes aromatiques doivent être de récolte sauvage ou de culture biologique (importance du pays d'origine), en excluant systématiquement l'emploi d'herbicides ou de pesticides de synthèse, à l'abri de la pollution chimique ou radioactive (autant que possible). La culture biologique des plantes sauvages permet d'abaisser considérablement les coûts par rapport à la cueillette sauvage, et de mieux maîtriser la qualité des constituants actifs.

b) Modes d'extraction des huiles essentielles

Plusieurs procédés sont couramment employés pour l'extraction artisanale et industrielle des H.E. :

— La **distillation :** l'entraînement à la vapeur d'eau est le procédé le plus ancien et celui qui donne les meilleures garanties de qualité. Il consiste à faire traverser par de la vapeur d'eau une cuve contenant des plantes aromatiques. A la sortie de la cuve, la vapeur s'est combinée aux H.E. La condensation et le refroidissement s'effectuent dans un serpentin. A la sortie, un essencier recueille eau et H.E. La différence de densité entre les deux liquides facilite la séparation de cette dernière qui, à quelques exceptions près, est plus légère que l'eau. L'eau utilisée pour cette opération doit être de l'eau de source pure non polluée, peu minéralisée, sans adjonction de produits détartrants.

L'alambic et l'essencier utilisés sont, suivant les pays et l'échelle de production, soit en cuivre et en fer (production artisanale), soit en verre (laboratoires de recherche) et en inox (industrie).

La distillation en elle-même est l'opération capitale, car elle détermine la qualité finale de l'huile essentielle. Une basse pres-

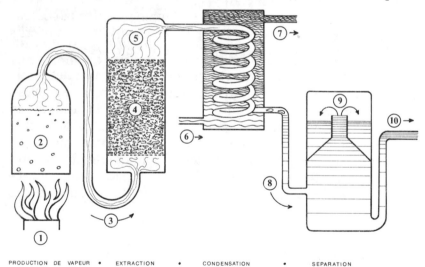

PRODUCTION DE VAPEUR • EXTRACTION • CONDENSATION • SEPARATION

De la plante au parfum : **principe de la distillation des H.E.**

1 : feu.
2 : eau.
3 : vapeur d'eau.
4 : plantes aromatiques à distiller.
5 : vapeur d'eau et d'H.E.

6 : eau froide.
7 : eau chaude.
8 : mélange eau + H.E.
9 : huile essentielle.
10 : eau florale ou hydrolat.

sion (0,1 à 0,2 bar) évite la décomposition, la résinification et l'odeur de brûlé du produit final. La distillation doit être lente, c'est-à-dire durer le temps nécessaire à l'obtention des composants les plus lourds. Elle doit être poursuivie jusqu'à épuisement de la totalité des composants aromatiques quand il s'agit de produits à usage thérapeutique. Cette distillation intégrale est rarement effectuée pour l'industrie du parfum et de la cosmétique, car les constituants les plus lourds ne sont pas ceux qui ont l'odeur la plus agréable et, de plus, ils sont considérés (souvent à tort) comme allergisants ou irritants.

— **Les arômes et les « crus »** : la distillation est parfois fractionnée pour obtenir précisément des « crus » d'H.E. différents. Prenons l'exemple de l'ylang-ylang : la distillation donne, dans un premier temps, des composés à l'arôme subtil utilisés surtout en parfumerie pour créer cette fameuse « senteur des îles », note qu'on retrouve dans certaines huiles solaires. Cette fraction d'H.E. est appelée « *fraction de tête* ». En continuant la distillation on obtient une deuxième qualité, moins fine mais très parfumée ou « *fraction de cœur* ». Enfin, le troisième temps de la distillation permet d'obtenir la dernière partie de l'H.E. ou « *fraction de queue* » à l'arôme plus lourd et entêtant. Les deux dernières fractions sont utilisées dans l'industrie comme arôme de base pour de nombreux produits.

En aromathérapie nous utiliserons la totalité de l'H.E. qui cumulera les qualités de chacune des trois.

— **L'expression à froid** : réservé aux écorces aromatiques (bergamote, cédrat, citron, limette, mandarine, orange...), ce procédé est simple. Traditionnellement utilisé en Sicile, il consiste à gratter l'écorce fraîche pour récupérer l'essence contenue dans les petites poches de surface sur une éponge naturelle que l'on presse ensuite pour en extraire l'huile essentielle absorbée. Aujourd'hui pour une production industrielle, on utilise la presse hydraulique.

— **Les baumes ou oléorésines** : l'incision du tronc de certains arbres permet d'obtenir, par écoulement naturel, un baume plus ou moins épais ou une gomme (pin, camphre, myrrhe, encens, baumes de copaïba, du Pérou, de Tolu).

— **L'extraction par solvants** : cette forme d'extraction est couramment employée pour l'industrie des arômes, mais doit impérativement être proscrite pour un usage thérapeutique. L'industrie du parfum utilise des *concrètes* et des *absolues* (voir *Mots clefs* en début d'ouvrage) qui captent remarquablement les arômes les plus délicats mais conservent des traces de solvants qui, admissibles en parfumerie, sont à exclure en médecine naturelle.

4. Le prix de la qualité

Depuis quelques années, à côté de l'énorme marché des H.E. destinées à la parfumerie et à l'industrie est né un nouveau marché : celui de l'aromathérapie. Peu important sur le plan du volume, ce marché regroupe de nombreux producteurs et des laboratoires soucieux de fournir des H.E. de première qualité.

a) Huiles essentielles naturelles à prix d'or

Le coût élevé des H.E. pures et naturelles de première qualité se justifie par le faible rendement de la distillation artisanale traditionnelle (du temps des pharaons, certaines plantes aromatiques valaient déjà plus que leur pesant d'argent métal).

Certaines H.E. de culture et d'extraction facile ou de fort rendement sont peu coûteuses et peuvent être largement employées en usage familial : baume ou oléorésine de copaïba, citron, citronnelle, épicéa, eucalyptus, lavande, menthe, niaouli, oranger, pin, romarin. D'autres, rares ou nécessitant une grande surface de culture, une main-d'œuvre abondante et offrant un faible rendement, se vendent à un prix élevé : armoise arborescente, achillée, camomille, cardamome, ciste, hélichryse, mélisse, néroli, rose, verveine citronnée...

Quelques chiffres éloquents : pour 1 tonne de plante fraîche, on obtiendra :
- 20 à 30 kg d'H.E. de cajeput, cyprès, eucalyptus, niaouli.
- 10 kg d'H.E. de baie de genièvre, laurier noble, lavande vraie, patchouli, bois de sassafras.
- 3 à 4 kg d'H.E. de marjolaine, myrte, muscade (noix), persil (graines ou feuilles), sauge sclarée.
- 1 à 3 kg d'H.E. de bergamote, citron, géranium rosat, bois de rose, thym.
- 150 à 200 g d'H.E. de néroli, mélisse, camomille.
- 30 à 80 g d'H.E. de rose de Damas ou de violette.

Ces différences considérables de 30 kg à 30 g pour 1 tonne de plante fraîche (soit 1 000 fois moins !) expliquent le « prix d'or » de l'H.E. de rose (100 000 F le litre au détail, prix 1989) et la tentation de falsification qui, fort heureusement, tend à disparaître grâce aux analyses et à la vigilance des services de contrôle des fraudes.

---

b) Coupage, synthèse et falsification

Le prix élevé de certaines H.E. incite certains industriels à ajouter au produit naturel des produits de synthèse afin d'en abaisser le coût. Pour ne prendre que quelques exemples, la rose véritable — qui est sans conteste la plus précieuse des H.E. — est souvent reconstituée à partir d'H.E. moins chère (géranium rosat ou palmarosa : 100 fois moins chères). Le bois de rose d'Amérique du Sud (Brésil et Guyane) tend à être remplacé ou allongé de linalol de synthèse (quatre fois moins onéreux).

L'utilisation de produits de synthèse (ou d'hémi-synthèse) ajoutés aux H.E. pour la parfumerie ou les produits ménagers est parfaitement admissible afin d'en réduire le coût. En revanche, dans le domaine de la santé (hygiène et thérapeutique), de telles pratiques sont à exclure. Seuls les produits naturels purs contiennent la totalité (le *totum*) des constituants. L'utilisation en pharmacie de constituants isolés (comme camphre, menthol ou eucalyptol) peut se justifier dans certains cas limités. Mais en matière de plantes et de produits naturels, il faut retenir que **le totum de la plante possède toujours une activité supérieure à la somme de ses parties.**

Le produit naturel sera donc toujours préférable à sa réplique chimique reconstituée, à laquelle manqueront certaines substances existant à doses infinitésimales et qui lui confèrent une énergie vibratoire et une efficacité spécifiques. L'H.E. de niaouli illustre parfaitement cet exemple : le viridiflorol contenu à dose très faible dans l'H.E. semble jouer le rôle d'activateur des autres molécules et décuple l'effet général énergétisant et antiviral.

Quelques exemples d'échelle des prix des huiles essentielles :

— **Très abordables :** baumes du Canada, de copaïba, du Pérou, de Tolu, cabreuva, cèdre, citronnelle, épicéa, genévrier de Virginie, girofle, gurjum, élémi, cédrat, citron, eucalyptus, lavandin, lemongrass, lime, limette, mandarine, menthe pouliot, niaouli, orange, pin maritime, pin sylvestre, térébenthine.

— **Prix moyen :** acore odorant, ajowan, aneth, armoise blanche, basilic, bois de rose, cajeput, coriandre, cumin, cyprès, genévrier érigé, géranium rosat, gingembre, hysope, mélaleuque, menthe poivrée, myrrhe, myrte, petit grain, origan, palmarosa, patchouli, sauge officinale, thym, thuya.

— **Assez chères :** achillée, armoise arborescente, boldo, bouleau jaune, estragon, gaulthérie, laurier, marjolaine, romarin, santal, sarriette, sauge sclarée, thym à linalol.

— **Chères :** angélique, buchu, céleri, inule, lantana, lentisque, persil, verveine citronnée.

— **Très chères :** camomille, ciste, livèche, massoïa, néroli, santoline, valériane.

— **Prix exceptionnel :** rose.

---

5. La chimie aromatique

a) Un concentré d'énergie solaire

Concentrant l'énergie solaire, les plantes fabriquent à partir des sucres les centaines de molécules aromatiques que l'on retrouve dans les H.E. Ces molécules peuvent être classées en catégories : phénols, alcools, aldéhydes, etc. Les chercheurs parviennent à en identifier une grande partie grâce à des examens de laboratoire (chromatographie et spectrographie).

Néanmoins, un grand nombre de composants reste inconnu. Or, ce sont souvent ces molécules non identifiées, contenues à doses infinitésimales, qui font la différence entre les **vraies huiles essentielles** (les seules acceptables pour la santé humaine car contenant le *totum* de la partie aromatique de la plante) et les **essences** (produits extraits d'H.E. dénaturées ou reconstituées).

Les quelques exemples suivants sont destinés à vous faire comprendre que les propriétés des H.E. dépendent de leurs composants biochimiques. La complexité de chaque H.E. naturelle et pure (qui peut contenir de 10 à 250 composants !) explique la polyvalence d'action de la plupart d'entre elles.

b) Pouvoirs spécifiques des molécules aromatiques

Les **terpènes** sont énergétisants, tonifiants, antiseptiques.
— Exemples : citron (limonène), térébenthine (agressive pour la peau), pin (pinène), phellandrène (copahu, lantana)...
— Précautions : irritants de la peau à fortes doses.

Les **sesquiterpènes** sont anti-inflammatoires et calmants, tonifiants et énergétisants, anti-infectieux.
— Exemples : alpha-bisabolène (camomille, matricaire), bêta-bisabolène (copahu), caryophyllène (girofle), humulène (houblon), chamazulène (camomille), cadinène (genévrier), cédrène (cèdre)...
— Très bien tolérés par la peau.

Les **phénols** sont les molécules les plus antiseptiques que l'on puisse rencontrer dans une plante. Ils tuent directement les germes par destruction de leur membrane cellulaire. Fait remarquable, si l'H.E. est bien choisie, elle attaque uniquement les germes pathogènes et préserve les « bons » germes (bactéries saprophytes, hôtes normaux de notre intestin).
— Très acides, les phénols modifient puissamment le terrain biologique dans un sens favorable à la santé. Cette acidité

Chromatographie de baume de copaïba sp O_2.
(Source : *Oleos essencias de plantas do Nordeste.*)

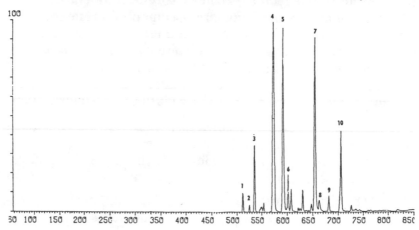

Constituants chimiques :
1 : cubébène - 2 : muurolène - 3 : copaène - 4 : caryophyllène - 5 : humulène - 6 : trans-farnésène - 7 : bêta-bisabolène - 8 : cadinène - 9 : bergamoptène (?) - 10 : non identifié (de nombreuses molécules restent non identifiées malgré la finesse de l'analyse).

---

explique en partie leur causticité pour la peau et les muqueuses. La tisane de thym (thym noir et thym rouge, riches en thymol ou carvacrol) peut être bénéfique à petites doses. A hautes doses (quatre fois par jour), elle risque d'entraîner à la longue des gastrites et autres désagréments digestifs chez certains sujets sensibles. Les phénols aromatiques sont de puissants énergétisants (toniques) et bactéricides.

— Exemples : carvacrol (sarriette des montagnes, origan d'Espagne = compactum), thymol (thym vulgaire ou thym noir à thymol), eugénol (ocimum gratissimum de la famille du basilic, clous de girofle...).

— Précautions d'emploi : prudence au niveau de la peau et des muqueuses. A n'employer que fortement dilués. Mélangés à une huile de massage, ils provoquent une chaleur bienfaisante par vasodilatation (voir *Formules d'huiles de massage*). Pas d'emploi prolongé car ils sont toxiques pour le foie.

Les **alcools aromatiques** sont antiseptiques, énergétisants, bactéricides et très bien supportés par la peau (à conseiller en onctions cutanées et en bains aromatiques, de préférence aux phénols pour éviter tout effet caustique).

— Exemples : terpinéol (eucalyptus radiata, ravensara aromatica), linalol (bois de rose, lavande vraie, sauge sclarée, thym à linalol), géraniol (géranium rosat, palmarosa), citronellol (géranium rosat, citronnelle de Java), sclaréol (sauge sclarée), thuyanol.

Les **éthers** et **esters aromatiques** sont énergétisants, antibactériens, antispasmodiques, anti-inflammatoires, équilibrants du système nerveux.

— Exemples : forniate de géranyle (géranium rosat), acétate de linalyle (oranger doux), acétate de néryle...

Les **aldéhydes** sont calmants, anti-inflammatoires, vasodilatateurs.

— Exemples : citronellal (eucalyptus citriodora, citron, mélisse), géranial (lemon-grass)...

— Précautions d'emploi : sont parfois irritants à fortes doses.

Les **cétones aromatiques** sont anti-inflammatoires, anti-infectieux. Dissolvant les mucosités, certaines sont remarquables pour traiter les affections respiratoires chroniques accompagnées d'encombrement bronchique.

— Exemples : thuyone (armoise officinale, sauge officinale, tanaisie, thuya), camphre (camphrier), hysope, cèdre...

— Précautions d'emploi : à manier avec prudence (contre-indiquées chez les femmes enceintes) et sur conseils d'un praticien aromathérapeute (toxiques pour le système nerveux).

Les **acides aromatiques** sont les molécules les plus anti-inflammatoires.

— Exemple : acide salicylique (bouleau jaune, gaulthérie).

— Précautions d'emploi : très irritants par leur pH très acide, ils devront toujours être mélangés à un excipient naturel tel que huile grasse (olive, tournesol, noisette, rosa mosqueta), ou à une H.E. douce (lavande ou eucalyptus citronné).

6. La législation française

> **Décret n° 86-778 du 23 juin 1986** fixant la liste des huiles essentielles dont la vente au public est réservée aux pharmaciens, en application de l'article L. 512 du code de la santé publique (paru au *Journal officiel* du 25 juin 1986) :
> — *Article 1 :* la liste des huiles essentielles prévue à l'article L. 512 du code de la santé publique est fixée ainsi qu'il suit :
> Essences provenant de : l'absinthe, la petite absinthe, l'armoise, le cèdre, l'hysope, la sauge, la tanaisie, le thuya.
> — *Article 2 :* le ministre des Affaires sociales et de l'Emploi et le ministre délégué auprès du ministre des Affaires sociales et de l'Emploi, chargé de la Santé et de la Famille, sont chargés, chacun en ce qui le concerne, de l'exécution du présent décret...

Par ce texte concis, le législateur a voulu protéger le consommateur des H.E. contenant notamment de la *thuyone*, substance épileptisante à fortes doses. Malencontreusement, le texte ne précise pas les variétés concernées, comme par exemple l'armoise arborescente ou la sauge sclarée qui, ne contenant pas de cétones, ne présentent pas la toxicité de l'armoise et de la sauge officinales.

Il s'agit de la seule restriction législative dans le domaine des H.E. Toutes les autres H.E., ainsi que les plantes aromatiques non exclusivement médicinales, épices et condiments, peuvent être vendus librement à condition que ne figurent sur l'emballage aucune indication thérapeutique (indications qui caractérisent le médicament), en particulier la présentation des poudres de plantes en gélules, pratique et hygiénique, est conseillée pour les produits « en l'état », c'est-à-dire non transformés par extraction ou nébulisation. Elle permet d'apporter le *totum* de la plante et de contrôler la dose ingérée (gélules de 250 à 500 mg).

7. L'aromatogramme : antibiogramme aromatique

Avec la mise au point de l'aromatogramme (équivalent de l'antibiogramme pour les antibiotiques), la médecine naturelle moderne s'est enrichie d'un examen biologique capital. L'aromatogramme sert à tester l'efficacité des H.E. sur des germes prélevés chez un malade (foyer infectieux, urines, matières fécales). Les germes sont ensemencés et cultivés dans un milieu favorable à leur développement (gélose), puis placés dans des boîtes de culture (boîtes de Pétri). Des disques imprégnés d'H.E. différentes diluées sont disposés dans chaque boîte.

Résultats de l'aromatogramme : les microbes se développent plus ou moins sclon l'efficacité antiseptique des H.E. utilisées sur les germes testés. Cette action est notée en fonction du diamètre de la zone indemne de germe : plus la zone est grande et plus le germe est sensible à l'H.E. considérée. On note l'efficacité des H.E. employées par des croix de 0 à 3 +. Cet examen est très intéressant dans la mesure où il permet d'agir grâce aux H.E. avec précision et rapidité sans entraîner les effets secondaires des antibiotiques (fatigue, baisse d'immunité et destruction de la flore intestinale). Les huiles essentielles majeures sont pratiquement toujours les mêmes et leur emploi est systématique :
— *H.E. antibactériennes* majeures : origan, thym, cannelle, girofle, sarriette...
— *H.E. antimycosiques* (détruisant les champignons et moisissures) : géranium rosat, lavande, sarriette, thym...
— *H.E. antivirales* : citron, laurier, lavande, niaouli, pin, ravensare, romarin, sauge, thym...

L'aromatogramme de terrain : l'aromatogramme permet de mettre en évidence des H.E. secondaires dites « de terrain », au pouvoir antiseptique inattendu mais bien réel, spécifique à un sujet donné. Ainsi, une H.E. de lavande ou de palmarosa sera marquée à 3 + au même titre que la girofle, la cannelle ou l'origan. Curieusement, nous observons à chaque fois que le malade chez lequel cette H.E. est efficace présente par ailleurs des troubles sur lesquels cette H.E. est précisément active. Le traitement aromatique permet dans ces cas de traiter non seulement l'infection, mais aussi les déséquilibres organiques profonds. Pour la lavande un terrain spasmodique ou colitique, pour le palmarosa un terrain à mycose par exemple.

Les huiles essentielles de terrain augmentent la capacité défensive de l'organisme en rééquilibrant la flore intestinale et les fonctions déficientes.

Cachet du Laboratoire

Signature du Chef de Laboratoire

EXAMEN BACTERIOLOGIQUE

Aromatogramme

Feuille de Résultats

NOM	Référence du dossier : . . . .
PRENOM	. . . .
Né le	Date du dossier : . . . .
ADRESSE	Examen demandé par : . . . .
. . . .	. . . .
. . . .	. . . .
Tél. :	. . . .

PRELEVEMENT
Examen cytobactériologique direct

FROTTIS CELLULAIRE   constitué de . . . .

. . . .

FLORE MICROBIENNE   constituée de . . . .

. . . .

Cultures sur milieux de . . . .

. . . .

. . . .

AROMATOGRAMME

sur flore associée / ou germe isolé . . . .

sur milieu de . . . . avec charge des disques   9 μl

Origine des Huiles Essentielles testées : LABORATOIRE

	PHENOLS	
1	Ocimum gratissimum à E.	Eugénol
2	Girofle (clous)	Eugénol
3	Thym vulgaire à L., TH.	Linalol + Thymol
4	Thym saturéioïde	Bornéol + Thymol
5	Sarriette des montagnes	Carvacrol
6	Origan à inflorescence compacte	Carvacrol
7		
8		
9	**ETHERS**	
10	Basilic var. basilic	Méthylchavicol
11	Estragon	Méthylchavicol
12	Ocimum canum	Méthylcinnamate
13	Gaulthérie	Méthylsalicylate
14		
	ALCOOLS monoterpéniques	
15	Néroli bigarade	Linalol
16	Thym vulgaire à L.	Linalol
17	Basilic à feuilles de laitue	Linalol + Fenchol
18	Palmarosa à petites feuilles	Géraniol

	OXYDES	
39	Myrte commun à 1,8-C,ac.M.	1,8-C + ac. Myrt.
40	Laurier noble à 1,8-C. ac.T.	1,8-C + ac. Terp.
41	Romarin off. à 1,8-C., C.	1,8-C + Camphre
42	Menthe à longues feuilles	Pipéritonoxide
43	Boldo	Ascaridol
44		
45		
46		
	ESTERS	
47	Lavande vraie	Ac. linalyle
48	Sauge sclarée	Ac. linalyle
49	Oranger bigaradier (feuilles)	Ac. linalyle
50	Hélichryse s-italienne	Ac. néryle
51	Genévrier commun alpin	Ac. terpényle
52	Picea mariana	Ac. bornyle
53	Inule odorante	Ac. bornyle
54	Ciste ladanifère	Ac. bornyle
55	Camomille noble	Ang. isobutyle
56	Ylang Ylang extra	Ac. benzyle
57		
58		

		ALDEHYDES
59		
60	Verveine odorante	Citrals
61	Lemongrass	Citrals
62	Citrus aurantium ssp amara (zestes)	Citrals
63	Eucalyptus citronné à C^{al}	Citronellal
64	Hélichryse à capitule nu	Citronellal
65	Cannelle de Ceylan (écorces)	Cinnamald
66		
67		
68		
		CETONES
69	Romarin off. à V., ac. B.	Verbénone
70	Romarin off. à C., B.	Camphre
71	Lavande stœchade	Fenchone
72	Sauge officinale	α-Thuyone
73	Armoise blanche à Th.	α-Thuyone
74	Santoline petit cyprès	Iso-artémisia Cét.
75	Eucalyptus camaldulensis	Cryptone
76		
77		

19	Géranium rosat à G., C., E.	Gér. + Citronellol
20	Menthe poivrée franco-mitcham	Menthol
21	Marjolaine des jardins	Terpinéol-4 + thuy.
22	Orménie à fleurs mixtes	
23		
24		
		ALCOOLS sesquiterpéniques
25	Carotte (graines)	Daucol + Carotol
26	Cyprès toujours vert	Cédrol
27	Santal blanc (bois)	Santalol
28		
29		
		OXYDES + terpénols
30	Eucalyptus globulus	1,8-Cinéol + transpin.
31	Eucalyptus radiata ssp radiata	1,8-C. + α-terpinéol
32	Ravensare aromatique	1,8-C. + α-terpinéol
33	Melaleuca quinquenervia à 1,8-C., V.	1,8-C. + viridifiorol
34	Myrte commun à 1,8-C., L.	1,8-C. + linalol
35	Lavande aspic	1,8-C. + linalol
36		
37		
38		

OBSERVATIONS :

		TERPENES (non oxygénés)
78	Lentisque pistachier	α–Pinène
79	Millepertuis	D–Germacrène
80	Poivre	
81	Celeri (graines)	α–Sélinène
82	Armoise arborescente (capitules)	Chamazulène
83		
84		
85		
86	COMPLEXES	
87		
88		
89		
90		

PICTOGRAMME

Résistant	0
Peu sensible	±
Sensible	+
Assez sensible	++
Très sensible	+++

CHAPITRE III

Propriétés et pouvoirs
des huiles essentielles,
arômes et parfums végétaux

Les H.E. possèdent une action unique dans la nature. La complexité de leurs composants chimiques (jusqu'à 250 dans certaines) et leurs propriétés physiques (volatilité et diffusibilité à travers la peau et les muqueuses) leur confèrent une place à part dans la palette des ressources du monde végétal, ainsi qu'une efficacité connue depuis la plus haute Antiquité. Les recherches fondamentales et cliniques de ces dernières années ne font que confirmer leur exceptionnel intérêt pour la santé humaine, néanmoins assorti des réserves que justifie leur **très grande concentration en principes actifs**.

Comme tout produit efficace, les H.E. peuvent présenter des inconvénients et devenir agressives si elles sont utilisées à des doses excessives ou à mauvais escient. Plus que dans tout autre produit naturel, les notions de doses et de concentration revêtent, pour les plantes aromatiques et les H.E., une importance capitale.

Récemment installée, une jeune homéopathe est appelée en consultation dans un couvent où la quasi-totalité des pensionnaires présente des douleurs d'estomac malgré une vie saine et sans stress. Menant une enquête approfondie, elle découvre la responsable : une tisane de thym que la plupart des sœurs consomme plusieurs fois par jour depuis des années. Suppression immédiate de cette tisane de thym et remplacement par de l'homéopathie et des plantes adoucissantes et cicatrisantes éliminent rapidement et définitivement le problème. Faut-il pour autant en conclure que le thym soit nocif ? Nullement, mais cette histoire vraie montre que les plantes — même anodines — peuvent présenter des inconvénients par un usage immodéré.

Les plantes à huiles essentielles, et *a fortiori* les H.E. pures, ne doivent pas être utilisées à hautes doses ni sur une période trop longue par voie orale. La voie externe, grâce au filtre constitué par la peau, ne présente pratiquement aucun inconvénient si on sait choisir les H.E. énergétisantes douces pour la peau (citons le bois de rose, l'eucalyptus, le palmarosa, la lavande, la mandarine...).

1. Principales propriétés des huiles essentielles

a) Innocuité relative ou risque iatrogène ?

L'utilisation judicieuse des plantes bienfaisantes atoxiques (ou « simples ») ne peut, en principe, que présenter des avantages pour la santé humaine. Les siècles d'utilisation ont largement prouvé leur relative innocuité lorsqu'elles sont absorbées dans de bonnes conditions. A l'inverse, les plantes toxiques contenant des substances telles que alcaloïdes, cétones, etc., doivent être strictement réservées à l'usage médical et leur emploi limité aux affections graves : pilocarpine du jaborandi pour soigner le glaucome, digitaline de la digitale dans certaines affections cardiaques, quinine antipaludique du quinquina... Ces plantes (ainsi que les produits qui en dérivent) sont rigoureusement réglementées à la vente.

Les plantes aromatiques conseillées dans ce livre peuvent sans risque être consommées à doses modérées, aussi bien pour un usage culinaire qu'à des fins hygiéniques ou médicinales.

Les H.E. pures sont plus délicates à manier et il est impératif de bien respecter les doses et les modes d'utilisation afin d'éviter les risques iatrogènes. L'H.E. est un extrait concentré qui peut se comporter, au niveau des muqueuses digestives, comme un acide puissant, entraînant irritation ou même ulcération des tissus. Le produit naturel pur ingéré par voie buccale peut donc se révéler comme un agent d'agression.

*

* *

Ne pas avaler sans ordonnance. Signalons quelques H.E. interdites à la vente au public en dehors des pharmacies : absinthe, armoise, cèdre, hysope, sauge officinale, tanaisie, thuya. Ces H.E. contiennent des cétones qui, prises à hautes doses, risquent de créer des convulsions (voir chapitre II).

b) Pouvoir anti-infectieux et antiseptique

L'usage traditionnel est l'emploi des épices et aromates en cuisine : ail, cardamome de Ceylan, carvi d'Europe centrale et du Nord, citronnelle des Indes, gingembre de Chine, laurier de Grèce, origan d'Espagne et d'Italie, poivres d'Afrique, d'Amérique du Sud et d'Asie, rocou amazonien, thym de Provence, vanille mexicaine...

Un siècle d'expériences scientifiques et de succès thérapeutiques nous démontre l'efficacité des H.E. contre les agents infectieux (microbes, champignons et virus), efficacité souvent supérieure à celle des antibiotiques. Les H.E. ne sont pas antibiotiques mais « eubiotiques » (qui favorisent la vie). Les succès constants de l'aromathérapie dans les affections de type angines à streptocoques, cystites chroniques, mycoses, infections dentaires, cutanées et digestives, maladies virales (grippe, zona...) incitent les praticiens à les conseiller fréquemment, en alternative aux traitements antibiotiques (angine enrayée en quelques heures par les H.E. de sarriette + bois de rose ; grippe stoppée en 24 heures par l'H.E. de ravensare ou de niaouli).

Les H.E. les plus importantes dans la lutte anti-infectieuse (girofle, cannelle, origan, sarriette, thym) possèdent un pouvoir égal ou supérieur au phénol, longtemps considéré comme l'antiseptique de référence le plus efficace. Le pouvoir des H.E. pour détruire certains germes tenaces (staphylocoques, streptocoques, chlamydia, pyocyaniques...) est amplifié par l'emploi d'un examen de laboratoire simple et peu coûteux : l'aromatogramme.

c) Pouvoir énergétisant : la recharge en énergie

Les H.E. émettent des rayonnements électromagnétiques dont les longueurs d'ondes varient suivant les molécules qu'elles contiennent. Elles rechargent donc les organes déficients en énergie en leur cédant leurs électrons. La recharge électronique des batteries cellulaires et du système sympathique semble s'effectuer par les cellules sensitives des terminaisons du nerf olfactif et les cellules sympathiques du nez, de la langue, des muqueuses pulmonaires, digestives et de la peau. De là, les influx électriques sont transmis aux centres cérébraux et mis en réserve : cerveau, bulbe rachidien, ganglions nerveux vertébraux, glandes surrénales... **Nos défenses naturelles sont tributaires de nos réserves d'énergie.** Cette recharge des batteries cellulaires améliore l'efficacité de notre système immunitaire.

d) Pouvoir cicatrisant : stimulation tissulaire

L'action cicatrisante et régénérante de certaines H.E. n'est plus à démontrer. Depuis la nuit des temps, les Indiens d'Amazonie utilisent du baume de copaïba pour panser leurs plaies. En Europe, le millepertuis est utilisé sous forme d' « huile rouge » pour cicatriser les brûlures.

H.E. cicatrisantes : camomille, citron, copaïba, encens, géranium, lavande, millepertuis, niaouli, romarin, sauge.

La cicatrisation se fait aussi bien au niveau de la peau que des tissus profonds (muqueuses et organes).

e) Pouvoir antidouleur et anti-inflammatoire

Il s'explique par le rôle anti-inflammatoire, circulatoire et détoxicant des H.E., et par le pouvoir anesthésiant de certaines d'entre elles.

— *Analgésiques* et *antalgiques* : bouleau jaune, camomille, encens, gaulthérie, girofle, lavande, lavandin, menthe (menthol)... En onctions locales (articulations, dents, front, tempes, nuque).

— *Antirhumatismales* : en onctions locales, elles possèdent une action antidouleur et anti-inflammatoire. Leurs propriétés désintoxicantes nettoient en profondeur les déchets et toxines organiques responsables de la plupart des douleurs arthritiques. Les douleurs vertébrales et articulaires sont soulagées par des onctions douces de baume de copaïba, citronnelle de Ceylan ou de Java, encens, galbanum.

f) Pouvoir régulateur général

L'action polyvalente des H.E. résulte de leur pouvoir équilibrant sur la circulation, les glandes digestives et endocrines, le psychisme et l'élimination des toxiques :

— **Circulation** : les H.E. agissent sur la paroi des vaisseaux, donc sur la circulation du sang et, par là même, sur la régulation de la tension artérielle : armoise arborescente, cyprès, genévrier, hélichryse, patchouli, romarin, santal.

— **Digestion** : les H.E. régularisent les sécrétions des glandes digestives et le bon fonctionnement du péristaltisme (motricité de l'intestin) et diminuent les fermentations et ballonnements : basilic, coriandre, estragon, mélisse, menthe.

— **Glandes endocrines** : elles sont très sensibles à l'action des H.E., sans doute par action sur les centres supérieurs du cerveau et de l'hypothalamus : carotte, eucalyptus citriodora, hélichryse, lentisque, menthe, pin, sarriette.

— **Psychisme** : en fonction du terrain, les H.E. agissent favorablement pour réguler l'humeur suivant un processus complexe : amélioration de l'équilibre de la flore intestinale, de l'équilibre hypothalamique, nerveux et hormonal : citron, géranium, lavande, marjolaine, oranger, mandarine, verveine, ylang-ylang.

— **Effet général bénéfique** : les H.E. diminuent les effets secondaires de certains médicaments allopathiques : niaouli, ravensare.

g) Pouvoir rééquilibrateur et bioélectronique

« *Le microbe n'est rien, le terrain est tout* » (Claude Bernard). C'est à Louis-Claude Vincent que l'on doit la première approche scientifique du terrain biologique. Selon lui, la vie peut se définir et se mesurer par 3 paramètres essentiels :

— Le **pH** (potentiel hydrogène) qui mesure le degré d'acidité ou d'alcalinité d'un milieu (organisme sain : pH de 7,2).

— Le **rH$_2$** ou coefficient d'oxydoréduction (redox) qui mesure l'oxydation du milieu et donc son état de conservation. La jeunesse se traduit par un coefficient bas (bonne santé = rH$_2$ de 22), le vieillissement par un coefficient élevé. En s'oxydant, une pomme coupée brunit, le fer rouille, le cuivre verdit...

— La **résistivité** qui exprime la résistance d'un milieu liquide au passage du courant électrique : plus celle-ci est élevée, plus le milieu est pur (la santé se situe à 220 Ω/cm/s).

Ces 3 paramètres permettent de situer votre état de santé par rapport à la zone idéale de santé, ou *axe vital de santé*, et de connaître les moyens naturels de vous recentrer en cas de maladie ou de troubles fonctionnels.

Les maladies « de civilisation » (cardio-vasculaires, déficit immunitaire, maladies virales, sénescence précoce) se caractérisent par une **oxydation excessive** (traduisant le vieillissement biologique, véritable « rouille cellulaire »), une **perte d'acidité** (créant un terrain propice aux maladies virales) et une **baisse de la résistivité** (traduisant une perte de résistance et un « encrassement » interne).

BUT DE LA MÉTHODE NATURELLE

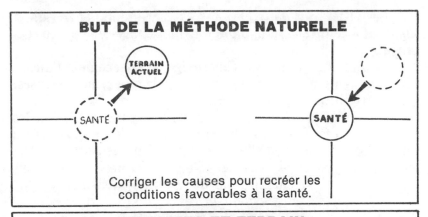

Corriger les causes pour recréer les
conditions favorables à la santé.

MALADIES ET TERRAIN

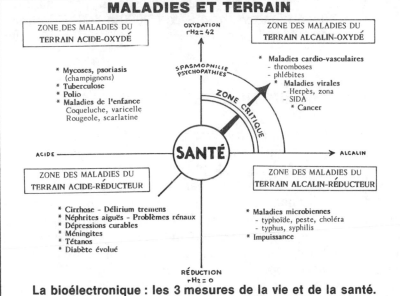

La bioélectronique : les 3 mesures de la vie et de la santé.
La zone centrale (ou *axe vital*) correspond à la santé parfaite. La plupart des H.E. acides et réductrices contribuent à corriger le terrain des maladies dites « de civilisation » (alcalin-oxydé), suivant le principe midi/minuit des Orientaux. Certaines H.E. agissent plus précisément sur les autres types de terrain. Pour plus de clarté, la résistivité ne figure pas sur le schéma. Ce facteur se surajoute aux deux autres : plus la résistivité est élevée, plus les liquides organiques sont purs, plus elle est basse plus est diminuée la « résistance » du sujet.

Les H.E. sont de remarquables **correcteurs de terrain** et suscitent à ce titre un grand intérêt, tant en hygiène qu'en thérapeutique :

— *Les H.E. sont acides* et corrigent efficacement l'alcalinisation organique (infections cutanées de type acné, mycoses, infections chroniques), fatigue...

— *Les H.E. sont réductrices* et, à ce titre, atténuent les effets du stress, favorisent la conservation de l'énergie et du tonus, ralentissent le vieillissement cellulaire et prolongent la jeunesse de vos tissus, associées aux autres produits naturels antioxydants (voir chapitre *Méthode antivieillissement*).

— *Les H.E. augmentent la résistivité.* Le corps peut se comparer à un accumulateur polarisé et les H.E., possédant une résistivité extraordinairement élevée (5 000 à 100 000 ohms), agissent comme de puissants correcteurs de la résistivité organique.

2. Pouvoir de diffusibilité des H.E.

Les H.E. pures, ou correctement diluées dans un produit dispersant, pénètrent rapidement dans les tissus (peau et muqueuses), sans provoquer de phénomènes indésirables. Absorbées au niveau de la peau ou par voie muqueuse, elles pénètrent dans la circulation sanguine et diffusent dans l'organisme tout entier en quelques minutes (20 mn après une onction cutanée d'H.E., l'analyse de sang démontre sa présence dans la grande circulation). Elles parviennent au niveau cellulaire et participent à la destruction des agents pathogènes (microbes, champignons (mycoses), virus, toxines infectieuses) et à l'élimination des déchets du métabolisme, tout en respectant l'intégrité de la flore bénéfique (saprophyte).

Ce pouvoir osmotique des H.E. explique leur efficacité sur les affections virales en général. Rappelons que les virus vivent à l'intérieur et aux dépens de nos cellules. L'H.E. y pénètre et détruit l'hôte indésirable. Elle agit indistinctement sur tous les virus et c'est la raison pour laquelle j'en préconise l'emploi systématique dans toutes les affections virales : grippe, herpès, poliomyélite, sida, zona... vis-à-vis desquelles l'allopathie se trouve encore à ce jour désarmée. Les aérosols pulmonaires constituent une voie de pénétration idéale, de même que les onctions cutanées et les bains aromatiques.

*

* *

Après avoir découvert les principales propriétés des arômes et parfums, nous allons voir comment ceux-ci agissent au plus profond de nous-même, sur notre subconscient, notre système nerveux et nos fonctions endocrines, et étudier un organe merveilleux : la peau, particulièrement réceptif à l'action des H.E.

3. Les arômes et l'inconscient

L'olfaction est certainement le plus mal connu de nos organes des sens et, pourtant, elle influence une grande partie de notre vie.

a) L'odorat : second sens de la communication après l'audition

L'odorat représente le sens le plus performant chez les animaux et constitue — avec l'audition — le premier repère sensoriel du nouveau-né de l'homme. C'est à l'odorat que de nombreuses espèces animales doivent leur survie : le saumon retrouve le chemin de son lieu de naissance grâce à son flair, le papillon bombyx est capable de sentir une molécule d'hormone femelle à des kilomètres de distance et de suivre ce fil d'Ariane olfactif pour rejoindre sa belle.

La pollution, le dessèchement des muqueuses par la climatisation, le tabagisme sont autant de facteurs qui contribuent

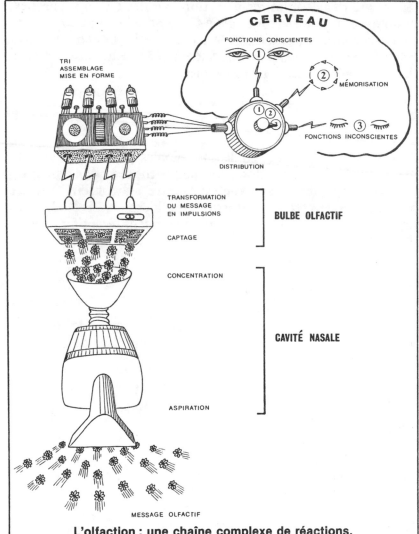

L'olfaction : une chaîne complexe de réactions.
Le message chimique olfactif véhiculé par les molécules aromatiques atteint les cellules olfactives nasales, puis est transformé en vibrations électriques déchiffrées au niveau du « cerveau olfactif », procurant ainsi des sensations odorantes qui agissent au plus profond de notre être.

à atrophier, chez l'homme, ce sens pourtant si indispensable à son équilibre nerveux et à sa santé en général.

La mémoire des sensations olfactives est très fidèle. Un de mes patients qui avait perdu l'odorat depuis 27 ans — et que je traitais pour cette raison — retrouva soudain, au cours d'un repas, une sensation olfactive familière, celle du beurre qui, 27 ans plus tard, lui apparut bien fade par rapport à celle du bon beurre fermier d'antan !

Votre nez est normalement capable de distinguer plus de 10 000 nuances odoriférantes. Vous êtes sensé les percevoir, même si elles sont diluées au 100 milliardième dans l'air que vous respirez. Mais que reste-t-il de ce potentiel dans l'atmosphère enfumée de nos villes ?

b) Le nez et le cerveau instinctif

L'odorat est non seulement lié à la mémoire, mais aussi à notre cerveau primitif, celui de la survie de l'espèce, appelé *cerveau limbique*. Ce cerveau s'occupe de la régulation de notre activité sensitive, motrice et réflexe. Il contrôle les pulsions primitives de la faim, de la soif et du désir sexuel. Le cerveau primitif n'est pas ordonné comme le cerveau supérieur (cortex) où tout est déterminé selon une logique d'ordinateur. Il réagit de façon personnalisée et varie d'un individu à l'autre suivant le terrain et l'équilibre nerveux, hormonal et émotionnel du moment.

c) La molécule aromatique : une harmonie vibratoire

Les molécules aromatiques sont volatiles, ce qui leur permet d'entrer aisément en contact lors de l'inspiration, avec les cellules olfactives situées à la partie supérieure de la cavité nasale. Ces molécules transmettent un message chimique et vibratoire qui est véhiculé directement au cerveau par des fibres nerveuses spécifiques. Notre mémoire sensorielle joue instantanément, se relie au souvenir lié à cette odeur enregistrée, compare et donne la réponse : bon ou mauvais. Si un événement ou un climat agréable est relié à ce message olfactif, une odeur neutre ou désagréable pourra procurer un sentiment de plaisir et inversement. Le message cérébral est ensuite répercuté au niveau des grands mécanismes de régulation organiques par les voies de transmission nerveuses ou hormonales.

Ainsi les herbes aromatiques et les huiles essentielles agissent-elles directement sur notre organisme par l'intérieur même de notre système central de commande : le cerveau. Voyons comment s'effectue ce réglage.

4. Le système nerveux autonome

Il peut être comparé à un pilote automatique de haute précision.

Nous avons vu que les arômes agissaient de façon directe sur l'inconscient et le cerveau primitif. L'action des molécules aromatiques ne s'arrête pas là. En effet, notre corps possède un **double système** de freinage et d'accélération automatique pour entretenir l' « intendance », c'est-à-dire le bon fonctionnement de chaque organe et une bonne irrigation sanguine des différents tissus organiques ; il s'agit des systèmes **sympathique** et **parasympathique**, eux-mêmes sous la dépendance d'un chef d'orchestre, l'**hypothalamus**, situé au centre du crâne. Ainsi, en fonction des besoins (effort, émotion, stress, repos, maladie, traumatisme...) cette double commande assure l'irrigation des tissus en oxygène et en matériaux nutritifs (protéines, glucides, lipides, vitamines, minéraux et oligo-éléments).

a) Les huiles essentielles et l'équilibre nerveux

En complémentarité avec les traitements visant à supprimer la cause du désordre nerveux (blocage ostéopathique ou énergétique, carence nutritionnelle, origine psychique ou biochimique médicamenteuse), les H.E. contribuent, par leur action

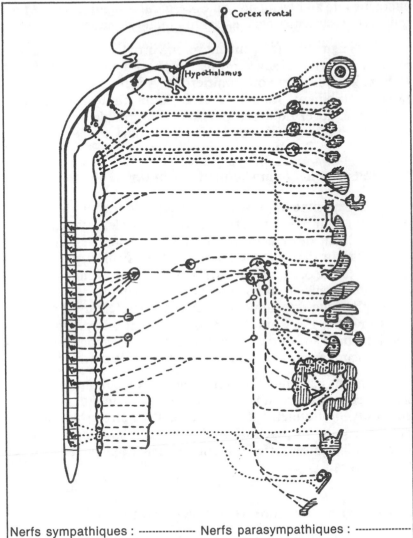

Nerfs sympathiques : ---------------- Nerfs parasympathiques : ----------------

Les huiles essentielles et le système autonome.
Chaque organe dispose d'un pilotage automatique : le double système d'accélération/freinage sympathique et parasympathique, supervisé par les centres supérieurs. Les H.E. agissent efficacement sur ce délicat équilibre.

énergétisante au niveau des zones cérébrales régulatrices, à rééquilibrer les systèmes nerveux sympathique et parasympathique.

Elles agiront différemment selon votre terrain biologique. Si vous appartenez aux terrains lymphatique ou nerveux, les H.E. rééquilibrantes vous tonifieront. A l'inverse, si vous êtes sanguin ou bilieux, les mêmes H.E. équilibrantes vous relaxeront. Vous devez donc toujours tenir compte de votre terrain individuel pour choisir vos H.E. et vos parfums.

b) Effets sur le comportement émotionnel

Des expérimentations électroencéphalographiques ont été effectuées pour mesurer l'effet des odeurs sur le cerveau. Celles-ci provoquent des réactions identiques à celles des émotions. Tout cela n'a rien d'étonnant et vient confirmer les principes de la médecine orientale qui attribue à chaque organe une couleur, une saveur et une odeur. Dans ce système de pensée, la santé (physique et mentale) peut être influencée par les parfums et les saveurs. Les Chinois ont mis au point un système thérapeutique basé sur l'utilisation des plantes médicinales en fonction de leur saveur, mais aussi de la température de la tisane.

Certains parfums stimulent le désir sexuel, d'autres le réfrènent. Cette action semble aller de pair avec un état de parfait équilibre émotionnel. La tension, l'état de stress bloquent les délicats équilibres psychosomatiques. La relaxation augmente la disponibilité sensorielle, affûte les réactions et fait tomber les blocages.

c) La parfumerie : une symphonie émotionnelle

Le règne végétal est si généreux en parfums que la pauvreté de notre vocabulaire ne parvient pas à les catégorier tous : subtil, léger, lourd, envoûtant, entêtant, suave, enivrant, sensuel, exubérant, délicat, exquis, vivifiant, balsamique, rafraîchissant, tonifiant, calmant... ces adjectifs ne sont qu'un pâle reflet de l'effet complexe des effluves parfumés sur nos centres émotionnels. Depuis que la science a découvert les propriétés vitalisantes et équilibrantes des H.E., l'art de la parfumerie n'est plus un luxe et a trouvé sa justification par son rôle essentiel dans notre bien-être et nos rapports avec les autres. Des millions de combinaisons — de la plus simple à la plus complexe — se prêtent à la création alchimique du maître parfumeur (compositeur d'une véritable symphonie vibratoire odorante) qui saura, par son flair génial, trouver l'harmonie parfaite d'un nouveau parfum.

Les odeurs corporelles d'un être sain sont agréables ou neutres. Les parfums et eaux de toilette ajoutent aux odeurs naturelles une touche de poésie, un charme floral qui attire les autres comme la fleur champêtre attire le papillon ou l'abeille. Féminin, le parfum se marque par un savant mélange d'huiles essentielles et d'essences concrètes fleuries, d'hespéridées (néroli, bergamote, bigarade, citron vert...), de feuilles et graines de labiées, d'ombellifères, de racines et de musc végétal et animal.

Les H.E. utilisées en parfumerie dépassent en nombre celles citées dans cet ouvrage (de 230 à 500 huiles essentielles — en comptant les variétés — et 3 000 ingrédients). Rappelons qu'un parfum doit comporter au moins trois sortes d'H.E. : les *légères* qui s'évaporent rapidement et donnent la note de tête, les *médium* qui s'évaporent plus lentement et donnent la note de cœur, enfin les *lourdes* qui tiennent plus longtemps et donnent la note de fond d'un parfum. Vous avez ainsi, en fonction de la nature des H.E. utilisées, des parfums plus ou moins légers, ambrés, floraux, chyprés... plus ou moins tenaces. Certaines H.E. plus lourdes sont employées comme fixateurs de parfum car elles se volatilisent moins vite (bois de rose, copaïba, muscade, patchouli, santal, vétiver). Souvent sont utilisés en complément des fixateurs d'origine animale : ambre, musc, castoréum, civette qui donnent au parfum une note plus tenace et pénétrante.

Soyez vigilant quant au choix des produits qui doivent être composés exclusivement d'H.E. naturelles, le prix n'étant pas forcément un critère de qualité.

d) Le test olfactif ou le choix personnalisé

L'odorat constitue en aromathérapie le test de référence qui vous permet de sérier l'H.E. la plus efficace correspondant à votre cas. Après avoir sélectionné préalablement dans l'*Index thérapeutique* les H.E. répondant à votre problème, vous choisirez ensuite parmi elles celle que vous « sentez » vous convenir le mieux. Cette plante est en harmonie vibratoire avec les couches profondes de votre organisme et de vos centres cérébraux. Exemple : vous vous sentez fatigué(e) suite à une période de surmenage intellectuel et recherchez, pour compléter un régime vitaminé et une cure de relaxation, l'H.E. qui vous rechargera au plus vite. Vous aurez au préalable présélectionné les H.E. qui figurent au chapitre *Fatigue* dans la partie pratique de ce livre. Vous hésitez encore entre le basilic et le romarin : choisissez l'H.E. qui vous procurera les sensations les plus agréables et utilisez-la à dose modérée ; elle sera aussi efficace qu'une plante moins bien adaptée à haute dose.

5. La peau, frontière vitale aux multiples fonctions

La peau est un organe essentiel qui permet de nombreux échanges vitaux et nous protège contre les diverses agressions de l'environnement. Son origine embryologique est la même que celle du système nerveux : l'ectoderme, feuillet externe de l'embryon, ce qui explique la relation entre les maladies de la peau et les variations de notre état nerveux. La peau est constituée de plusieurs épaisseurs de cellules contenant un réseau dense de nerfs sensitifs et moteurs et de fins vaisseaux capillaires.

a) L'acidité de la peau

Le degré d'acidité de la peau (pH) est un élément extrêmement important, non seulement pour sa santé mais aussi pour l'organisation de sa défense contre les invasions infectieuses. La peau est **normalement acide** (pH variant de 5 à 5,5). Cette

Le test olfactif.
Choisir son parfum ou une H.E. fait appel à des mécanismes de sélection dictés par les couches les plus profondes de notre cerveau.

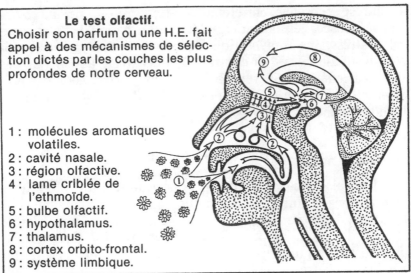

1 : molécules aromatiques volatiles.
2 : cavité nasale.
3 : région olfactive.
4 : lame criblée de l'ethmoïde.
5 : bulbe olfactif.
6 : hypothalamus.
7 : thalamus.
8 : cortex orbito-frontal.
9 : système limbique.

Principe de l'olfaction :

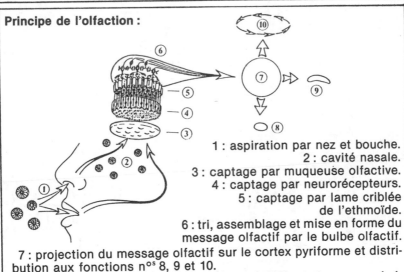

1 : aspiration par nez et bouche.
2 : cavité nasale.
3 : captage par muqueuse olfactive.
4 : captage par neurorécepteurs.
5 : captage par lame criblée de l'ethmoïde.
6 : tri, assemblage et mise en forme du message olfactif par le bulbe olfactif.
7 : projection du message olfactif sur le cortex pyriforme et distribution aux fonctions nos 8, 9 et 10.
8 : fonctions inconscientes (hypothalamus), régulation neurovégétative.
9 : fonctions conscientes (thalamus), intégration avec d'autres informations sensorielles.
10 : mémorisation (circuit limbique).

acidité est produite et entretenue par les sécrétions normales des glandes sébacées et sudoripares. Une perburbation de l'état général, le stress, une alimentation défectueuse, une hygiène corporelle insuffisante ou au contraire un décapage abusif par des savons alcalins entraîneront la diminution de cette acidité et prédisposeront au développement de colonies de microbes, de champignons, lichens et à la pénétration de virus.

b) Le réseau capillaire cutané, témoin de l'état de stress

Les vaisseaux capillaires de la peau jouent un rôle fondamental dans la nutrition des tissus, leur renouvellement, leur hydratation et leur tonus. Le réseau capillaire est un véritable système de régulation thermique. La peau respire. Comme tout tissu, la peau est un organe absorbant l'oxygène qui lui est fourni par les capillaires artériels du derme et rejette le gaz carbonique capté par les capillaires veineux qui vont ensuite épurer le sang par les veines pulmonaires. La qualité de la peau est étroitement liée à l'équilibre du système nerveux végétatif qui commande la dilatation ou la constriction des vaisseaux cutanés.

La peau possède d'autres rôles plus ou moins connus : elle reçoit les vibrations émises par notre environnement (vibrations

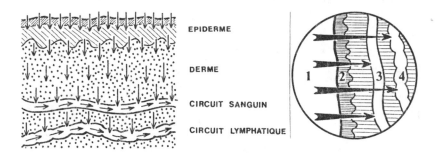

EPIDERME

DERME

CIRCUIT SANGUIN

CIRCUIT LYMPHATIQUE

Application de baume sur la peau.
1 : application de baume et pénétration à travers l'épiderme.
2 : pénétration à travers le derme.
3 : pénétration dans le circuit sanguin.
4 : pénétration dans le circuit lymphatique.

lumineuses et sonores, rayonnements cosmiques et telluriques). Les ondes reçues au niveau de la peau sont absorbées, transformées puis transmises au corps entier.

c) La peau, miroir du corps : l'aromacosmétique

L'examen de votre biotype (1) donne déjà un aperçu de votre tempérament. L'examen de la peau est un signe complémentaire, révélateur de votre état de santé intérieur, de vos fonctions hormonales et de votre système nerveux.

— **Peau sèche** : la peau est parfois victime de déséquilibres internes (les vaisseaux capillaires sont incapables de se dilater, la peau est froide). On assiste à ce phénomène dans l'état de stress chronique. La mauvaise irrigation de la peau peut aussi être causée par l'accumulation de sang dans les organes. Le volume total du sang étant fixe (environ 5 litres), la peau sera sous-alimentée, blanche, terne et fragile.

— **Peau grasse** : l'hypersécrétion des glandes sudoripares et sébacées est due à un hyperfonctionnement du parasympathique.

La peau est une zone d'échanges, relativement imperméable aux liquides venant de l'extérieur. Elle ne laisse passer que certaines molécules de petit calibre. Les H.E. traversent sans problème la barrière cutanée ainsi que quelques substances naturelles d'origine végétale et divers produits chimiques (carburants dérivés du pétrole et de nombreux agents toxiques).

La cosmétique, après les avoir oubliées, revient aux sources de l'art cosmétique antique en puisant parmi les plantes aromatiques, les huiles florales et les plantes régénérantes les principes actifs pour lutter contre la sénescence de la peau. Veillez à la qualité des produits, car de nombreuses marques utilisent des plantes et des H.E. ne répondant pas aux meilleurs critères.

· 1. Voir, du même auteur : *La Santé au féminin* (Éditions Dangles) et de Jean Spinetta : *Le Visage, reflet de l'âme* (Éditions Dangles).

d) La peau, zone d'élimination

La peau élimine des toxines par l'intermédiaire de la sueur et des glandes sébacées. Il faut entendre par toxines les déchets naturels de notre métabolisme, qui sont aussi évacuées par les reins, l'intestin, les poumons. La sueur et le sébum contiennent de l'urée de même que les résidus des substances médicamenteuses ingérées et autres produits toxiques (tabac), ce qui lui donne parfois une odeur caractéristique désagréable. Ces sécrétions sont sous l'étroite dépendance du système neurovégétatif et hormonal (pour les glandes sébacées). L'acné traduit un déséquilibre à ce niveau.

La peau peut donc être considérée comme une sortie de secours permettant de soulager la fonction épuratrice du foie lorsque celui-ci est surchargé, suite à une intoxication ou une indigestion par exemple. Les bains chauds aromatiques sont alors particulièrement recommandés pour créer une fièvre artificielle et éliminer rapidement les poisons du corps.

e) La peau et l'énergie de surface

La peau est le siège d'une intense circulation énergétique connue en médecine orientale sous le nom de *chi* ou *prâna* qui circule en suivant des canaux énergétiques : *méridiens* de l'acupuncture ou *nadis* des yogis. L'énergie parcourt ces canaux depuis l'extrémité des doigts et des orteils jusqu'au tronc, puis pénètre à l'intérieur du corps pour se rendre aux organes. Les points d'extrémité des membres permettent, en acupuncture, de mesurer l'énergie dans les méridiens.

Les H.E. appliquées en onction (bois de rose, copaïba, géranium rosat, lavande, mandarine, palmarosa...) augmentent considérablement les potentiels énergétiques de surface. Associées suivant les différents besoins de votre organisme, elles vous débarrassent des toxines et agents infectieux, augmentent le niveau d'énergie général de votre corps et participent à la régénérescence de vos tissus.

6. Chakras, Yin-Yang, système nerveux et endocrinien

Chaque cellule de notre corps est commandée par un double système accélérateur et ralentisseur nerveux et hormonal. Il est possible d'agir sur ces commandes par la stimulation de points ou de zones précises.

La partie postérieure du corps correspond à l'énergie Yang, au système nerveux sympathique, aux muscles du squelette, aux viscères creux. La partie antérieure du corps correspond à l'énergie Yin, au système nerveux parasympathique, aux organes profonds. En massant les points situés en arrière ou en avant du corps, on agira donc sur l'un ou l'autre système.

Les 7 chakras et quelques H.E. équilibrantes :

1. *Sahasrada* (ou chakra suprême) correspond aux fonctions les plus élevées de la conscience (cortex cérébral, cerveau limbique) et de son chef d'orchestre (l'hypothalamus). H.E. de santal, rose, néroli, petit grain, armoise arborescente, camomille, citron vert, encens, lavandes vraie et aspic, marjolaine, parfums floraux tels que jasmin et iris...

2. *Ajna* (situé à la racine du nez) correspond à l'hypophyse qui commande le système endocrinien. H.E. de menthe, romarin...

3. *Vishudda* (chakra de la gorge) correspond aux glandes thyroïde et parathyroïde. H.E. de bois de rose, marjolaine...

4. *Anahata* correspond au plexus cardio-pulmonaire. H.E. de camphre, eucalyptus, hélichryse, marjolaine, oranger, ylang-ylang...

5. *Manipura* correspond au plexus solaire, lieu d'élection de toutes les tensions et angoisses ; il contrôle le fonctionnement du foie, de la vésicule biliaire, du pancréas, de l'estomac et de l'intestin grêle. H.E. de basilic, estragon, carotte, palmarosa, romarin...

6. *Swadhistana* correspond aux glandes surrénales et aux reins, siège de l'énergie défensive et de notre tonus. H.E. de ciste, genièvre, girofle, niaouli, patchouli, pin sylvestre, vétiver...

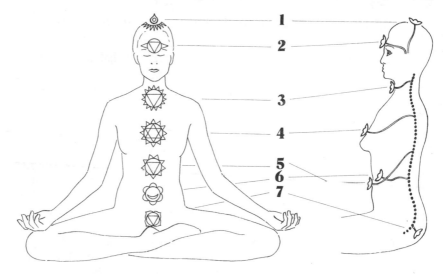

Les 7 chakras.

Les chakras correspondent à un plexus, un organe, un viscère, une couleur, une note de musique, une odeur. Notez les similitudes avec le système nerveux autonome. Les arômes de base (anisé, brûlé, camphré, éthéré, floral, menthé, musqué, piquant, putride...) rechargent et rééquilibrent les chakras vides d'énergie.

1 : Sahasrada (couleur : violet).

2 : Ajna (couleur : indigo).

3 : Vishudda (couleur : bleu).

4 : Anahata (couleur : vert).

5 : Manipura (couleur : jaune).

6 : Swadhistana (couleur : orange).

7 : Muladhara (couleur : rouge).

---

7. *Muladhara* correspond au plexus sacré et contrôle les organes sexuels. Pour l'homme, H.E. de cannelle, coriandre, gingembre... Pour la femme, H.E. de sauge sclarée...

*
* *

Pour que la peau réagisse efficacement, il est indispensable de **rééquilibrer le milieu intérieur** (sang, lymphe, eau cellulaire) par une alimentation atoxique, l'utilisation d'une eau de boisson peu minéralisée, une régularisation du transit intestinal (en apportant suffisamment de fibres) et en renforçant les défenses immunitaires.

CHAPITRE IV

Les utilisations
des plantes aromatiques

1. Les usages culinaires

L'art culinaire peut se concevoir sans l'apport d'arômes végétaux. Mais la maîtrise des herbes et condiments apporte à la cuisine la plus simple une quatrième dimension alliant la richesse du goût à la subtilité du parfum. Elle rend les mets plus savoureux et plus digestes et permet la conservation des viandes et poissons.

a) Comment les utiliser ?

Les **plantes fraîches** ou fines herbes : c'est la forme la plus parfumée. Vous les trouverez dans les bonnes épiceries ou, mieux, dans votre jardin. Si ce n'est déjà fait, consacrez un carré de bonne terre aux fines herbes : ail, aneth, basilic, cerfeuil, ciboule et ciboulette, coriandre, échalote, estragon, fenouil, laurier noble, livèche, marjolaine, menthe, oignon, persil, romarin, sauge, sarriette, thym... Elles peuvent être intégrées à la plupart des plats : salades, potages, céréales, viandes, volailles, poissons et coquillages. Ajoutons la citronnelle, le gingembre et le piment qui ne poussent que dans les climats chauds.

Les **plantes congelées** : solution alternative intéressante hors saison. Les plantes conservent, par ce moyen, la plupart de leurs

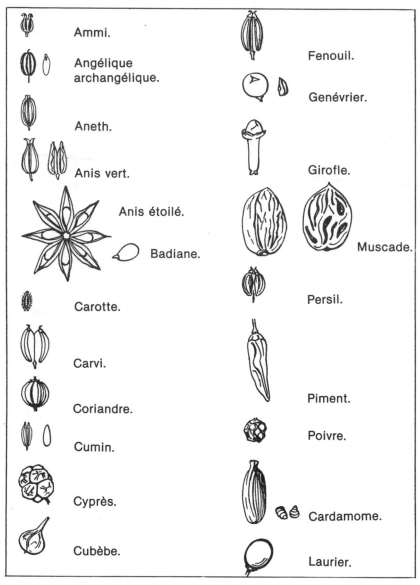

Ammi.

Angélique archangélique.

Aneth.

Anis vert.

Anis étoilé.

Badiane.

Carotte.

Carvi.

Coriandre.

Cumin.

Cyprès.

Cubèbe.

Fenouil.

Genévrier.

Girofle.

Muscade.

Persil.

Piment.

Poivre.

Cardamome.

Laurier.

Quelques graines et fruits aromatiques utilisés en cuisine et médecine naturelle, en l'état ou sous forme de poudre, H.E., beurre (graines de laurier).

propriétés gustatives et nutritives. Si vous les congelez vous-même, songez à les préparer en bouquets dans de petits sacs plastiques. Pour une conservation supérieure à deux mois, blanchissez-les avant de les mettre au congélateur. Renouvelez votre stock tous les ans.

Les **plantes séchées** : la plupart des épices et condiments d'origine tropicale ne sont disponibles sur le marché que sous forme séchée ou en poudre : cannelle, cardamome, clou de girofle, curcuma, gingembre, noix de muscade, poivre, vanille...

Vous pouvez aussi faire sécher les plantes aromatiques de votre jardin ou de votre balcon : durée de 4 à 15 jours dans un endroit sombre et chaud. Veillez à bien éliminer toute trace d'humidité (elles doivent être craquantes) et à les conserver dans un bocal hermétique, à l'abri de la lumière et de la chaleur.

b) Les cinq saveurs orientales

La cuisine en Orient fait partie intégrante de la médecine. Un bon plat est le meilleur des remèdes préventifs. Pour les Orientaux, chaque couleur, chaque odeur et chaque saveur correspond à un organe, un viscère, un sens et lui apporte de l'énergie. Ainsi :

— le **sucré** correspond au jaune et tonifie la rate, le pancréas et l'estomac ;

— le **piquant** correspond au blanc et tonifie le poumon et le gros intestin ;

— le **salé** correspond au noir et tonifie le rein et la vessie ;

— l'**acide** (aigre) correspond au bleu-vert et tonifie le foie et la vésicule biliaire ;

— l'**amer** correspond au rouge et tonifie le cœur, l'intestin grêle et le système nerveux.

L'art culinaire oriental est facilement adaptable à nos habitudes gustatives. Songez seulement à ne pas prendre les recettes à la lettre et à ne pas trop forcer sur les piments, souvent nécessaires en Orient pour éviter les parasitoses et microbes, mais peu appréciés en revanche par nos estomacs délicats.

c) Fabriquez vos huiles et vinaigres aromatiques

Rien n'est plus facile et vous pourrez ainsi personnaliser vos salades, légumes, viandes et poissons.

Huile aromatique : écrasez au mortier (ou mixez) 100 g de plantes fraîches (ail, aneth, basilic, estragon, fenouil, marjolaine, origan, romarin, sarriette, thym...) selon vos goûts et vos problèmes de santé. Ajoutez quelques grains de poivre noir, un petit piment, une cuillère à soupe de vinaigre blanc (pour acidifier) et mettez le tout dans un récipient d'un litre à couvercle hermétique, rempli aux 3/4 d'huile vierge de votre choix. Laissez 3 semaines au soleil ou à la chaleur en prenant soin de le secouer tous les jours. Testez votre huile et ajoutez-y d'autres herbes si elle vous paraît trop fade. Filtrez et mettez en bouteilles hermétiques en prenant soin d'ajouter pour la décoration une branche d'herbe fraîche. Conservez à l'abri de la lumière et de la chaleur.

Vinaigre aromatique : 100 g de plantes fraîches au choix (estragon + thym + marjolaine + menthe + piment), ou de graines épicées que vous écraserez au préalable (poivre, clou de girofle, carvi, cardamome, muscade...) dans 1 litre de vinaigre de vin ou de cidre. Goûtez au bout de 10 jours. Rajoutez des herbes si nécessaire. Laissez macérer 3 semaines. Filtrez. Mettez en bouteilles et ajoutez une herbe décorative.

2. Usages domestiques

a) Les pots-pourris

Très prisés dans les pays anglo-saxons, les pots-pourris parfument agréablement les maisons de la cave au grenier. Ils sont composés de mélanges de fleurs, d'herbes et de bois aromatiques séchés, savamment dosés et souvent additionnés de quelques gouttes d'H.E. de santal, vétiver, patchouli... ou encore de poudre d'iris pour en fixer les parfums les plus volatils. Vous les présenterez dans de jolis pots en verre ou en porcelaine.

Exemple de **pot-pourri aux cinq parfums** : procurez-vous en herboristerie les ingrédients suivants :

Feuilles de sauge (30 g) + feuilles de romarin (30 g) + fleurs d'oranger (30 g) + fleurs de lavande (30 g) + pétales de rose (50 g) + clous de girofle (1 cuillère à soupe) + cannelle en poudre (1 cuillère à soupe) + racine d'iris moulue (2 cuillères à soupe ; à moudre vous-même) + benjoin moulu (2 cuillères à soupe) + H.E. de palmarosa (20 gouttes) + H.E. de vétiver (10 gouttes). Bien mélanger le tout et le disposer dans le récipient. Garnir la surface de fleurs pour l'aspect.

b) Oreillers et sachets d'herbes

Quoi de plus agréable que de se coucher dans un lit doucement parfumé à la fleur d'oranger (ou à l'eucalyptus pour les sensibles des bronches), de trouver ses chemises imprégnées d'effluves provençales ou sylvestres ?

Oreiller aromatique : garnissez un petit sac de coton d'herbes séchées (correspondant à vos goûts) à parts égales que vous placerez dans votre taie d'oreiller.

— *Formule pour enfant énurésique :* noix de cyprès + feuilles de mélisse + écorce d'orange + fleurs de tilleul.

— *Formule favorisant le sommeil :* camomille + fleur d'oranger + lavande + citronnelle + mandarine (feuilles ou zestes) + marjolaine + houblon.

— *Formule respiratoire :* eucalyptus + thym + pin (aiguilles) + épicéa + myrte.

Sachet aromatique : joignant l'utile à l'agréable, les herbes aromatiques chasseront mites et parasites de vos armoires.

— *Formule antimite n° 1 :* santoline + lavande + citronnelle + tanaisie + clou de girofle en quantités égales (10 g de chaque).

— *Formule antimite n° 2 :* citronnelle + mélisse + écorces de citron et d'orange + cannelle + girofle en quantités égales (10 g de chaque).

3. Pour la beauté et la santé du corps

L'histoire des plantes aromatiques nous révèle la place privilégiée qu'elles occupent dans le domaine de la beauté, depuis l'Égypte ancienne. Après une période d'oubli liée à l'essor de la chimie, la cosmétique redécouvre les vertus des plantes et des arômes dans le combat contre le stress et le vieillissement de la peau. Votre peau a besoin de recevoir chaque jour des soins attentifs afin de rester souple, ferme, d'atténuer les effets du stress et de retarder ceux de l'âge. Ces soins se résument en trois temps : nettoyer, tonifier, nourrir. De nombreux produits de qualité à base de produits naturels existent sur le marché. Si vous aimez préparer vous-même vos produits voici quelques recettes faciles.

a) Recette de beauté

— **Crème nettoyante pour le visage :** évitez les savons alcalins qui perturbent le pH de la peau et utilisez matin et soir une crème ou lotion nettoyante naturelle. Voici, à titre d'exemple, une formule artisanale qui vous montre la complexité d'une composition cosmétique :

Lanoline (25 g) + cire d'abeille (15 g) + huile d'avocat (70 ml) + infusion d'ortie ou d'alchémille (2 cuillères à soupe) + H.E. de bois de rose, romarin ou camomille (3 gouttes de chaque). Mélangez cire et lanoline au bain-marie à feu doux. Incorporez ensuite l'huile d'avocat et retirez du feu. Ajoutez la tisane et l'H.E. et remuez jusqu'à refroidissement. Mettez en pots hermétiques.

Utilisation : massez légèrement le visage puis enlevez le surplus avec un disque ou un coton à démaquiller.

— Le **sauna facial** (à pratiquer une fois par semaine car il ne faut pas en abuser) éliminera les impuretés incrustées dans les pores de votre peau et provoquera une intense vasodilatation améliorant l'irrigation de vos tissus asphyxiés. Pour ce sauna, vous utiliserez soit des plantes fraîches (4 cuillères à soupe), soit des plantes sèches (1 cuillère à soupe), soit des H.E. de qualité (3 gouttes) que vous verserez dans un récipient rempli de 1 l d'eau bouillante. Vous vous placerez au-dessus du récipient, votre visage recouvert d'une serviette-éponge et le maintiendrez en contact avec la vapeur 5 à 6 mn. Le sauna facial est indiqué pour les peaux grasses, dévitalisées, acnéiques. Pour les peaux fragiles, sèches et couperosées, ne pas dépasser 1 à 2 mn.

Plantes conseillées : achillée, camomille, fenouil, lavande, menthe, romarin, sauge.

— **Lotion florale tonique** : vous pouvez donner libre cours à vos envies et utiliser les plantes que vous préférez parmi celles de la liste suivante : achillée, camomille, fleur d'oranger, lavande, menthe, romarin, rose, thym.

Votre lotion pour la semaine : préparez une tisane avec une ou plusieurs plantes à raison de 1 cuillère à soupe de plante sèche (ou 4 cuillères à soupe de plantes fraîches) pour 300 ml d'eau bouillante. Laissez infuser 20 mn, passez puis mettez au réfrigérateur.

— **Huile nourrissante régénérante** : elle apporte à la peau les nutriments essentiels (vitamines, acides gras essentiels, oligoéléments, eau).

Voici un exemple de formule artisanale composée des meilleurs produits actifs :

Mélangez les produits suivants : huile de rosa mosqueta (15 ml) + huile de germe de blé (15 ml) + H.E. de géranium rosat ou hélichryse (2 gouttes) + H.E. de bois de rose ou palmarosa (3 gouttes). Bien masser la peau pendant 3 mn avec quelques gouttes du mélange, jusqu'à pénétration, en insistant sur les rides et en les étirant perpendiculairement comme pour les effacer.

— **Lotion pour la beauté des yeux** : vous avez les yeux rouges et injectés, fatigués, les paupières gonflées ? Les plantes vous apportent leur aide efficace. Appliquez un coton imbibé d'infusion refroidie de bleuet, d'euphraise, de mélilot ou de fleur d'oranger ou d'hydrosol de camomille, de millepertuis ou de myrte. Allongez-vous et laissez en place 20 mn.

— **Soins des pieds** : vos pieds gonflés et fatigués seront soulagés par un bain de pieds tiède de 15 mn additionné d'infusion de lavande + menthe + tilleul (1 cuillère à soupe du mélange à laisser infuser 10 mn dans 1 l d'eau). Appliquez après séchage, de l'H.E. pure de lavande et de menthe (3 à 4 gouttes) ; vous éprouverez un bien-être immédiat.

— **Soins des mains** : l'entretien des mains fait partie des soins de base journaliers. Le soir, appliquez du jus de citron, de la glycérine naturelle ou de l'huile de rosa mosqueta.

Formule artisanale d'une crème nutritive pour les mains : glycérine naturelle (50 ml) + jus de citron (1 cuillère à café) + huile de rosa mosqueta (1 cuillère à café) + H.E. de lavande vraie (10 gouttes). Bien mélanger et placer dans un récipient hermétique.

b) Synergie argile/huiles essentielles

De nombreux produits de qualité pour les masques faciaux existent dans le commerce. La proportion d'H.E. doit rester très faible afin de ne pas perturber le pH de l'épiderme. Pour confectionner un masque facial désincrustant-nourrissant, inutile d'utiliser une grande quantité de produit actif. Seules les substances au contact de la peau seront efficaces ; une épaisseur de 1 à 3 mm sera suffisante.

— **Masque pour peau déshydratée ou ridée** : mélangez les H.E. suivantes à une huile grasse, dans la proportion de 1 à 3 % pour environ 1 cuillère à café d'huile d'olive ou de tournesol (huiles neutres) : H.E. de bois de rose (2 à 3 gouttes) + H.E. de géranium rosat (1 à 2 gouttes). Le pouvoir d'absorption de l'argile verte étant de 20 % minimum, vous mélangerez 1 cuillère à café d'huile aromatique à 4 cuillères à café d'argile (commencez par 2 cuillerées et rajoutez progressivement de l'argile jusqu'à consistance onctueuse). Appliquez en couches minces et laissez en place 1/2 heure. Retirez ensuite à la spatule de bois et appliquez de la crème régénérante. Si vous voulez simplifier cette opération, interposez entre la peau et le masque une fine épaisseur de gaze ; le masque s'enlèvera en bloc.

Variante pour masque traitant spécifique : utilisez comme base une huile végétale régénérante :

— Amande douce : adoucissante et nourrissante.

— Bourrache : riche en acide gammalinolénique, régénérante.

— Germe de blé : riche en vitamine E, antioxydante.

— Jojoba : adoucissante, antirides.

— Noisette : son huile est hypo-allergène. Très bonne pénétration.

— Onagre : régénérante par son acide gammalinolénique.

— Ricin : régénérante des ongles, cils et cheveux.

— Rosa mosqueta : huile de graine d'une espèce rare de rose. Contient une proportion importante d'acide alphalinolénique (34 %) et de gammatocophérols (vitamine E), antioxydants et régénérants tissulaires dans l'acné et la cicatrisation (cicatrices chirurgicales, brûlures, vergetures).

— Sapucainha : régénérante, anti-inflammatoire et calmante dans les dermatoses sèches, les peaux très sèches et sénescentes.

— **Masque pour peau mixte :** même protocole, mais mélangez au préalable l'argile à 10 % d'eau florale avant d'incorporer l'huile aromatique. Bien malaxer à la spatule. Ce mélange tirera plus la peau, lui donnant un aspect ferme et lisse.

— **Masque pour peau grasse :** utilisez seulement de l'eau florale ou de l'eau très peu minéralisée + quelques gouttes d'huile aromatique concentrée : 5 gouttes d'H.E. de votre choix (camomille, carotte, lavande, orange, patchouli, romarin) + 15 gouttes d'huile grasse traitante (noisette, rosa mosqueta).

4. Les secrets des parfumeurs

Les grandes marques de la parfumerie vous offrent un choix considérable de fragrances. Les formulations de base sont simples, mais le résultat final souvent décevant pour le parfumeur amateur. Pour vous amuser, vous pouvez essayer de fabriquer votre parfum, votre eau de toilette ou votre après-rasage en suivant, selon votre inspiration et votre nez, les principes ci-dessous, mais vous aurez du mal à imiter les œuvres d'art des grands maîtres parfumeurs.

— **Eau florale dynamisée :** 1 ⁰/₀₀ d'H.E. dans une eau de source peu minéralisée. Laissez imprégner 1 semaine à l'abri de la lumière en secouant le mélange chaque jour (soit 25 à 30 gouttes par litre d'eau). H.E. de base conseillées : palmarosa, petit grain, bigarade, néroli, géranium rosat, lavande vraie...

— **Eau de cologne :** 3 % d'H.E. dans de l'alcool à 70°. Formule type, variable selon vos goûts : 97 ml d'alcool à 70° + H.E. de bergamote (12 gouttes) + H.E. de clou de girofle (2 gouttes) + H.E. de néroli (15 gouttes) + H.E. d'origan (12 gouttes) + H.E. de petit grain (6 gouttes) + H.E. de romarin (30 gouttes).

— **Eau de toilette :** 6 % d'H.E. de votre choix dans de l'alcool à 70°.

— **Lotion after-shave :** mêmes proportions que l'eau de toilette, mais intégrez au mélange des H.E. anti-inflammatoires et cicatrisantes (bois de rose, camomille, copaïba, géranium rosat, palmarosa, patchouli, vétiver...) + 1 % de glycérine ou de l'extrait alcoolique de gomphréna, riche en allantoïne et oligo-éléments.

— **Parfum** d'arôme plus soutenu : 20 % d'H.E. dans de l'alcool à 70°. Pour fixer le parfum des essences les plus volatiles et éviter une évaporation trop rapide, ne pas oublier d'adjoindre de l'H.E. de bois de rose, patchouli, santal ou vétiver.

— **Huile parfumée** (pour les sujets ne tolérant pas l'alcool) : 20 % d'H.E. de votre choix dans de l'huile fine (noisette, noyau d'abricot, rosa mosqueta, jojoba).

5. Formules spécifiques de cosmétique

Ces formules générales peuvent être individualisées par un thérapeute qui pourra vous conseiller la formule la mieux adaptée à votre cas. Vous pouvez appliquer les H.E. pures ou en mélange à 20 % dans un excipient naturel (huile grasse) ou pharmaceutique (cétaline).

— **Peau cellulitique** : après rubéfaction au gant de crin ou à la brosse, appliquez un mélange phyto-aromatique comprenant plusieurs des produits suivants selon votre terrain : H.E. de cèdre, cyprès, genièvre, lavande, lemon-grass, orange, pamplemousse, sauge officinale + T.M. de fucus vesiculosus + T.M. de lierre grimpant.

— **Peau couperosée** : H.E. d'armoise arborescente, camomille, ciste, géranium, hélichryse, lavande, teinture de benjoin.

— **Peau dévitalisée** (boutons, comédons) : H.E. de bois de rose, cajeput, carotte, ciste, géranium rosat, lavande, niaouli, palmarosa, patchouli, romarin, rose, thym doux à linalol.

— **Peau grasse** : camomille, carotte, eucalyptus, inule odorante, lavande aspic, marjolaine, menthe, orange, patchouli, romarin, sauge officinale.

— **Peau sèche** : benjoin, carotte, citron, genièvre, niaouli, palmarosa, romarin, verveine.

— **Rides** : applications locales journalières d'huile florale de rosa mosqueta et d'extrait de gomphréna, H.E. de ciste et de carotte.

— **Taches brunes** : H.E. de carotte, mandarine, néroli, oranger, rose.

— **Pour ralentir le vieillissement de la peau,** qui reste un objectif prioritaire, appliquez les principes du traitement général antiâge : vitamines A, C et E, acides gras essentiels, sélénium, allantoïne, maintien de l'hydratation cutanée + H.E. énergétisantes : bois de rose, carotte, cabreuva, ciste, copaïba, galbanum, géranium, gurjum, laurier, lavande, mandarine, marjolaine, myrrhe, myrte, néroli, oranger, palmarosa, patchouli, persil, rose, sauge sclarée, vétiver...

6. Soins des cheveux

La santé et la beauté des cheveux sont, au même titre que la peau, le reflet de notre santé organique. Un bon shampooing est important, mais souvent insuffisant. Le cheveu doit être nourri par l'intérieur, car la partie visible du cheveu est formée de cellules mortes. Cela explique l'importance des méthodes qui visent à apporter à l'organisme les éléments vitaux essentiels et du massage du cuir chevelu qui stimule la microcirculation capillaire dans le but d'améliorer l'irrigation des racines. Attention aux shampooings décapants qui irritent les glandes sébacées et perturbent le pH. Utilisez une brosse douce de préférence au peigne (1).

Dans les soins capillaires aussi, le choix des spécialités est considérable. Néanmoins, beaucoup de personnes aiment savoir comment se fabriquer les produits. Les formules artisanales ci-dessous étaient encore couramment utilisées il n'y a pas si longtemps.

— **Shampooing naturel** : rien de plus facile à faire. Utilisez une tisane de saponaire (herbe à savon). Prélevez 2 cuillères à soupe de parties aériennes sèches que vous émietterez dans 250 ml d'eau bouillante. Mettez dans un récipient hermétique et solide, et laissez infuser 15 mn en secouant. Appliquez le shampooing dans la journée même ou conservez au réfrigérateur.

---

1. Pour de nombreux conseils supplémentaires et des formules naturelles, voir l'ouvrage de Jean-Luc Darrigol : *Santé et beauté de vos cheveux* (Éditions Dangles).

Plus simplement, vous pouvez acheter un très bon shampooing doux que vous enrichirez en H.E. appropriées à votre nature de cheveux : 10 gouttes d'H.E. de bay, cèdre, citron, curcuma, géranium, gingembre, lavande, romarin, ylang-ylang, pour 250 ml de shampooing.

— **Autre formule** : shampooing aromatique aux œufs : mélangez dans une tasse 1 jaune d'œuf + 1 cuillère à café de rhum + 10 gouttes d'H.E. ci-dessus. Laissez agir 10 mn et rincez abondamment.

— **Pour faire blondir les cheveux** : pensez à appliquer après le shampooing une infusion de camomille : 1 cuillère à soupe pour une tasse d'eau bouillante. Laissez infuser 15 mn. Appliquez sur les cheveux et laissez agir 15 mn.

— **Chute des cheveux** : la programmation héréditaire est un phénomène incontournable. Néanmoins, nourrir le bulbe capillaire de l'intérieur et de l'extérieur est le meilleur moyen de ralentir la chute des cheveux et de stimuler leur repousse (à condition qu'il reste des bulbes).
— *Soins internes* : alimentation équilibrée + compléments alimentaires : acides aminés (cystine et cystéine), minéraux, oligo-éléments, vitamines A, B et E.
— *Soins externes* (principe de base) : stimulez la microcirculation pour améliorer la nutrition du bulbe capillaire. Utilisez, à cette fin, un petit rouleau chinois de massage à picots (magasins de matériel d'acupuncture).
— *Ma formule* : lotion hydro-alcoolique contenant 3 % d'extrait de gomphréna + 2 % d'un mélange d'H.E. (parmi lesquelles : bay, cèdre, curcuma, gingembre, niaouli, romarin, sauge, ylang-ylang).

— **Cheveux gras** : lotion à base d'H.E. de cèdre + citron + géranium rosat + lavande + pin, tous les soirs. Ajoutez quelques gouttes de ces H.E. à votre shampooing.

— **Cheveux secs** : lotion à base d'H.E. de mélisse + romarin + ylang-ylang, tous les soirs (voir *Formule de lotion* ci-dessus). Bains d'huile une fois par semaine (voir formule ci-dessous pour *Pellicules*).

— **Pellicules** : lotion à base d'H.E. de cade + lavande + niaouli. Faire, une fois par semaine, un bain d'huile d'olive (2 cuillères à soupe) + H.E. de cade (3 gouttes) + H.E. de lavande (3 gouttes) + H.E. de niaouli (3 gouttes). Bien imprégner le cuir chevelu, puis le masser doucement durant 3 mn. Laissez en place 1 heure en mettant un bonnet de bain. Lavez-vous ensuite avec un shampooing doux.

CHAPITRE V

Place des plantes aromatiques en médecine naturelle

Ce chapitre n'a pas la prétention de remplacer une consultation médicale ou paramédicale. Il est néanmoins souhaitable que chacun connaisse les bases de la médecine naturelle afin de savoir éviter et soigner les maladies courantes. L'automédication est un choix responsable qui démontre la prise en charge personnelle de sa santé, mais elle doit se limiter à la prévention et aux affections bénignes et réversibles. L'automédication ne doit pas dispenser de la consultation nécessaire au diagnostic et au pronostic médical.

Les plantes aromatiques contribuent à prévenir et traiter un certain nombre de troubles secondaires aux déséquilibres occasionnés par le stress, les erreurs d'hygiène, la baisse de l'énergie vitale, les infections microbiennes, le vieillissement. Leur efficacité tient non seulement à la qualité de la plante elle-même mais surtout à son emploi judicieux, associé le plus souvent à des méthodes naturelles complémentaires, ou même à l'allopathie (quand cela est nécessaire).

1. Base de la méthode naturelle holistique

La méthode naturelle de l'homme total (holistique) repose sur trois principes fondamentaux :

a) L'état normal d'un être humain est l'état de santé

Chacun possède des mécanismes de régulation qui permettent de résister aux infections (système immunitaire), de réparer les tissus après un traumatisme (cicatrisation), de rééquilibrer le système nerveux et hormonal après un stress ou une émotion forte, de digérer, assimiler et éliminer les aliments et nutriments, de régler sa température en fonction du climat extérieur... Ces mécanismes régulateurs portent le nom d'**homéostasie.**

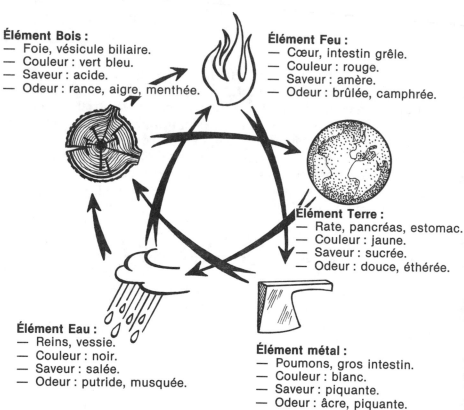

Élément Bois :
— Foie, vésicule biliaire.
— Couleur : vert bleu.
— Saveur : acide.
— Odeur : rance, aigre, menthée.

Élément Feu :
— Cœur, intestin grêle.
— Couleur : rouge.
— Saveur : amère.
— Odeur : brûlée, camphrée.

Élément Terre :
— Rate, pancréas, estomac.
— Couleur : jaune.
— Saveur : sucrée.
— Odeur : douce, éthérée.

Élément Eau :
— Reins, vessie.
— Couleur : noir.
— Saveur : salée.
— Odeur : putride, musquée.

Élément métal :
— Poumons, gros intestin.
— Couleur : blanc.
— Saveur : piquante.
— Odeur : âcre, piquante.

La logique du corps humain : l'homéostasie.
Le cycle des cinq éléments symbolise les mécanismes de régulation de notre physiologie.

b) Notre corps réagit aux agressions (stress)

Exception faite des problèmes congénitaux, les troubles de santé sont essentiellement créés par des agressions externes et internes :

— Les **agressions de l'environnement** : pollutions atmosphérique, chimique, radioactive et électromagnétique, rayonnements solaires excessifs.

— Les **agressions du mode de vie** : pollution médicamenteuse, alimentation dégradée, altération de la qualité de l'eau, bruit, vaccinations non indispensables... qui épuisent notre système nerveux et hormonal, vident nos réserves d'énergie et nous fragilisent.

— Les **erreurs dans le mode de vie** : excès de travail ou absence de repos, repas irréguliers et mal équilibrés, absence ou excès d'exercice physique... qui dérèglent les mécanismes de l'homéostasie.

— Les **perturbations psychosomatiques** : émotions excessives ou prolongées qui déséquilibrent le système nerveux et hormonal et dépriment les commandes cérébrales.

c) Le pouvoir d'autoguérison

Lorsque la cause du mal a disparu et si l'atteinte n'a pas laissé de séquelles corporelles (lésions tissulaires), l'organisme est normalement capable de retrouver son équilibre antérieur (autoguérison). **Le véritable pouvoir de guérison est donc en grande partie notre affaire ;** les mesures d'hygiène devraient contribuer à aider, à conserver et à renforcer nos défenses immunitaires.

Il est toujours préjudiciable de faire disparaître artificiellement un symptôme sans en trouver les causes, ce qui est souvent le cas de la médecine allopathique. Le fait de ne pas traiter les racines profondes du mal permet à celui-ci d'évoluer inexorablement, du trouble fonctionnel réversible vers la maladie et la destruction irréversible des organes.

> **Le respect des lois biologiques** doit présider à tout traitement naturel, voire allopathique. Se soigner par les méthodes naturelles sans changer de mentalité, de mode de vie, d'alimentation, sans restaurer sa colonne vertébrale et ses structures, sans rééquilibrer et renforcer son énergie... est illusoire et dénué de sens.

2. Le traitement naturel : la logique du vivant

Les traitements naturels procèdent en plusieurs étapes successives dont l'ordre est impérativement à respecter sous peine d'échec : chercher les causes, les supprimer puis restaurer le terrain et laisser faire la nature.

a) Chercher puis supprimer les causes

Le **bilan naturel de santé** est indispensable pour mettre en évidence l'origine des problèmes de santé, surtout ceux pour lesquels les moyens classiques ont échoué. Ce bilan comprend un certain nombre d'examens différents des examens médicaux classiques (bilan énergétique, ostéopathique, iridologique, bio-électronique...). Ils cherchent à retrouver les problèmes anciens ou inapparents, à la source de tant de troubles inexpliqués : infection chronique, blocage mécanique ou énergétique, alimentation défectueuse, conflit psychoaffectif, pollution chimique ou électromagnétique, surmenage physique ou psychologique, bruit...

Méthode de correction : la cause étant retrouvée par des moyens d'investigations spécifiques à la méthode naturelle, la technique réparatrice s'imposera d'elle-même :
— Amélioration de l'environnement (habitat, travail).
— Corrections du mode de vie (alimentation équilibrée, rythme de vie, attitude mentale).
— Corrections au niveau du corps : drainage des émonctoires naturels (foie, reins, intestins, peau, poumons) à l'aide d'eau faiblement minéralisée et diurétique, de plantes et com-

IDÉE DE LA DÉRIVE

BON ÉQUILIBRE :
— Psychologique.
— Physique.
— Biochimique.
— Énergétique.

AGRESSIONS :
— Psychologique.
— Physique.
— Pollutions.
— Stress.
— Déséquilibre
  alimentaire.

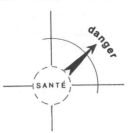

ROUBLES FONCTIONNELS
ÉVERSIBLES

AGGRAVATION IRRÉVERSIBLE
Maladie incurable.

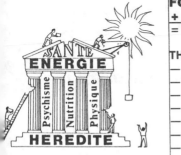

**FORCES D'AUTOGUÉRISON
+ MÉTHODE NATURELLE**
= Maladie curable

THÉRAPIES :
— Diététique.
— Aromathérapie.
— Ostéopathie.
— Acupuncture, moxas.
— Psychothérapie.
— Réflexothérapie.
— Homéopathie, biothérapie.

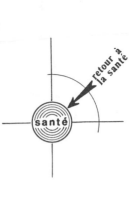

RESTRUCTURATION :
— Rééénergétisation.
— Rééquilibration
  alimentaire.
— Rééquilibration
  psychologique.

RETOUR A LA SANTÉ

pléments alimentaires détoxicants, d'H.E., de l'homéopathie ; réparation du corps physique par ostéopathie, acupuncture, neuralthérapie, dentisterie spécialisée, rééquilibrage de l'oreille (méthode Tomatis), de l'œil (magnétothérapie, optométrie), psychothérapies.

b) Restaurer le terrain

Il faut ensuite commencer la restauration du terrain sur les plans énergétique, psychologique, physique et biochimique par des méthodes naturelles et non iatrogènes : diététique, compléments alimentaires, acupuncture, homéopathie, biothérapies, techniques mentales, ostéopathie...

c) Laisser agir la « nature médecin »

Le temps de la restauration de la santé varie suivant l'ancienneté du trouble et le terrain de chacun. Il faut prendre conscience que nos tissus se régénèrent constamment, que les cellules du corps se renouvellent à leur rythme propre : 24 heures pour les cellules sanguines, 7 à 10 ans pour les cellules osseuses.

Les méthodes naturelles ont pour but essentiel de favoriser l'irrigation et la nutrition des tissus, de retarder leur vieillissement et de hâter leur régénérescence dans le cas d'infection, de traumatisme ou de tumorisation.

3. Les méthodes naturelles : une rééquilibration du terrain

Notre corps est un univers cohérent composé de 60 à 100 000 milliards de cellules. Ces cellules, structurées et organisées, constituent les tissus, les organes et les grands systèmes de notre corps : système nerveux central, système nerveux autonome, système endocrinien, système osseux, articulaire et mus-

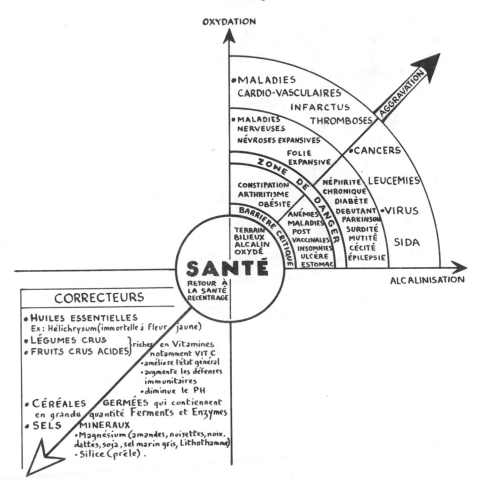

Les méthodes naturelles doivent converger vers le but unique : replacer l'organisme dans son *axe vital* de santé (zone centrale du schéma). Le terrain biologique de l'homme moderne dérive dans le sens d'une oxydation, d'une alcalinisation et d'un encrassement humoral (baisse de la résistivité non figurée sur ce dessin) : c'est la zone de danger et des maladies de civilisation. Les méthodes biologiques correctrices utilisent des nutriments et produits naturels acides réducteurs et de grande résistivité afin de compenser puis recentrer le terrain.

culaire, respiratoire, circulatoire, digestif, urinaire et enfin la peau aux multiples rôles.

Le corps peut être divisé, pour une meilleure compréhension, en : *physique* (les structures ou charpente), *biochimique* (les matériaux essentiels : respiration, nutrition, fonctionnement cellulaire) et *psychique* (la commande supérieure).

Il est animé par l'énergie vitale qui constitue le système électronique alimentant et réglant l'ensemble des trois secteurs.

Chaque méthode naturelle possède son champ préférentiel d'application, l'ensemble constituant une **synergie d'action** qui renforce et guide les forces naturelles d'autoguérison et replace notre organisme dans ses axes de fonctionnement optimum.

a) Rééquilibration de l'axe énergétique

L'énergie constitue l'élément essentiel de la vie et de la santé. Il ne s'agit pas de l'énergie telle qu'elle est définie dans les dictionnaires, mais de l'énergie vitale, carburant fondamental de notre vie et dont le niveau conditionne notre tonus. Elle résulte de la somme d'énergie héréditaire imprimée dans nos chromosomes (A.D.N.) et de l'énergie tirée de notre environnement (lumière, rayonnements infrarouges et ultraviolets, sons, magnétisme terrestre, air, alimentation...).

Cette énergie anime nos cellules, nos organes, nos membres, notre psychisme, détermine notre tonus et notre résistance aux agressions.

Pour **augmenter votre énergie,** vous devez utiliser la diététique vitalisante (aliments crus, hypervitaminés), l'aromathérapie vitalisante (bains et massages aromatiques) qui rechargera vos batteries nerveuses, les plantes adaptogènes (ginseng, gomphréna), les moxas (technique d'acupuncture par chauffage de certains points à l'aide d'un bâton d'armoise incandescent) (1),

---

1. Voir, du docteur Jean-Louis Poupy : *Manuel pratique de moxibustion* (Éditions Dangles).

la magnétothérapie (magnétisme et champs magnétiques pulsés) (2).

L'**organométrie** est une technique très utile qui s'applique habituellement en acupuncture pour évaluer l'équilibre énergétique d'un sujet. Le procédé consiste à enregistrer à l'aide d'un appareil de mesure le niveau d'énergie des points d'acupuncture situés aux extrémités des membres. Cette mesure permet d'apprécier si le méridien est normal ou perturbé. L'organométrie permet aussi de choisir les remèdes homéopathiques et les H.E. Si une déficience est constatée, le praticien fait tester au sujet les H.E. qu'il juge les plus appropriées à son cas. L'organomètre permet de choisir le « similimum aromatique » c'est-à-dire l'H.E. qui rétablira l'équilibre énergétique général ainsi que celle du méridien ou de l'organe perturbé.

La **radiesthésie** est une méthode d'investigation empirique qui trouve son application en aromathérapie. Utilisée par des praticiens compétents, elle permet de déterminer les déséquilibres énergétiques organiques et de trouver l'H.E. la plus efficace pour les corriger. Elle permet aussi d'ajuster les doses et l'horaire des prises (chronobiologie), ainsi que la durée du traitement. Une trousse témoin contenant un minimum de 50 H.E. est nécessaire pour pratiquer ce bilan (s'adresser à l'auteur).

b) Retrouver l'équilibre psychique

Le psychisme constitue le moteur de la vie humaine. Le renoncement, le manque de confiance en soi, les sentiments négatifs... peuvent engendrer une autodestruction organique par le blocage des mécanismes régulateurs nerveux et hormonaux. Inversement, la confiance en soi, la foi en la guérison et la force de la volonté peuvent faire des merveilles en potentialisant les ressources vitales et en permettant aux traitements et méthodes naturelles de donner leur effet maximal.

---

2. Voir, du docteur Louis Donnet : *Les Aimants pour votre santé* (Éditions Dangles).

Les **méthodes** sont nombreuses et vous aideront à retrouver votre équilibre : psychothérapies, relaxation (3), sophrologie (4), bioénergie, yoga mental... Les H.E. et les parfums participent à cette équilibration en agissant sur le système nerveux central qu'ils rechargent et harmonisent.

c) L'entretien ultérieur

Vos axes et rouages physiques ont besoin de révisions périodiques ; on peut comparer votre structure physique au châssis et à la mécanique d'une automobile. L'entretien d'une bonne musculature et la réparation des dommages corporels après tout traumatisme constituent deux éléments capitaux de votre santé. La négligence à ce niveau prédispose à une dégénérescence précoce. L'activité physique conditionne en grande partie la santé et la longévité de votre mécanique articulaire, évitant l'atrophie musculaire, la sclérose et le vieillissement précoce.

Vous pouvez pratiquer une méthode **préventive** (gymnastique rationnelle, musculaire, stretching, yoga, expression corporelle, danse, natation, massage...) ou **curative** (bilan et traitement ostéopathique, gymnastique corrective et rééducation, massage, réflexothérapies...). Les H.E. utilisées en onctions sur certains points d'acupuncture, au niveau des chakras et des plexus décuplent l'efficacité des traitements.

d) Soignez votre jardin intérieur

La chimie biologique est la chimie de la vie ; respiration et alimentation en constituent les deux clefs. De la qualité et de la quantité de l'air et de nos aliments dépend notre équilibre interne. Nos aliments doivent contenir tous les nutriments nécessaires : eau, protéines, glucides, lipides, fibres, vitamines, minéraux et oligo-éléments, issus de produits frais et, dans la mesure

---

3. Voir, de Marcel Rouet : *Relaxation psychosomatique* (Éditions Dangles).
4. Voir, de Thierry Loussouarn : *Transformez votre vie par la sophrologie* (Éditions Dangles).

du possible, de culture ou d'élevage biologiques (bien équilibrés en minéraux et sans traces de pesticides ni insecticides).

Sachez utiliser les méthodes préventives et curatives : diététique, homéopathie, biothérapies, vitaminothérapie. Les plantes aromatiques, condimentaires et les huiles essentielles participent, par leur action régulatrice, à la digestion, à l'assimilation et à l'élimination des déchets organiques et des toxiques.

*

* *

Cette brève synthèse d'une conception plus globale de l'homme montre clairement la place privilégiée à accorder aux plantes aromatiques et aux huiles essentielles dans la médecine familiale. Voyons maintenant plus en détail pour quels problèmes elles peuvent être utiles et efficaces. Cette partie préventive et thérapeutique est divisée en chapitres correspondant aux grands systèmes du corps humain pour une meilleure compréhension et afin d'éviter les répétitions inutiles. Mais commençons d'abord par les modalités générales d'emploi.

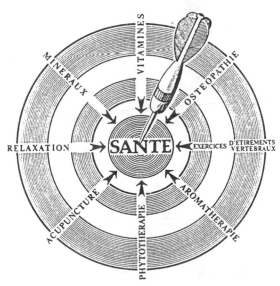

CHAPITRE VI

Mode d'emploi en usages préventif et curatif

L'usage des aromates, condiments et huiles essentielles ne pose en principe aucun problème si un certain nombre de précautions sont respectées.

Combinaisons alimentaires et aromates.
Savoir combiner les aliments selon les méthodes dérivées de Shelton est un art facile à acquérir. D'excellents livres existent sur ce sujet. Le dessin ci-dessus résume les combinaisons favorables et défavorables. Les plantes aromatiques peuvent se marier avec tous les aliments et sont particulièrement recommandées aux systèmes digestifs paresseux.

1. Les dix règles d'or

1. Respectez une bonne hygiène de vie et, en cas de problème, n'oubliez pas d'en rechercher et d'en traiter les causes. L'efficacité des méthodes naturelles est annulée par le non-respect des principes élémentaires de la santé indiqués au début de ce livre.

2. Respectez les doses conseillées, aussi bien pour les tisanes que la cuisine ou les H.E. Plus que pour tout autre produit naturel, la notion de dose revêt — pour ce qui concerne les aromates et les H.E. — une importance capitale. Évitez l'usage prolongé par voie interne.

La notion de dose :

— **Tisanes :** évitez de consommer de hautes doses de plantes aromatiques, même en tisanes. Ce ne sont pas des aliments comme les autres, mais des produits complémentaires. Pas plus de 3 tasses de tisane par jour, en prenant soin de varier pour éviter l'accoutumance. Exemple : pour digérer, alterner anis vert, carvi, coriandre, mélisse et menthe.

— **Huiles essentielles :** pas d'usage prolongé par voie interne sans justification. Doses moyennes admissibles :

Voie orale : 1 goutte par tranche de 10 kg de poids corporel, de préférence diluée dans un solvant naturel (huile, alcool, dispersant).

Voie externe : applications locales de 2 à 5 gouttes diluées, et applications générales de 20 à 30 gouttes dans le bain ou en onctions (pures ou diluées).

— **Embaumement vitalisant :** certaines H.E. (comme niaouli, eucalyptus, radiata, lavande, ravensare, palmarosa) peuvent être utilisées en quantités plus importantes dans certains troubles aigus.

---

3. Vous abstenir de tout autotraitement pour des affections sérieuses et si vous êtes allergique. L'autotraitement est réservé à la prévention, à la cosmétique et aux problèmes bénins. En cas de doute, consultez.

4. Consultez toujours l'index en cas de besoin ; évitez l'improvisation et n'hésitez pas à demander conseil à votre praticien, même pour les problèmes qui vous semblent bénins mais inhabituels.

5. Choisissez bien le moyen d'absorption en fonction de vos besoins. Les plantes à huiles essentielles, et *a fortiori* les H.E. pures, ne doivent pas être utilisées à haute dose par voie orale sur une période trop longue. La voie externe, grâce au filtre constitué par la peau, ne présente aucun inconvénient si on sait choisir les H.E. énergétisantes douces pour la peau ; citons le bois de rose, l'eucalyptus radiata, le palmarosa, la lavande (vraie ou aspic) parmi tant d'autres.

6. Jamais d'H.E. dans les yeux ni dans les oreilles (à l'exception de l'H.E. de lavande pour les oreilles). En cas de projection involontaire dans l'œil, nettoyez plusieurs fois avec un coton imbibé d'huile d'amande douce ou, à défaut, d'huile de cuisine. Choisissez plutôt des hydrosols ou des tisanes.

7. N'interrompez pas un traitement médical en cours sans avis du praticien. L'arrêt brutal d'un traitement peut présenter des risques importants (exemple des hypotenseurs et antidiabétiques).

8. Connaissez les plantes irritantes pour la peau et les muqueuses ; sachez en user sans en abuser. En cuisine, utilisez avec modération poivre, piment, muscade, thym et origan. Les H.E. qui contiennent des *phénols* sont souvent irritantes (ajowan, cannelle, girofle, muscade, origan, sarriette, thym...). *Toujours les diluer dans une substance naturelle* avant de les absorber ou de les appliquer sur la peau ou les muqueuses.

9. Connaissez les H.E. photosensibilisantes : certaines molécules contenues dans les H.E. augmentent la sensibilisation de la peau à la lumière solaire, entraînant un brunissement plus rapide. Ces molécules sont appelées *furocoumarines* et se trouvent dans les H.E. de bergamote et de citron. L'H.E. de bergamote, par exemple, est utilisée dans certains produits bronzants à cet effet. Cette propriété est employée pour traiter certaines maladies de la peau (voir *Psoriasis* et *Vitiligo,* troisième partie). Éviter de les employer sans avis médical avant toute exposition au soleil.

10. N'utilisez pas vous-même des H.E. de plantes aromatiques à cétones : la responsabilité de l'action toxique sur le système nerveux de certaines H.E. employées à hautes doses incombe à une molécule appelée *cétone* (camphre, carvone, fenchone, thuyone). Les plantes qui en contiennent sont signalées dans ce livre : absinthe, anis, armoise, carvi, fenouil, hysope, sauge officinale (et non pas sauge sclarée inoffensive), tanaisie, thuya. Leurs H.E. ne sont à utiliser que sur conseil médical. A l'inverse, la tisane (très faiblement concentrée en H.E.) peut être bue sans risque aux doses normales indiquées.

2. Les différentes formes d'utilisation

a) Tisanes, infusions ou thés aromatiques

C'est l'usage le plus répandu. Il suffit de verser de l'eau bouillante sur les plantes fraîches ou sèches dans un récipient muni d'un couvercle afin d'éviter l'évaporation des H.E. volatiles. Laissez infuser pendant 5 à 15 mn (selon les plantes) pour permettre l'extraction des principes actifs, puis filtrez. La dose de plante est variable, mais se situe en général entre 1 à 3 cuillères à café de plante sèche (1 à 3 cuillères à soupe pour les plantes fraîches) pour 1/4 l d'eau. Vous pouvez utiliser :

— Des **plantes fraîches** qui ont l'avantage de contenir la totalité de leurs composés volatils.

— Des **plantes sèches** qui perdent une grande partie de leurs H.E. volatiles, mais qui restent utilisables pendant environ une année. Elles peuvent être consommées en thés aromatiques et compléter l'usage des H.E. Vous pouvez ainsi reconstituer le *totum* de la plante fraîche.

b) Plantes en poudre, dosées en gélules

Cette forme d'utilisation est réservée aux plantes atoxiques et non irritantes. Elle permet une meilleure conservation des principes aromatiques emprisonnés dans la gélule. Très pratique, elle nécessite néanmoins de boire 1/2 verre d'eau au moment de la prise. Une autre solution consiste à ouvrir la gélule au moment de la prise et à mélanger la poudre de plante à un aliment liquide (yaourt) ou à de l'eau peu minéralisée. Les gélules de 250 mg sont les plus faciles à absorber ; les doses en sont généralement de 2 à 6 gélules/jour.

Conseil : ne jamais avaler à sec.

L'action des plantes séchées ou en poudre sera complémentaire de l'H.E. En effet, le pouvoir anti-infectieux ne se retrouvera pas dans la plante séchée où il ne reste que des traces d'H.E... Inversement, l'H.E. ne contient que des molécules aromatiques volatiles et est totalement dépourvue de vitamines, oligo-éléments, saponines, bioflavonoïdes qui constituent les éléments actifs de la partie non volatile du végétal.

L'association plante sèche/H.E. reproduit exactement l'action de la plante fraîche.

Rappelez-vous, pour les dosages, que la plante contient une très faible quantité d'H.E. (de 0,01 % à 5 %).

c) Macération et teinture

La macération consiste à laisser les plantes aromatiques en contact avec un liquide huileux ou alcoolisé (vin, vinaigre), afin d'en extraire les principes actifs.

La teinture est un extrait obtenu par macération dans de l'alcool à 70°, à raison de 1 partie de plante fraîche pour 5 parties d'alcool. Bouchez hermétiquement durant 3 à 7 jours (ou plus pour les racines), puis filtrez. On peut ainsi fabriquer de délicieuses liqueurs (anis, coriandre, gentiane, menthe, oranger...).

3. Techniques d'absorption par voie interne des H.E.

Rappel :

En moyenne : 30 gouttes d'H.E. = 1 gramme (1 g) = environ 1 millilitre (1 ml) ou 1 centimètre cube (1 cm³).
Pour les H.E. plus fluides, comptez 35 gouttes pour 1 ml et, pour les plus visqueuses et les oléorésines, environ 25 gouttes pour 1 ml.

---

a) L'absorption par voie buccale

Les H.E. sont aisées à employer, grâce à des procédés de dilution rationnels, simples et sûrs à la fois, pour un usage familial sans risques.

Précaution : la voie buccale est à proscrire pour les personnes présentant des problèmes gastriques et des antécédents d'ulcération, les nourrissons et jeunes enfants.

La façon de procéder la plus efficace pour une absorption interne est la dilution à 10 % dans un liquide : huile, alcool, aliment liquide, miel, sirop d'érable...

Les **H.E. pures :** l'absorption d'H.E. pure doit être exceptionnelle et strictement réservée à ceux qui ne souffrent pas d'irritation de la muqueuse de l'estomac.

— Prise normale (hygiène et prévention) : 1 à 4 gouttes par jour pour un adulte pour les H.E. non agressives ou toxiques (H.E. à phénols ou à cétones).

— Prises exceptionnelles : 6 à 12 gouttes par jour pendant 3 à 7 jours pour un adulte en traitement intensif préventif ou curatif.

Principales H.E. à phénols : ajowan, girofle, origan, sarriette, thym fort.

Principales H.E. à cétones : armoise vulgaire, cèdre, hysope, inule, massoïa, thuya.

Si vous respectez les conseils d'utilisation et les dosages donnés tout au long de ce livre pour l'hygiène et les cas bénins, vous ne risquez aucun désagrément. Pour les affections plus sérieuses, vous avez intérêt à consulter un praticien compétent. Dans tous les cas, jamais plus de 1 à 2 gouttes à la fois et, en moyenne, jamais plus de 1 goutte par tranche de 10 kg de poids corporel.

Les H.E. diluées :

— L'*aromel* ou *mellite* (H.E. + miel) : mettez 2 gouttes d'H.E. par cuillère à café de miel liquide et mélangez bien. Prenez autant de cuillères à café que nécessaire. Ne dépassez pas 6 à 10 gouttes par jour, soit 3 à 5 cuillères à café. Cette méthode est intéressante pour les affections de la bouche, de la gorge et des bronches (exemple : H.E. de bois de rose ou d'eucalyptus dans du miel de pin). Cette forme d'absorption est parfois difficile à faire accepter aux enfants ; il est nécessaire, dans ce cas, de diluer encore les doses : 1 goutte pour 2 ou 3 cuillères à café de miel.

— Le *liposol :* diluez 5 gouttes d'H.E. dans une bonne huile d'olive vierge (première pression à froid). Très intéressant dans les affections de la vésicule biliaire (romarin, boldo...), le liposol s'utilise aussi en onction et en massage.

— L'*hydrosol, hydrolat* ou *eau florale :* il s'agit d'une forme diluée d'aromathérapie. Les H.E. sont capables de se dissoudre pour une faible part dans l'eau (à raison de 0,3 à 0,5 %). L'eau recueillie dans la cuve du distillateur contient une dilution au 1/2 000 d'H.E. Cette préparation peut être obtenue de la même façon par imprégnation dans de l'eau de source peu minéralisée. Il existe dans le commerce des hydrosols de la plupart des H.E. courantes : camomille, myrte, oranger, romarin, rose, sauge... (voir *Soins de la peau*). L'hydrosol est très doux pour la peau et les muqueuses, parfaitement adapté aux soins de bébé et des jeunes enfants, ainsi qu'aux soins des yeux.

— Le *dispersant aromatique* est une forme nouvelle d'emploi très facile. Constitué de substances extraites de cellules végétales, il présente de multiples avantages tout en évitant les inconvénients liés à l'utilisation des H.E. pures, tels que irritation de la peau, gastrites, brûlures d'estomac... Chaque gouttelette d'H.E. mesure de 0,01 à 2 mm ; sa surface de contact avec la peau ou les muqueuses est très importante. Le mélange dispersant aromatique/eau/H.E. divise ces gouttelettes en infimes particules de 0,0003 mm, évitant l'irritation des parois des muqueuses digestives.

Intérêt : il permet d'absorber sans problème par voie interne les H.E. diluées dans de l'eau, du lait, de la tisane, un jus de fruits ou en gargarismes.

Conseils d'emploi : mélangez l'H.E. (10 %) au dispersarom (laboratoire Sanoflore, p. 323) (90 %) à acheter dans les magasins de produits naturels ou en pharmacie.

b) Les aérosols

L'utilisation d'un diffuseur d'arômes est recommandée pour traiter les affections respiratoires, désinfecter la chambre des enfants ou, plus simplement, assainir l'atmosphère de la maison, permettant une pénétration directe dans les poumons, puis dans le sang.

Cette technique simple reproduit l'aérosol naturel que vous respirez dans les pinèdes de haute montagne, les garrigues de Provence ou les paradis tropicaux en éliminant au passage les mucosités, les toxines et microbes indésirables.

Plusieurs types d'appareils existent, basés sur le système de la pompe à air d'aquarium munie d'une verrerie spéciale présentant dans sa partie interne des pointes de verre pour faire éclater les H.E. en fines particules plus légères, volatiles et ionisées (chargées électriquement).

Technique de l'aérosol : placez les narines à quelques centimètres de l'embout diffuseur. Réglez le débit de la pompe suivant votre convenance. Respirez profondément en dilatant les narines. Pratiquez l'aérosol pendant 1/4 d'heure. Attention d'éviter la projection dans les yeux. Pour l'aérosol, n'utilisez pas n'importe quelle H.E. ; certaines sont irritantes pour les poumons ou le nez (voir *Index thérapeutique*).

Pour cet usage, il ne faut jamais mélanger les H.E. à un solvant (alcool, huile, dispersarom) ni utiliser d'oléorésines ou baumes (peu volatils).

Pour désinfecter la maison, laissez en marche votre diffuseur d'arômes une heure avant de vous coucher. N'oubliez pas d'humidifier l'atmosphère si vous possédez un chauffage central ou électrique (humidificateurs).

Six formules pour aérosol à composer vous-même ou à acheter en complexes synergiques préparés à l'avance (dosages moyens) :

— *Pour assainir :* bois de rose, cannelle, cyprès, eucalyptus radiata ou polybractées, girofle, lavandin, pin maritime.

— *Pour se détendre :* bigarade, lemon-grass, mandarine, néroli, orange.

— *Pour se recharger en énergie :* angélique, bois de rose ou cabreuva, copaïba, épicéa, géranium, lavande, pin, romarin, sarriette, sauge.

— *Respiratoire :* cyprès, eucalyptus polybractées, pin maritime.

— *Antitabac :* citron, citronnelle, géranium, hélichryse.

— *Pour la chambre d'enfant :* eucalyptus, mandarine, pin maritime.

c) Gargarismes et bains de bouche

Ce mode d'utilisation est particulièrement recommandé pour les affections de la bouche et de la gorge. Il est indiqué de diluer les H.E. dans du dispersant aromatique ou de l'alcool, puis dans 1/2 verre d'eau (H.E. de laurier, hélichryse, girofle...).

d) Les autres modes d'application

L'utilisation des H.E. par voies vaginale et rectale doit être réservée à la thérapeutique sur conseil d'un aromathérapeute confirmé. Elle est particulièrement efficace dans les affections gynécologiques et les hémorroïdes.

e) Nourrissons et enfants

Chez le **nourrisson**, *pas d'H.E. par voie interne*. En revanche, on peut pratiquer (sur conseil d'un aromathérapeute) des onctions à base d'H.E. très fortement diluées : bronchites à répétition, infections intestinales, otites. N'utilisez que des H.E. très douces pour la peau, telles que lavande vraie ou aspic. Aux changements de saison (et particulièrement l'hiver), veillez à aseptiser l'atmosphère de la chambre de bébé en laissant fonctionner un diffuseur d'arômes pendant une heure avant le coucher, une ou deux fois par jour (voir *Formule aérosols*).

Les hydrosols peuvent être employés sans problème en onctions. L'homéopathie et la phytothérapie sont particulièrement efficaces chez les tout-petits et doivent être utilisées en priorité. Surveillez l'alimentation en n'oubliant pas que **le meilleur médicament est avant tout l'aliment**. Le lait maternel est la nourriture idéale pour le bébé ; il le nourrit et le protège contre les infections pendant les premières semaines. Ne pas prendre de traitements allopathiques contre-indiqués pendant l'allaitement.

Chez les **enfants**, les doses doivent être proportionnelles au poids corporel. Par *voie interne*, on peut prendre comme base 1 goutte d'H.E. par jour et par tranche de 10 kg. Par *voie externe*, on peut sans risque multiplier ce chiffre par 3 à 5.

*

* *

4. Techniques d'application externe des H.E.

La voie externe est un mode d'utilisation simple et efficace : la grande diffusibilité des H.E. permet une pénétration rapide à travers la barrière cutanée. L'application externe comprend les bains aromatiques, les onctions et massages à base d'H.E. pures ou d'huiles aromatiques, les cataplasmes, les mélanges argile/H.E.

a) Les bains aromatiques

Associant les bienfaits de l'hydrothérapie et de l'aromathérapie, les bains aromatiques constituent une technique simple de choix pour maintenir la forme, mais aussi pour prévenir et traiter de nombreuses maladies. Ils peuvent être locaux ou complets.

— **Bains locaux ou partiels** (de mains, de pieds, de siège) : 10 gouttes d'H.E. diluées dans un dispersant.

— **Bains complets** : 25 à 30 gouttes d'H.E. (ou d'un mélange synergique préparé à l'avance), diluées dans un dispersant ou un produit de bain moussant.

Eau chaude ou eau froide ?

La température du bain est fondamentale et procure des effets très différents suivant son degré :

— **L'eau chaude** (37 à 42°) est relaxante ; elle réduit les douleurs et les tensions musculaires, dilate les vaisseaux capillaires. Durée : 15 à 20 mn.

— **L'eau tiède** (30 à 36°) permet de rester longtemps dans l'eau sans en être incommodé. Elle est utilisée dans un but de relaxation. Durée : 30 à 45 mn.

— **L'eau froide** (10 à 25°) est stimulante. Elle rétracte les capillaires dans un premier temps, puis provoque une dilatation réactionnelle. Recommandée pour les bains locaux. Durée : très courte. Ne permet pas la pénétration des H.E., mais agit uniquement par la température.

— **Bain alterné :** provoque une véritable gymnastique capillaire locale pour pieds et mains. Je conseille de l'utiliser surtout pour stimuler la circulation locale afin d'éliminer les toxines et les épanchements locaux (œdèmes résiduels d'entorses).

Technique : prendre 2 bassines, l'une contenant de l'eau très chaude (37 à 42°), l'autre de l'eau très froide (10 à 20°) mais supportable. Plongez alternativement la partie à traiter durant 30 secondes dans l'eau chaude, puis 30 secondes dans l'eau froide, une dizaine de fois de suite. Terminez par l'eau froide.

— **Bain de siège aromatique** : indiqué pour les problèmes de la partie inférieure de l'abdomen, les fesses, les hanches, dans les problèmes gynécologiques (congestions, infections) et rectaux (hémorroïdes).
Technique : plongez le postérieur dans un bidet ou une grande cuvette :
— Bain tiède (durée : 10 à 15 mn) : ajoutez 5 gouttes d'H.E. diluées dans un dispersant. Pour hémorroïdes : cyprès ; pour irritations gynécologiques : lavande, etc. (voir *Index thérapeutique*).
— Bain froid : durée de 1 à 2 mn, en augmentant la durée chaque jour. Ne convient pas pour l'aromathérapie.

b) Effets du bain chaud aromatique

> Les bains chauds sont **formellement contre-indiqués** chez les cardiaques et les personnes présentant des varices et ulcères variqueux (bains tièdes autorisés).

Les bains chauds dilatent les vaisseaux capillaires, provoquant une intense circulation sanguine au niveau de la surface du corps. Cette accélération circulatoire, alliée à une augmentation de la température corporelle, provoque une élimination rapide des toxines par sudation. La température du bain doit varier en fonction de la résistance de chacun. Évitez les excès et respectez les indications ci-dessous.

Le mélange d'H.E. à employer dépendra de vos besoins du moment : formule relaxante, stimulante, tonifiante, antiseptique pour la peau, antiseptique pulmonaire, antirhumatismale, etc. (voir *Index thérapeutique*). Ajoutez 30 à 50 gouttes d'H.E. pures dans du dispersarom ou dans du lait en poudre, au moment de rentrer dans l'eau.

Technique : pour éviter le choc thermique, il est conseillé de chauffer préalablement l'eau du bain à 35-37° (utilisez un thermomètre).

Les H.E. diluées dans un dispersant sont mélangées à l'eau du bain au dernier moment. Pour provoquer une vasodilatation des vaisseaux capillaires, faites monter progressivement la température du bain jusqu'à ressentir une légère transpiration au niveau du front. Arrêtez alors l'eau chaude, restez 5 mn à cette température, puis faites redescendre l'eau du bain à 37°. Sortez de l'eau en vous enveloppant dans un peignoir de bain ou une couverture. Massez-vous (ou mieux, faites-vous masser) avec un mélange d'H.E. spécifiques de votre terrain. Buvez une tisane chaude qui favorisera l'élimination par la peau des toxines résiduelles.

c) Les massages aromatiques

Cette technique, facile à appliquer en famille, allie les effets (toniques ou relaxants) du massage aux vertus des H.E. Il est conseillé de diluer les H.E. (basilic, cabreuva, citronnelle, copaïba, estragon, eucalyptus citronné, géranium, gurjum, lemon-grass, mandarine, oranger, palmarosa, ravensare) de 20 à 50 % dans une huile grasse fine (huile de noisette, de tournesol vierge...).

La **naso-aromathérapie** ou **sympathicothérapie** : une façon d'agir rapidement et efficacement sur les déséquilibres du système nerveux sympathique consiste à masser à l'aide de tiges métalliques la partie interne du nez. Ce traitement, appelé *sympathicothérapie,* parfaitement indolore et tout au plus un peu désagréable, n'a aucun effet secondaire et s'intègre parfaitement à tout traitement naturel. La *nàsothérapie* est pratiquée par de nombreux professionnels de santé. Vous pouvez d'ailleurs pratiquer sur vous-même la méthode d'autostimulation de la paroi interne du nez, ou poser des Cotons-Tiges stériles imbibés d'H.E. diluées en cas de sinusites, selon une formule adaptée à votre cas (voir *Index thérapeutique*).

Indications principales de la stimulation nasale : déséquilibres neurovégétatifs (fatigue, troubles du sommeil, de la libido, déprime, douleurs migraineuses, hypertension artérielle, anxiété, spasmophilie, stress), sinusites, céphalées, névralgies.

Technique : imprégnez un Coton-Tige d'un mélange synergique d'H.E. diluées à 10 % dans une huile vierge (noisette, tournesol, olive...). Pour stimuler, massez doucement la partie interne du nez en tenant la tige horizontalement. Faites pénétrer doucement en massant. Des larmes apparaissent prouvant la réaction du système nerveux. A pratiquer une à deux fois par jour si nécessaire.

L'**onction générale** se pratique la main bien à plat sur la peau en appuyant très légèrement (comme une caresse) et en suivant un rythme lent (relaxant) ou rapide (tonifiant). Plus le massage est appuyé, plus l'effet est tonifiant. En cas de douleur et d'inflammation, l'onction doit être particulièrement douce et légère.

La **technique d'énergétisation aromatique** (« embaumement aromatique ») consiste à faire pénétrer une grande quantité d'H.E. pure par la peau (jusqu'à 10 à 15 ml par jour), notamment dans les affections virales ou les grandes pertes d'énergie (H.E. de bois de rose, copaïba, eucalyptus, gurjum, lavande, niaouli, palmarosa, pin, ravensare, cabreuva).

Le **massage vertébral** est très efficace pour de nombreux troubles d'origine neurovégétative. Le système nerveux sympathique se situe le long de l'épine dorsale et chaque étage agit sur un organe ou une zone spécifique. Le massage se pratique avec les pouces bien à plat de chaque côté de l'axe vertébral, en effectuant un mouvement spiralé de bas en haut ou de haut en bas, en insistant sur les zones dures et contracturées. Il est préférable de s'adresser, pour ce type de massage, à un spécialiste.

Le **massage des pieds et des jambes** : très efficace dans les troubles circulatoires veineux (varices), jambes lourdes, œdèmes. A pratiquer les jambes surélevées par rapport au cœur pour favoriser la circulation de retour. Le massage de la plante des pieds s'effectue avec la paume de la main, dans le sens orteil/talon. Le massage des orteils et leur étirement soulagent les pieds sensibles et déformés — orteils en marteau, oignon (hallux valgus) — et aident à ramollir et éliminer les cors et durillons.

Pensez aux semelles orthopédiques proprioceptives (semelles fines qui stimulent et rééduquent les muscles de la voûte plantaire dans le but de la remodeler).

Le **massage des chakras et plexus** est une variante du massage énergétique oriental qui, par la stimulation de points d'acupuncture, débloque et fait circuler l'énergie vitale (au niveau des plexus ou chakras), dans les vaisseaux énergétiques appelés méridiens.

L'adjonction d'H.E. augmente considérablement l'efficacité du massage en comblant les carences vibratoires des cellules organiques. Cette technique (qui peut être effectuée soit par un praticien, soit en famille) fait partie des méthodes antistress, associée aux corrections alimentaires et à la respiration diaphragmatique.

Principes du massage des chakras et plexus :

— Le **massage tonifiant** doit être appuyé et court (1 à 3 mn). Il est surtout indiqué au niveau de la colonne vertébrale. Arrêter le massage dès l'apparition d'une rougeur au niveau de la peau (vasodilatation). Exemple d'H.E. : bois de rose, cabreuva, copaïba, élémi, épicéa, géranium, lavande, lemon-grass, pin, ravensare, romarin, sassafras, sauge.

— Le **massage relaxant** doit être pratiqué en onctions douces, mains bien à plat, sous forme d'effleurages superficiels lents d'une durée de 5 à 10 mn ou plus, jusqu'à obtention de la détente complète. H.E. : basilic, bigarade, mandarine, néroli, orange, petit grain.

— Le **massage ponctuel** des plexus et chakras s'effectue en ponçant de façon rotatoire les zones à traiter soit avec la pulpe du pouce ou des doigts, soit avec la paume de la main en utilisant l'H.E. correspondante (basilic, bois de rose, estragon, marjolaine, menthe, néroli, palmarosa, ylang-ylang).

Comment déterminer un blocage de plexus ? Chaque plexus (ou chakras) correspond à la commande nerveuse des organes et des glandes endocrines ; le blocage de cette commande entraîne automatiquement un trouble à leur niveau : soit accélération, soit ralentissement, soit blocage (spasme).

Les chakras bloqués se manifestent en général par des *douleurs* et des *tensions* facilement palpables, situées sur la ligne médiane antérieure du corps et de part et d'autre de l'épine dorsale. La douleur et les tensions musculaires constituent de précieux signaux que notre corps émet pour nous prévenir d'un trouble fonctionnel débutant. En cas de trouble persistant, consultez un praticien et pratiquez un bilan de santé.

d) Quelques formules pour massage familial

L'utilisation des formules données ci-dessous vous assure un effet général, tonique ou relaxant. Il est préférable de ne pas préparer le mélange à l'avance, sauf pour un emploi régulier. Dans ce cas, préparez-le dans un flacon propre en multipliant par 10 les doses indiquées. Mettre à l'abri de l'air, de la lumière et de la chaleur (pour éviter l'oxydation). Il est possible d'intégrer ce mélange à une huile fine riche en acides gras essentiels (huile de noisette ou toute autre huile vierge de qualité).

Si vous recherchez un effet plus personnalisé, vous pouvez préparer vos propres formules en choisissant dans la liste détaillée des plantes aromatiques celles qui correspondent le mieux à votre cas ou les demander à votre fournisseur habituel (herboristerie, pharmacie, magasin de produits naturels).

Quelques formules (doses moyennes pour un adulte) :
— *Formule relaxante et antispasmodique* (action générale) : H.E. de basilic (ou cardamome ou estragon) (10 gouttes) + H.E. d'eucalyptus citronné (ou citronnelle) (10 gouttes) + H.E. de mandarine (ou marjolaine, ou oranger) (10 gouttes).
— *Formule tonifiante* (action générale) : baume de copaïba (10 gouttes) + H.E. de bois de rose (5 gouttes) + H.E. de romarin (5 gouttes) + H.E. de niaouli (ou ravensare) (10 gouttes).

MODES D'APPLICATION DES HUILES ESSENTIELLES :

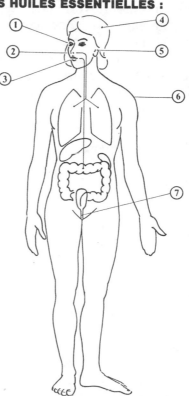

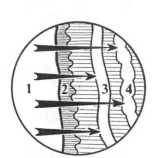

1 : application de baume et pénétration.
2 : épiderme.
3 : circuit sanguin.
4 : circuit lymphatique.

1 : **yeux.** Uniquement des hydrosols (eaux florales) en compresses.
2 : **nez.** Inhalations ou aérosols, indiqués dans les problèmes de nez, sinus, bronches et poumons. Sympathicothérapie.
3 : **bouche.** Voie orale indiquée pour les problèmes de bouche, dents, gorge, estomac et intestins. Veillez à diluer les H.E. dans un aliment dispersant.
4 : **cuir chevelu.** Applications locales pour stimuler la microcirculation et la régénérescence.
5 : **oreilles.** Voie auriculaire uniquement autorisée avec l'H.E. de lavande vraie. Préférer les onctions sur le pourtour de l'oreille.
6 : **voie cutanée.** Voie la plus conseillée, aussi bien chez les enfants que chez les adultes et personnes âgées. Bonne pénétration et aucune gêne digestive (embaumement aromatique, huiles de massage, bains aromatiques).
7 : **vagin** et **rectum.** Voies très efficaces, mais uniquement sur le conseil d'un aromathérapeute. Jamais d'automédication.

— *Formule stimulante* (action générale) : H.E. de térébenthine (10 gouttes) + H.E. de thym (ou origan, ou sarriette) (5 gouttes) + H.E. de genièvre (5 gouttes) + H.E. de pin (ou épicéa) (10 gouttes).

— *Formule antirhumatismale* (action spécifique) : baume de copaïba (20 gouttes) + H.E. de bouleau jaune (ou gaulthérie) (5 gouttes) + H.E. de genévrier (ou lavandin, ou girofle) (5 gouttes).

— *Formule circulatoire* (action spécifique) : H.E. de cyprès (20 gouttes) + H.E. de lentisque (5 gouttes) + H.E. d'hélichryse (5 gouttes).

e) Cataplasmes et emplâtres

Cette forme d'application a connu son heure de gloire dans les siècles passés. Certaines formulations restent très utiles encore aujourd'hui pour leur action locale : citons l'application de rondelles d'ail pour brûler les cors et durillons, le cataplasme de feuilles de chou pour résorber les épanchements, le cataplasme d'oignon cuit sur l'oreille pour soulager les otites, le cataplasme de feuilles de persil mélangées à du kaolin pour résorber les engorgements laiteux, les cataplasmes à la farine de lin ou de moutarde (décongestionnants)... Les Indiens d'Amazonie utilisent depuis toujours, pour soigner blessures, infections, rhumatismes et tumeurs des emplâtres à base de baume de copaïba et de poudre d'écorces.

5. Argile + H.E. : une remarquable synergie

L'application de cataplasmes d'argile associée aux H.E. conjugue l'action directe de la molécule aromatique à celle, remarquable, de la roche argileuse. L'argile est une roche composée de mélanges minéraux disposés en feuillets, issus de la désagrégation des couches rocheuses supérieures de l'écorce terrestre. Elle se présente sous des couleurs variées, en fonction de ses composants (bleue, verte, ocre, rouge, grise, blanche...).

a) Principales propriétés de l'argile

— **Capacité d'absorption des liquides** : l'argile possède le pouvoir d'absorber de 20 à 40 % de son poids de liquide (eau, huile, H.E., alcool), ce qui explique son intérêt en application externe pour la résorption des œdèmes, gonflements et épanchements de synovie articulaire (hydarthrose).

— **Capacité d'adsorption** : l'argile est capable de capter les toxines et les produits chimiques nocifs (effet adsorbant physique et ionique), ce qui justifie son emploi interne dans les infections intestinales, fermentations, intoxications chimiques et médicamenteuses. Elle a un pouvoir désodorisant par captation des molécules aromatiques agréables ou nauséabondes. En application externe, son efficacité est aussi large dans le traitement des plaies que dans l'entretien de la peau (érythème fessier des nourrissons).

Le masque à l'argile constitue pour la peau une véritable désincrustation, surtout lorsqu'il est enrichi par l'adjonction d'huiles grasses régénérantes et d'H.E. antirides et astringentes (voir chapitre IV).

— **Régulateur de pH** : par son acidité, l'argile équilibre le pH de la peau. Cette acidité participe à la destruction des germes pathogènes et entraîne une légère rubéfaction de la peau (vasodilatation).

— **Pansement naturel** : la structure en feuillets de l'argile permet de la qualifier de « pansement naturel ». Au niveau interne, elle permet aux muqueuses de cicatriser à l'abri des acides digestifs (argile blanche surfine ou kaolin). Mais attention à ne pas consommer en même temps que le traitement des huiles et aliments gras. Au niveau externe, elle permet au processus de cicatrisation de s'effectuer à l'abri des microbes (argile blanche ou verte de type « montmorillonite »).

*
* *

L'argile est un support remarquable pour l'application des plantes et des H.E. Son utilisation devrait se développer encore grâce à une meilleure connaissance des plantes aromatiques et des H.E., car ce mariage minéral/végétal multiplie les effets positifs de chaque composant (synergie).

b) Synergie argile/jus de plantes

Cette technique est particulièrement indiquée dans les soins de la peau, les douleurs rhumatismales, inflammations, contusions, engorgements circulatoires locaux, œdèmes et plaies (sur conseils d'un thérapeute).

Extraire à la centrifugeuse le jus des plantes, légumes et fruits frais que vous voulez utiliser. Mélangez intimement le jus obtenu à de l'argile, de façon à obtenir une pâte onctueuse que vous appliquerez directement sur la peau (ou sur une gaze fine pour l'enlever plus facilement). Laissez agir environ 1 heure.

Quelques indications de jus + argile (vous pouvez utiliser le jus d'une seule plante ou un cocktail de votre choix en fonction de vos besoins). Toutes les plantes aromatiques fraîches peuvent être utilisées en mélange synergique, en fonction de leurs indications (voir *Répertoire des plantes*).

— *Jus de carotte :* soins de la peau. Action régénérante du carotène (provitamine A). A inclure dans les masques de beauté.

— *Jus de chou :* très utile dans les épanchements articulaires (entorses, rhumatismes, tendinites...).

— *Jus de citron* (vitamines + minéraux) : peau boutonneuse, points noirs, peau grasse, dartres, eczémas, éclaircit le teint, antirides.

— *Jus de concombre :* tonique de la peau, soulage les démangeaisons.

— *Jus de pêche :* soins de la peau.

— *Jus de persil :* peau boutonneuse, engorgement laiteux, gonflement et douleurs des seins, éclaircit le teint.

— *Jus de raisin :* éclaircit la peau.

c) Synergie argile/plantes séchées

Les infusions et décoctions de plantes séchées peuvent être utilisées en mélange synergique. Ce mode d'utilisation des plantes aromatiques est moins onéreux que l'utilisation des H.E., et vous le trouverez plus facilement dans le commerce sous cette forme. Mode d'emploi : mêlez intimement la préparation obtenue à l'argile, au dernier moment.

Vous pouvez aussi utiliser de la poudre de plante (conditionnée en gélules) que vous mélangerez d'abord à une eau pure, puis à l'argile. Pour un masque facial, utilisez le contenu de 2 à 4 gélules de 250 mg. Quelques exemples :
— Achillée millefeuille : anti-inflammatoire.
— Algues (spiruline) : revitalisantes.
— Camomille romaine : anti-inflammatoire.
— Centella asiatica : cicatrisant et régénérant cutané.
— Consoude : cicatrisant, régénérant.
— Gomphréna : cicatrisant, régénérant, antirides.
— Hamamélis : décongestionnant, rougeurs.
— Ipê-roxo ou lapacho : dépuratif, régénérant.
— Lierre grimpant : activateur de la circulation lymphatique.
— Marron d'Inde : tonique veineux.
— Rose (pétales de) : astringent, régénérant, antirides.
— Souci : cicatrisant cutané.
— Vigne rouge : circulation des veines et vaisseaux capillaires.

d) Synergie argile/huiles essentielles

Il est nécessaire, afin d'obtenir le meilleur effet, de bien respecter certaines règles. Vous savez que les H.E. se mélangent mal à l'eau, mais très bien à l'huile. Je vous conseille de bien choisir les H.E. que vous voulez utiliser et de procéder en plusieurs temps, comme indiqué dans la formule du masque facial. Pour l'application sur le visage ou le corps, une épaisseur de 2 à 5 mm est suffisante. Conserver en contact pendant 30 à 60 mn.

Masque facial avec des H.E. interdit au niveau du contour des yeux ; utiliser uniquement des infusions ou des hydrolats.

Quelques H.E. douces pour la peau : achillée millefeuille, basilic, bois de rose, bouleau jaune, camomille, citronnelle, copaïba, cyprès, gaulthérie, géranium rosat, hélichryse, lavande, lavandin, mandarine, marjolaine, néroli, niaouli, palmarosa, patchouli, ravensare, romarin, rose, sauge sclarée, verveine, ylang-ylang, etc.

Pour les diverses affections traitées dans la seconde partie, vous pouvez, pour les soins locaux, utiliser les cataplasmes avec les H.E. antirhumatismales et circulatoires conseillées en onction. Je déconseille, par contre, les H.E. irritantes telles que cannelle, carum, origan, thym… sans l'avis d'un aroma-thérapeute.

e) Synergie argile/huiles essentielles/huile grasse traitante

Les huiles d'amande douce, d'olive et de tournesol sont uti-lisées comme solvant naturel, mais ne possèdent pas d'action traitante spécifique.

Certaines huiles fines de graines accroissent le pouvoir régé-nérateur des H.E. par leur richesse exceptionnelle en vitamine F (acides gras essentiels polyinsaturés). Je les conseille pour les soins traitants du visage (voir chapitre *Soins de beauté*) ; citons : bourrache, noisette, onagre, rosa mosqueta…

6. Aromates et H.E. de base

Sélection de base pour un usage hygiénique et préventif familial.

Pour des renseignements plus complets, vous reporter à la deuxième partie : *Lexique thérapeutique*.

— **Anis vert** : digestions difficiles avec flatulence (H.E. ou tisanes).

— **Basilic** : antispasmodique digestif et vésiculaire, spasmes du plexus solaire (plante culinaire, H.E.).

— **Baume d'Amazonie** : voir Copaïba.

— **Bois de rose** : anti-infectieux doux, angine, affections de la peau (H.E.).

— **Bouleau jaune** : antidouleur articulaire (H.E.).

— **Cajeput** : affections des voies respiratoires (H.E.).

— **Camomille** : antispasmodique (tisane, H.E.).

— **Cannelle** : anti-infectieux, tonique puissant (culinaire, tisane, H.E.).

— **Citronnelle** : antidouleur, massage de la colonne vertébrale en mélange à 50 % avec baume de copaïba (culinaire, H.E.).

— **Copaïba (baume d'Amazonie)** : antidouleur et anti-inflammatoire articulaire, indiqué pour massages de la colonne vertébrale, muscles et articulations des sportifs et personnes âgées (oléorésine).

— **Estragon** : idem *Basilic.*

— **Eucalyptus globulus** et **camaldulensis** : bronchites, rhumes (H.E.).

— **Eucalyptus radié** et **polybractées** : mêmes propriétés que les précédents, mais mieux supportés par les enfants (H.E.).

— **Genévrier** : inflammations et infections des voies urinaires (culinaire, H.E.).

— **Girofle** (clous) : anti-infectieux puissant (culinaire, tisane, H.E.).

— **Laurier noble** : aromate antiseptique et digestif, H.E. indiquée pour les affections de la bouche.

— **Lavande vraie** : antispasmodique, anti-infectieux et surtout antimycosique (plante, H.E.). La seule H.E. tolérée dans l'oreille.

— **Lavande aspic** : idem que *Lavande vraie*, mais plus anti-inflammatoire (H.E.).

— **Lavandin** : moins chère que *Lavande* pour usage courant (bains) (H.E.).

— **Mandarine** : calmant, prépare au sommeil (culinaire (zeste), H.E.).

— **Marjolaine** : calmant, anti-infectieux doux, sinusite (tisane, H.E.).

— **Niaouli** : anti-infectieux surtout antiviral (H.E.).

— **Orange** et **petit grain** : calmantes (H.E.).

— **Pin sylvestre** : anti-infectieux pulmonaire (H.E.).

— **Ravensare** : recharge énergétique puissante, très bien tolérée par les enfants associée à Eucalyptus radiata ou poly-bractées (H.E.).

— **Romarin** : voies biliaires, facilite la production et l'écoulement de la bile (culinaire, tisanes, H.E.).

— **Sarriette** : puissant anti-infectieux et antimycosique (culinaire, tisane, H.E.).

— **Sauge sclarée** : régulateur hormonal féminin (tisane, H.E.).

— **Serpolet** : anti-infectieux comme le thym (tisane, H.E.).

— **Térébenthine** : réchauffe la peau, anti-infectieux pulmonaire (H.E.).

— **Thym doux** (à linalol ou citronné) : anti-infectieux doux conseillé pour bébés et jeunes enfants (tisane, H.E.).

— **Thym fort** (à thymol ou carvacrol) : anti-infectieux puissant, irritant en usage oral prolongé et sur la peau (tisane, H.E.).

7. Dix huiles vraiment essentielles

Chaque été, je pars en vacances avec une trousse aromatique de voyage, et je vous conseille d'en faire autant pour rendre service non seulement à votre famille mais aussi à vos voisins et amis :

— **Anis, basilic** ou **estragon** : spasmes divers, relaxantes.

— **Bois de rose** : problèmes de gorge (angine), de peau (antiseptique).

— **Baume de copaïba** : coups, chocs, blessures, massage articulaire avant et après effort, douleurs rhumatismales.

— **Eucalyptus radiata** ou **globulus** : infections respiratoires.

— **Géranium rosat** ou **palmarosa** : antispasmodique intestinal, problèmes de peau.

— **Lavande** ou **lavandin** : antispasmodique et antiseptique doux.

— **Menthe poivrée** : digestive et antiseptique, stimulante (coups de pompe).

— **Niaouli** : herpès, infections respiratoires, toutes atteintes virales, fatigue.

— **Origan d'Espagne, sarriette** ou **thym** : anti-infectieuses majeures, véritables antibiotiques naturels.

— **Romarin** : foie et vésicule biliaire (à associer à anis, basilic, estragon ou menthe poivrée).

Ne pas oublier non plus la trousse habituelle : alcool, éther, gaze, coton, aspivenin...

Remarque :

L'anis vert, la badiane et le fenouil ne sont pas interdits en France. Ils sont à la pharmacopée, ce qui n'en interdit nullement la vente publique comme aromates et condiments.

Les H.E. de ces plantes sont en vente libre en France, mais leur transport nécessite une taxe commune aux produits de base de spiritueux (acquit de Régie) pour une quantité d'H.E. supérieure à 5 ml. Cela explique la réticence de certains fournisseurs d'H.E. à les faire figurer dans leur gamme.

DEUXIÈME PARTIE

Lexique thérapeutique

1. Stress, fatigue, défenses naturelles

Le stress et la fatigue sont les sources de tous les maux. Liée directement à la baisse du niveau de notre énergie, la fatigue devient de plus en plus courante de nos jours. Dans les pays industrialisés, cet état résulte de nombreuses causes d'agression qui créent un état permanent de stress fragilisant nos défenses naturelles. Il est indispensable de rechercher et de supprimer les raisons de cette fatigabilité pour retrouver énergie et vitalité. C'est le plus souvent à partir d'un état de fatigue physique ou mentale, ou de déséquilibre nutritionnel, que les infections et les maladies organiques se développent.

a) Quelques causes et leurs corrections

— **Causes psychiques** : surmenage, manque de motivation et de sommeil, soucis, contrariétés, frustrations...

Conseils : équilibrez le rythme travail/repos, pratiquez la psychothérapie et la relaxation, cultivez l'optimisme, éliminez les fâcheux de votre entourage immédiat...

— **Causes physiques** : atrophie musculaire par carence d'utilisation (sédentarité, positions de travail défectueuses), blocage vertébral ou crânien parasitant les systèmes nerveux et hormonal, existence de champs perturbateurs dentaires ou cicatriciels (suites de chirurgie ou d'infection), perturbations électromagnétiques de l'habitat...

Conseils : pratiquez une activité physique régulière (gymnastique), pratiquez un sport (vélo, natation, jogging ou sport de balle non violent)... Faites réviser votre mécanique vertébrale et organique (ostéopathie) ainsi que vos dents (chirurgien-dentiste, neuralthérapeute).

— **Causes biochimiques** et **nutritionnelles** : usage excessif de drogues chimiques (inhalation et ingestion de médicaments, stupéfiants, tranquillisants) ou naturelles (plantes à alcaloïdes comme café et tabac, mais aussi alcool), carences (en vitamines, minéraux et oligo-éléments essentiels) ou excès alimentaires.

Conseils : apprenez à vous nourrir correctement, à équilibrer vos menus en protides, glucides, lipides, vitamines, fibres, minéraux et oligo-éléments (1). Compensez vos carences par l'usage de compléments alimentaires (pollen, lithothamne, dolomite, acérola, rocou...) (1). Il est souvent nécessaire de pratiquer au préalable une désintoxication par phytothérapie et homéopathie.

b) Les plantes vitalisantes

Plantes aromatiques énergétisantes (ce sont les plantes tonifiantes qui donnent le plus d'énergie) : basilic, bornéol, copaïba, élémi, épicéa, gurjum, laurier, macis, mélaleuque à feuilles alternes, menthe, myrrhe, néroli, ravensare, romarin, sarriette, thym... H.E. à utiliser en larges onctions et en bains aromatiques. Par voie interne : 6 à 8 gouttes par jour.

Plantes antistress : elles sont appelées « adaptogènes » car elles contiennent tous les nutriments dont l'homme stressé est le plus souvent carencé, en particulier les minéraux et oligo-éléments (sélénium, magnésium...) ; citons : ginseng, gomphréna, muirapuama (citées dans *la Santé au féminin*).

Thérapeutiques synergiques : acupuncture, ostéopathie, relaxation, réflexothérapies rééquilibrant le système sympathique.

Pour prévenir le choc opératoire : avant l'intervention appliquez sur la zone à opérer et le long de la colonne vertébrale 10 à 20 gouttes d'H.E. de mélaleuque à feuilles alternes.

---

1. Voir l'ouvrage du docteur Yves-J. Charles et Jean-Luc Darrigol : *Guide pratique de diététique familiale* (Éditions Dangles).

c) La déficience immunitaire

C'est une diminution de l'immunité (capacité de défense biologique) d'un sujet face aux agressions microbiennes et toxiques.

L'immunité naturelle repose sur deux systèmes défensifs :

1. Les **globules blancs**, soldats biologiques capables de détruire et d'avaler les microbes (phagocytose).

2. Les **anticorps** (immunoglobulines), substances essentielles fabriquées par les lymphocytes et susceptibles de tuer les microbes, neutraliser les toxines et les substances étrangères.

Comment se manifeste la déficience immunitaire ? Les défaillances de la phagocytose sont rares. En revanche, les déficiences en anticorps se rencontrent fréquemment, se traduisant par des infections à répétition : les plus courantes sont les rhinopharyngites, otites, bronchites... souvent liées à l'hérédité. Chez l'adulte, l'origine de la déficience est souvent d'origine toxique ; les lymphocytes T deviennent incapables de produire des anticorps.

L'allergie constitue une déviation de l'immunologie : l'organisme réagit trop violemment à la moindre stimulation (poussières, aliments, pollens...).

Comment dépister ces déficiences ? Par des examens spécialisés de laboratoire (profil protéique, aromatogramme...).

Traitement : complexe, il nécessite la mise en place de thérapies synergiques du ressort de médecins spécialisés : réforme alimentaire, homéopathie, biothérapies, autovaccins, sérocytols, magnésium, sélénium, plantes tropicales spécifiques...

Aromathérapie : il y a beaucoup d'H.E. immunostimulantes ; citons : ciste ladanifère, girofle, inule odorante, niaouli, origan, palmarosa... (à utiliser sur prescription d'un aromathérapeute : 5 à 10 ml par jour, en onction cutanée).

N.B. : le traitement des déficits immunitaires nécessite un « suivi » de laboratoire ; il n'est pas admissible, dans ces cas, de pratiquer une automédication. Les doses importantes d'H.E.

absorbées produisent une véritable « recharge électronique » des batteries nerveuses (par voie interne : 6 à 8 gouttes par jour).

2. La méthode naturelle antiâge

Le vieillissement est un phénomène naturel qui peut s'accélérer ou se ralentir en fonction de lois précises aujourd'hui mieux connues. La longévité théorique maximale d'un être humain est de 120 ans ; certains exemples contemporains nous le prouvent. Malheureusement, de nombreux facteurs raccourcissent notre vie en accélérant le vieillissement de nos cellules : mode de vie défectueux (surmenage, repos insuffisant, soucis), absorption de produits chimiques et de résidus toxiques, encrassement et oxydation cellulaire ainsi que l'augmentation de ce qu'on appelle les *radicaux libres*.

a) Oxygène et radicaux libres

L'apport en oxygène est vital pour la santé de nos cellules cérébrales ; sa réduction entraîne l'asphyxie. Mais, à l'inverse, une hyperoxygénation donne naissance à des molécules appelées radicaux libres qui se comportent comme des poisons et accélèrent le vieillissement cellulaire par détérioration de leur membrane et de l'A.D.N. (molécule où se trouve imprimé notre patrimoine génétique). L'oxydation se comporte vis-à-vis de nos cellules comme la rouille sur le fer, provoquant une destruction lente et régulière. Le juste milieu entre asphyxie et hyperoxygénation constitue la zone de santé. Une respiration abdominale lente et régulière assure cet équilibre.

b) Comment ralentir le vieillissement ?

Le vieillissement peut être ralenti par l'utilisation de moyens naturels qui assurent l'équilibre et l'entretien de tous les niveaux cellulaires :

— Entretien du potentiel d'énergie (respiration correcte, soleil, énergétisation par les H.E.), du mental (travail intellectuel, relaxation, pensée optimiste, élévation spirituelle) et du physique (gymnastique, yoga, ostéopathie).

— Entretien de l'équilibre bioélectronique par les H.E. puissamment réductrices, détoxicantes (qui augmentent la pureté des liquides organiques), stimulant la microcirculation capillaire et la nutrition des tissus. H.E. préconisées : bois de rose, ciste, rose, géranium rosat, néroli, palmarosa, hélichryse... à utiliser principalement en onctions, bains aromatiques et dans les produits cosmétiques.

— Entretien de l'équilibre nutritionnel par les oligoéléments (sélénium, germanium) et les vitamines A, C, E et F (acides gras essentiels).

c) Les oligo-éléments antiâge

Le **sélénium** est l'un des plus intéressants, au rôle protecteur multiple : lutte contre le vieillissement, protection cardiovasculaire, augmente l'immunité naturelle, antitumoral, détoxiquant vis-à-vis des métaux lourds, du tabac, de l'alcool, des produits chimiques. L'alimentation est en général carencée en sélénium. Les doses apportées par l'alimentation ne dépassent pas, dans le meilleur des cas, la moitié des besoins. Un apport nutritionnel organique supplémentaire de 50 μg/jour semble hautement souhaitable.

Sources : gomphréna, rocou (bixa) et produits diététiques à base de levures.

Le **germanium** a fait l'objet de recherches qui confirment son utilité dans la lutte contre le vieillisement et les maladies liées à un déficit immunitaire. Principaux rôles : action anti-radicaux libres, favorise l'apport d'oxygène aux cellules (par les superoxydes dismutases), élimine les éléments toxiques de l'organisme.

Sources : dans les plantes comme l'ail, le cresson, le ginseng, le gomphréna et certaines spécialités diététiques.

d) Les vitamines antiâge

Les vitamines A, C, E et F évitent l'oxydation et le vieillissement cellulaire.

Vitamine A : caroténoïdes végétaux (provitamine) transformés dans l'organisme en rétinol (véritable vitamine). Il existe un rétinol d'origine animale contenu dans l'huile de foie de poisson.

Rôle physiologique : préserve l'élasticité cutanée (antivieillissement).

Sources naturelles :
— Bêta-carotène : carotte, tomate, légumes verts, abricot, melon, orange, rocou.
— Rétinol : foie de poisson (flétan, morue) et d'animaux, lait, jaune d'œuf.

Vitamine C (acide ascorbique) : l'homme, à la différence de la plupart des êtres vivants, est incapable de la fabriquer.

Rôles principaux : antioxydant et antivieillissement, associé à la vitamine A. Chimiquement, la vit. C est un réducteur, c'est-à-dire qu'elle apporte de l'hydrogène et soustrait de l'oxygène, allant dans le sens de la vie et retardant le vieillissement tissulaire par oxydation. Elle joue un rôle important dans la formation du collagène, substance essentielle, véritable « ciment » biologique qui conserve à la peau sa jeunesse, sa fraîcheur et la solidité de nos structures osseuses.

Sources naturelles : acérola, agrumes, camu-camu, cynorhodon, kiwi, fruits et légumes frais.

Vitamine E (tocophérol) : antioxydante, protège les tissus du vieillissement avec le sélénium, les vitamines A et C et les acides gras essentiels (vitamine F). Détoxicante (avec le sélénium). Maintient en bon état les muscles, nerfs et hypophyse.

Sources naturelles : germe de blé, maïs, soja, feuilles vertes (salades, choux, épinards), foie, œufs, lait, beurre...

Vitamine F (acides gras essentiels polyinsaturés) : protège et renforce la membrane cellulaire et les vaisseaux.

Sources : huile de foie de poisson, onagre, bourrache, rosa mosqueta (la plus riche en acides gras essentiels).

e) Les huiles essentielles

De par leurs propriétés bioélectroniques, la plupart des H.E. participent d'une façon très active à la lutte antiâge :

— Acidifiantes, elles s'opposent à la sclérose cellulaire qui accompagne l'alcalinisation des liquides organiques (sang, lymphe, milieu intracellulaire).

— Réductrices, elles luttent contre l'oxydation tissulaire.

— Augmentant la résistivité du sang et de la lymphe, elles réduisent « l'encrassement humoral » qui caractérise le vieillissement organique.

Quelques H.E. antiâge : bois de rose, carotte, cabreuva, ciste, copaïba, élémi, galbanum, géranium, gurjum, laurier, lavande, macis, marjolaine, myrrhe, myrte, néroli, oranger, palmarosa, patchouli, persil, rose, sauge sclarée, vétiver, ylang-ylang...

3. Inflammations et infections

a) Principes généraux. Conduite à tenir

Les infections doivent toujours être traitées avec le plus grand sérieux. Si certaines sont bénignes, d'autres peuvent avoir des conséquences redoutables. Il est donc nécessaire de consulter votre praticien pour tout trouble accompagné de fièvre et de douleurs.

Mais attention à l'excès de zèle thérapeutique ! Les antibiotiques ont certes permis de faire régresser un certain nombre de maladies autrefois mortelles comme la syphilis, la tuberculose, la méningite cérébro-spinale... Cela n'est pas une excuse pour ordonner systématiquement et aveuglément des antibiotiques à des enfants ou adultes à la moindre fièvre. Cette méthode qui rassure a autant d'inconvénients que d'avantages et, en faisant chuter les défenses immunitaires, ouvre la porte aux maladies plus graves.

b) L'étonnante flore intestinale, clef de nos défenses

Cette flore microbienne est riche de plusieurs centaines de germes différents ; son équilibre est essentiel pour comprendre l'origine de certaines maladies et expliquer les infections récidivantes et l'augmentation alarmante des maladies à virus (herpès, zona, hépatite virale, SIDA).

Les bactéries saprophytes (« bons microbes »), hôtes de notre corps, sont les garants du maintien de notre santé : elles participent au processus de la digestion des glucides, protides, lipides et à la synthèse de certaines vitamines, elles jouent un rôle actif dans la lutte contre les « mauvais microbes » (pathogènes), réalisant un véritable système de défense antimicrobien.

La santé de cette flore naturelle conditionne notre propre santé.

Les erreurs alimentaires, les agressions diverses, les médicaments (notamment l'abus d'antibiotiques qui détruisent sans discernement les bons et les mauvais microbes), bouleversent gravement l'équilibre naturel de notre flore intestinale. Les micro-organismes pathogènes (capables de créer des maladies, comme le staphylocoque, le streptocoque, le candida albicans...), plus résistants que les microbes saprophytes, **profitent de l'affaiblissement des défenses organiques pour se multiplier.** Passant à travers la barrière intestinale, ils partent à l'assaut des tissus du voisinage les plus vulnérables où ils créent des inflammations et des infections, puis migrent pour coloniser des tissus plus lointains (nez, gorge, oreilles, poumons, peau).

De nombreux germes sécrètent des *toxines* (exemple : streptolysines) qui vont se disséminer pour se fixer sur des *tissus cibles* : articulations (arthrites inflammatoires), cerveau (certaines pathologies psychiatriques), muqueuse génitale, vessie, cœur (endocardite), rein (glomérulonéphrite)...

*
* *

Vous comprenez maintenant pourquoi le bon fonctionnement de l'intestin est capital pour notre santé.

c) L'intoxication et les infections

Les excès alimentaires, les produits chimiques absorbés par notre organisme, les abus médicamenteux débordent les possibilités d'élimination de notre foie, organe d'épuration du sang. L'organisme n'a d'autre possibilité d'éliminer les poisons que constituent ces déchets que de les dériver vers les organes naturels de rejet : peau, nez, poumons, vagin.

Ces écoulements bénéfiques doivent être de courte durée. En effet, l'inflammation qui en résulte (catarrhe, écoulement de pus) crée un terrain propice au développement de germes pathogènes, de champignons et de parasites vivant au niveau de la peau et des muqueuses.

L'accumulation des *toxines* (résidus du métabolisme des cellules et des microbes) et des *toxiques* (poisons) entraîne ce que les homéopathes appellent la *psore*. Cet état se traduit par un encrassement du sang et un ralentissement circulatoire favorisant les inflammations et les infections.

Soins naturels : luttez contre la constipation, adoptez une alimentation saine, équilibrée, légère, issue de culture biologique, riche en vitamines, en sels minéraux assimilables et en fibres de cellulose (céréales complètes, légumes). Les infections chroniques disparaîtront comme par enchantement, l'usage des antibiotiques deviendra exceptionnel. Évitez les produits chimiques dans votre alimentation ainsi que les produits raffinés. Surveillez les étiquettes (colorants chimiques, édulcorants, conservateurs). Méfiez-vous des boissons à base de produits chimiques. Attention aux sucres rapides en excès (glucose), souvent cachés dans les aliments et qui favorisent le diabète et les infections.

d) Le stress et les infections

L'état de stress est un état de plus en plus fréquent dans les populations dites « civilisées ». Cet état résulte de la mobilisation de nos systèmes de défense et d'adaptation devant les agressions. Le danger passé, notre organisme reprend normalement son équilibre antérieur (homéostasie).

Malgré l'élévation générale du niveau de vie, les causes d'agressions se multiplient, additionnant leurs effets négatifs, affaiblissent les mécanismes de défense organique et font le lit des maladies infectieuses et de dégénérescence.

e) Les champs perturbateurs

Pensez toujours à faire vérifier l'état de vos dents, de vos amygdales et des vieilles cicatrices (parfois bien cachées), dans les maladies infectieuses et inflammatoires chroniques inexpliquées. Une infection dentaire discrète peut se disséminer par voie sanguine et provoquer des inflammations et infections généralisées ou à distance ; une cicatrice peut comprimer quelques nerfs végétatifs et, sans que le sujet en ressente de douleur, parasiter l'ensemble du système nerveux.

f) Traitement naturel

Soins préventifs :

— Apprenez à vous « cuirasser » contre les agressions externes en augmentant votre énergie par les techniques naturelles, en maîtrisant et en augmentant votre force physique et mentale.

— Rendez votre terrain moins vulnérable ; la correction du terrain et le retour dans la zone de santé ne sont possibles que par l'utilisation des « correcteurs de terrain » : alimentation crue riche en vitamines A, C et E, en magnésium, calcium, germanium, sélénium, cuivre... H.E. immunostimulantes : ciste, girofle, inule odorante, niaouli, origan, palmarosa, ravensare.

Soins curatifs : mêmes principes de base que pour la prévention, mais il faut, en plus, lutter activement et intensivement contre les inflammations et infections par des H.E. (soigneusement sélectionnées par un aromatogramme), l'homéopathie, l'acupuncture et les biothérapies.

— *H.E. anti-infectieuses :* la plupart d'entre elles sont envisagées dans ce livre en fonction des diverses affections rencontrées : cannelle, girofle, mélaleuque à feuilles alternes, origan, sarriette, thym...

— *H.E. anti-inflammatoires :* armoise arborescente, bouleau jaune, camomille, citronnelle de Ceylan et de Java, copahier, encens, eucalyptus citronné, gaulthérie, lavande, laurier, myrrhe...

— *Bain chaud aromatique :* soulignons l'intérêt majeur du bain chaud aromatique selon la technique de Salmanoff qui, créant une fièvre artificielle, mobilise les globules blancs et aide à l'élimination des agents infectieux.

Formule anti-infectieuse pour le bain : girofle + cannelle + lavande + niaouli + origan + pin + sarriette : 4 gouttes de chaque diluées dans un solvant alcoolique ou du lait en poudre, à mettre dans le bain au dernier moment. Commencer le bain à 37°, puis faire monter progressivement la température de manière à créer une fièvre artificielle. Rester dans le bain 15 à 20 mn **(déconseillé aux cardiaques et aux sujets qui ont des varices)**. Sortir du bain et rester une heure au chaud. Pratiquer des onctions de lavande ou d'eucalyptus radiata ou polybractea. Boire de la tisane chaude pour faciliter la transpiration.

g) Les maladies tropicales

Prévention : je conseille pour tout voyage en pays à risque d'emporter avec soi un complexe anti-infectieux polyvalent dont voici la formule : alcool à 90° (15 ml) + 60 gouttes de chaque H.E. : cannelle + girofle + laurier + niaouli + ravensare. Prendre quatre fois par jour 5 gouttes du mélange dans un peu d'eau ou sur un petit sucre.

Conseil : pour éviter les piqûres de moustiques, absorber chaque jour de la vitamine B1 (en pharmacie).

Traitements curatifs (à titre indicatif) sur conseils de votre praticien :

— Amibes : H.E. de cannelle, eucalyptus, girofle, laurier noble, sarriette, verveine odorante.

— Dysenterie : H.E. de cannelle, girofle.

— Malaria : H.E. de cannelle, eucalyptus, girofle, laurier.

— Paludisme : H.E. de cannelle, eucalyptus, laurier, menthe.

— Peste et typhus : H.E. de cannelle, girofle, niaouli, ravensare.

4. Troubles du système nerveux

Les troubles nerveux regroupent les affections les plus diverses, du simple désordre émotif à l'infection d'un nerf par un virus. Bien difficile pour le non-initié de s'y retrouver ! Plus souvent encore, des troubles non identifiés sont qualifiés de « nerveux », ce qui désoriente le sujet qui consulte et à qui on ne propose souvent qu'un traitement chimique palliatif, ce qui n'apporte aucune solution au vrai problème — souvent simple — vu sous l'angle de la médecine naturelle. **Tout effet a une cause, encore faut-il prendre la peine de la chercher !** Voyons les troubles les plus courants :

a) Déséquilibre sympathique et parasympathique, dystonies neurovégétatives

Responsables d'une cohorte de troubles dits « fonctionnels » ou « psychiques », les déséquilibres du système nerveux végétatif sont légion dans la société actuelle (stress).

Soins naturels :
1. *Psychisme :* relaxation, cultivez l'optimisme.
2. *Physique :*
— Préventif et entretien : yoga, gymnastique, sport.
— Curatif : ostéopathie, réflexothérapies (insistons sur la nasothérapie ou sympathicothérapie nasale), massage réflexe de la colonne vertébrale, du pied, de l'oreille.

3. *Biochimique :*

— Alimentaire : suppression des excitants, des drogues qui inhibent le fonctionnement neuro-hormonal (tranquillisants, calmants, hypnotiques, pilule...), apport de vitamines essentielles au système nerveux : A, B, C, E et F (acides gras essentiels), de minéraux (calcium, magnésium, fer), d'oligo-éléments : aluminium, lithium, sélénium, germanium...

— Biothérapies : homéopathie, oligothérapie, organothérapie, phytothérapie...

H.E. agissant sur le sympathique :

— *Calmantes du sympathique :* angélique, citron, géranium rosat, lavande, lemon-grass, mandarine, mélisse, menthe, monarde, orange, petit grain, verveine, ylang-ylang.

— *Stimulantes du sympathique :* bay, bois de rose, copaïba, genévrier, gurjum, macis, myrrhe, pin, sarriette, thym à linalol.

H.E. agissant sur le parasympathique :

— *Calmantes du parasympathique* (antispasmes) : armoise arborescente, basilic, estragon, géranium rosat, lavande, sauge sclarée.

— *Stimulante du parasympathique :* marjolaine.

H.E. à action générale (toniques généraux du système nerveux, antifatigue, énergétisantes) : copaïba, cyprès, épicéa, galbanum, gurjum, laurier, macis, myrrhe, myrte, néroli, palmarosa, sarriette...

b) Douleurs et névralgies

Douleurs et névralgies dentaires : H.E. de girofle, laurier, menthe. Consultez votre dentiste.

Douleurs de la tête (céphalées), **migraines, névralgies faciales :** H.E. de bouleau, camomille, gaulthérie, girofle, lavande, menthe, menthol (en applications locales sur les zones douloureuses, existe sous forme de crayons faciles à employer : simple application du crayon sur la peau).

Attention à ne pas mettre d'H.E. dans les yeux (en cas de contact, nettoyer avec une huile grasse).

Névralgies sciatiques, brachiales et intercostales, lumbagos, torticolis (dues à l'irritation ou au blocage mécanique du nerf sur son trajet par des spasmes musculaires, une malposition articulaire ou d'un organe, l'arthrose vertébrale) : ces névralgies nécessitent souvent une visite chez l'ostéopathe, l'acupuncteur ou le dentiste (foyers inflammatoires dentaires). A appliquer sur le trajet du nerf (de la colonne jusqu'à la douleur la plus éloignée) : baume de copaïba, bouleau, H.E. de camomille, eucalyptus, galbanum, genièvre, gingembre, girofle, lavande, lavandin, pin, romarin, sassafras.

Formules antidouleurs :
— Baume de copaïba (60 %) + H.E. bouleau jaune ou gaulthérie (20 %) + H.E. sassafras (20 %).
— Baume de copaïba ou gurjum (60 %) + H.E. genévrier (20 %) + H.E. gingembre (10 %) + H.E. girofle (10 %).

c) Blocage des plexus

Vérifiez la colonne vertébrale (ostéopathie), la bonne circulation de l'énergie dans les méridiens (acupuncture) ; massez des points de commande des plexus avec des H.E. antispasmodiques = 2 à 3 gouttes sur chaque point (voir *Massage des chakras*).

d) Spasmes nerveux

Pensez à vérifier s'il n'existe pas de carence en calcium et en magnésium en tapotant sur la joue pour retrouver le fameux signe de Schvostek (contraction involontaire des muscles de la bouche).

Massage local avec H.E. de basilic, estragon, géranium rosat, lavande vraie, marjolaine, petit grain, sauge sclarée (10 à 20 gouttes au total).

e) Spasmophilie

État d'hyperexcitabilité secondaire à un déséquilibre neuro-hormonal d'origines diverses, provoquant des crises de spasmes musculaires (fausse tétanie) ou un état de tension chronique. Causes les plus fréquentes :

— État de stress accompagné de respiration rapide et superficielle (blocage du diaphragme).

— Carence nutritionnelle par insuffisance d'apport ou d'assimilation en minéraux (calcium, magnésium) et en vitamines (A, C, D, E).

— Blocage mécanique du système nerveux crânien ou des plexus (notamment plexus solaire).

— Dysfonctionnement du foie, du rein, dérèglement respiratoire d'origine diaphragmatique (spasme, blocage secondaire à un problème mécanique vertébral ou organique).

Soins naturels :

— *Consulter un praticien* (ostéopathe, acupuncteur, bio-thérapeute et homéopathe).

— *Phyto-diététique* pour enrichir l'apport en minéraux organiques : dolomite micronisée (2 à 3 gélules de 250 mg/jour) + lithothamne (2 gélules de 250 mg/jour) + huile de foie de flétan (vit. A et D) (2 capsules/jour). Augmenter la ration quotidienne de vit. A végétale (bêta-carotène), C (acérola, camu-camu, cynorhodon, citron et autres agrumes, kiwi) et E (germe de blé) sous forme naturelle de compléments alimentaires.

— *Aromathérapie rééquilibrante :* H.E. basilic, estragon, lavande aspic, marjolaine, mélaleuque à feuilles alternes. Massages de la colonne vertébrale et du plexus solaire avec les H.E. (pures ou diluées) avec lesquelles vous êtes en harmonie vibratoire.

f) Inflammations et infections nerveuses

Névrite : affection des nerfs secondaire à une inflammation d'origine infectieuse ou traumatique, une dégénérescence du système nerveux central (sclérose), une carence vitaminique ou une intoxication (alcool, tabac, métaux lourds, médicaments). Consultez un neurologue.

Soins naturels : vitaminothérapie intensive (B1, B6 et B12), organothérapie, ostéopathie (suites de traumatismes). Aromathérapie anti-inflammatoire et anti-infectieuse : H.E. d'armoise arborescente, camomille, copaïba, cyprès, eucalyptus citronné, girofle, genévrier, niaouli, sauge sclarée, thym, verveine citronnée...

Zona : atteinte de ganglions nerveux par un virus dérivé de celui de la varicelle, se traduisant par l'apparition de petits boutons remplis de liquide (vésicules) le long du trajet d'un nerf, et entraînant des douleurs plus ou moins violentes.

Soins naturels d'urgence : affection à prendre très au sérieux car, en l'absence de traitement efficace, vous risquez d'en conserver des séquelles douloureuses. L'absence de traitement classique efficace nécessite la mise en œuvre immédiate d'une aromathérapie :

— Faites des onctions aromatiques avec une des H.E. pures suivantes : eucalyptus, girofle, menthe, niaouli, ravensare, huile grasse aromatique de calophylle inophylle... sur les zones atteintes. Cette technique est très efficace, surtout quand on agit dès l'apparition de l'éruption cutanée.

— Consultez d'urgence un ostéopathe, car un blocage vertébral est souvent sous-jacent.

— L'acupuncture stimule les défenses organiques locales.

— La magnésiothérapie renforce le terrain : 20 g de chlorure de magnésium dilués dans 1 l d'eau, à boire en 3 jours par petits verres.

5. Affections psychiques et psychosomatiques

L'utilisation des huiles essentielles doit être considérée, dans les troubles affectant le psychisme, comme un complément aux psychothérapies, aux techniques énergétiques, aux biothérapies et à la chimiothérapie.

La recherche des causes réelles doit constituer la priorité absolue. Il est préférable, sauf urgence, de s'abstenir d'entreprendre systématiquement des traitements chimiques.

a) Névroses et psychoses

Il faut savoir différencier les troubles légers (*névroses*) des troubles profonds (*psychoses :* mélancolie, paranoïa, schizophrénie). Les névroses sont perçues par le sujet qui vit mal dans sa peau, en proie à des malaises divers, nerveux ou hormonaux.

Les méthodes naturelles permettent le plus souvent de traiter efficacement les troubles psychologiques secondaires à un stress dont l'origine peut remonter à la petite enfance, voire à la vie intra-utérine. La restructuration du psychisme par les méthodes mentales permet à des névrosés chroniques de retrouver un équilibre physique et mental satisfaisant. Dans le domaine du psychisme, la **volonté de guérir**, la prise en charge de son propre problème est la clef du succès et de la guérison à laquelle s'ajoute le choix d'un thérapeute, bien équilibré lui-même, sachant conjuguer toutes les ressources des psychothérapies occidentales et orientales. Le recours aux médicaments dits « de confort » constitue une grave dérive du progrès technique. Les sujets sous tranquillisants ne voient pas pour autant leurs problèmes résolus. Leur usage se conçoit pour de courtes périodes secondaires à des chocs moraux importants, mais leur utilisation constante devient une forme de toxicomanie qui annihile une grande partie des fonctions cérébrales supérieures.

Les psychoses constituent des troubles plus profonds de la personnalité, parfois héréditaires, du ressort du psychiatre. Il est néanmoins essentiel de rechercher une cause organique aux troubles et notamment un déséquilibre de la flore intestinale provoquant, par migration de toxines, une irritation de certains tissus cérébraux (2).

---

2. Lire, du docteur Senn : *La Balance tropique* (Éditions Cornélius Celsius).

b) Causes externes des troubles psychosomatiques

Les causes non psychiques sont aussi nombreuses que variées et ne doivent pas être sous-estimées : elles doivent être traitées selon leur origine.

Causes énergétiques : la baisse de notre niveau d'énergie vitale, le blocage des circuits énergétiques (méridiens ou nadis), les dysfonctionnements organiques (et leurs répercussions somato-psychiques) représentent les causes les plus fréquentes des troubles psychologiques courants, secondaires à des agressions extérieures.

Soins naturels : acupuncture, moxas, massages aromatiques des plexus, plantes tonifiantes et énergétisantes (ginseng, gomphréna).

Causes physiques : tous les traumatismes au niveau de la tête peuvent créer des troubles psychologiques aussi bien chez le nourrisson que l'enfant ou l'adulte : la vérification ostéopathique des crânes des nouveau-nés est une nécessité dont peu d'accoucheurs et de pédiatres ont vraiment conscience. Les plus légères compressions du tissu nerveux peuvent créer des troubles de l'apprentissage scolaire, de l'équilibre et de la coordination motrice.

Soins naturels : l'ostéopathie (3) et la méthode Tomatis permettent de soigner ces cas difficiles souvent livrés à eux-mêmes.

Causes biochimiques :
— Rappelons les déséquilibres de la flore intestinale, décelés par examens de laboratoires spécialisés et permettant de pratiquer des « aromatogrammes de terrain » et des autovaccins.
— Les carences ou surcharges en minéraux, oligo-éléments, vitamines et acides aminés essentiels.
— Les troubles respiratoires, responsables soit d'une hyperoxygénation, soit au contraire d'une asphyxie cellulaire. La

---

3. Voir, du même auteur : *L'Ostéopathie, deux mains pour vous guérir* (Éditions Dangles).

bonne respiration abdominale (diaphragmatique) conditionne le bon fonctionnement du cœur, des poumons, des organes de digestion et d'assimilation (estomac, duodénum, foie, pancréas), d'élimination (gros intestin, reins, vessie) et des organes génitaux (ovaires, utérus, prostate, testicules).

Soins naturels : correction alimentaire, reconstituer la flore intestinale par aromathérapie de terrain et réensemencement de la flore par des ferments lactiques vivants acidophiles, yaourts, réapprendre à respirer avec le diaphragme.

c) L'angoisse

S'accompagnant ou non d'anxiété, d'oppression thoracique, de douleurs épigastriques, de sensation de serrage au niveau de la gorge, elle traduit un blocage au niveau des plexus nerveux (chakras).

Conseils pratiques : apprentissage de la respiration diaphragmatique correcte (expiration en rentrant le ventre), déblocage du plexus solaire par ostéopathie, postures renversées ou sur plan incliné (voir les deux premiers livres de l'auteur), minéraux et oligo-éléments régulateurs du système nerveux (calcium, magnésium, lithium, sélénium, germanium, aluminium), élimination des métaux toxiques (plomb, mercure, cadmium, retrouvés à l'analyse de cheveu), déblocage et recharge des circuits énergétiques par moxas, acupuncture, massage aromatique des plexus ou chakras... auxquels s'ajoutent une alimentation équilibrée et adaptée aux besoins.

H.E. conseillées : armoise arborescente, basilic, camomille, citron, estragon, géranium rosat, lavande, marjolaine, mélisse, menthe, oranger, mandarine, petit grain, verveine, ylang-ylang... Choisir en fonction du test olfactif.

— Prise orale : 2 gouttes diluées trois à quatre fois par jour.

— Massage : 5 à 20 gouttes en onctions sur les plexus ou chakras (une à deux fois par jour).

d) Les dépressions nerveuses

Elles doivent être suivies par un praticien spécialisé. Je déconseille l'autotraitement dans ces troubles qui nécessitent une assistance psychologique soutenue. Les soins naturels viseront d'abord à traiter les causes.

— **Causes psychiques** : stress prolongé, choc émotionnel, carence affective. Psychothérapies naturelles. Changer d'environnement est parfois la solution.

— **Causes énergétiques** : recharge et équilibration énergétique par cure de soleil et d'air ionisé, moxas, magnétisme.
H.E. énergétisantes et tonifiantes : basilic, bois de rose, bornéol, cabreuva, camphre, camomille, cannelle, baume de copaïba, cyprès, encens, épicéa, genévrier, hélichryse, laurier, lavande, macis, marjolaine, mélaleuque (niaouli), myrrhe, myrte, néroli, oranger, palmarosa, pin, ravensare, romarin, sarriette, sauge officinale, serpolet, thym, verveine.
Conseils d'utilisation : appliquez en massage le long de la colonne vertébrale un mélange d'huile de noisette (80 %) et d'H.E. (20 %), correspondant à 20 à 30 gouttes d'H.E./jour en onctions sur la colonne vertébrale ou sur les chakras, pour accélérer la recharge énergétique générale et celle des organes déficients (voir chap. VI : *Mode d'emploi*).

— **Causes physiques** : blocage vertébral, crâne, coccyx, dysfonctionnement organique par ptôse ou malposition ; élimination de ces causes par ostéopathie et techniques dérivées.

— **Causes biochimiques** : carences en acides aminés, vitamines, oligo-éléments, acides gras essentiels ; excès de métaux lourds toxiques (aluminium, cadmium, mercure, plomb) ; effets secondaires des médicaments et excitants (effet iatrogène).
Correction par réforme alimentaire, adjonction des éléments manquants (analyse du cheveu pour déterminer les déficits minéraux), désintoxication organique par aliments riches en sélénium, germanium, vitamines A, C et E.

Compléments alimentaires remarquables : céréales et graines germées, corne de cerf, dolomite, gelée royale, ginseng, gomphréna, lithothamne, pollen, rocou...

Phyto-aromathérapie : en fonction des indications d'un thérapeute.

e) Excitation, nervosité, agressivité

La banalisation des drogues licites et des alcaloïdes excitants est en grande partie responsable de l'agressivité chronique du monde moderne. Il est essentiel, pour retrouver un équilibre nerveux satisfaisant, de réduire ou de supprimer les excitants et alcaloïdes, drogues et faux aliments (médicaments dits « de confort », café et autres boissons riches en caféine, tabac, alcool...) qui vous donnent une illusion d'énergie mais qui vous transforment en toxicomanes.

Le plus souvent, la nervosité et l'excitation ne font que traduire l'épuisement du système nerveux qui, stimulé en permanence par des substances toxiques, perd ses capacités d'autocontrôle. Vous comprenez aisément le caractère illusoire et nocif des calmants et tranquillisants symptomatiques qui ne font qu'étouffer encore plus le système sympathique. Supprimer progressivement les drogues chimiques auxquelles vous vous êtes habitué est le plus souvent souhaitable, mais sous contrôle de votre thérapeute.

H.E. régulatrices et calmantes : angélique, armoise arborescente, basilic, cyprès, estragon, géranium rosat, lantana, lavande, lemon-grass, mandarine, marjolaine, mélisse, monarde, néroli, oranger, ravensare, valériane.

f) Troubles du sommeil

Les troubles du sommeil sont monnaie courante dans les sociétés modernes. Les origines en sont diverses et il est illusoire de chercher dans les hypnotiques et les tranquillisants une solution miracle. **Le sommeil, pour être réparateur, doit rester naturel.** Il vaut mieux dormir peu avec un sommeil de qualité que dormir beaucoup en étant drogué et somnoler une partie de la journée.

Le sommeil réparateur nécessite une relaxation totale, un abaissement d'activité du système sympathique et un isolement vis-à-vis des phénomènes perturbateurs (bruit, lumière, sources électromagnétiques) (4).

Causes mentales : si vous êtes torturé(e) par des soucis familiaux, professionnels ou financiers, il est normal que vous ayez plus de difficultés à vous endormir. Rien ne sert de ruminer les choses sur lesquelles vous n'avez pas de prise. Vous ne pouvez pas changer le monde.

A l'inverse, vous pouvez contribuer à le changer en travaillant mentalement dans ce sens. Les idées négatives vous fatiguent et vous irritent, la colère accélère votre rythme cardiaque, la jalousie vous obsède et vous énerve. Prenez la vie positivement. Assumer la vie ne signifie pas la subir. Transformez le négatif en positif et considérez le sommeil comme l'indispensable moment de récupération qui vous permettra de résoudre, demain, les difficultés qui se sont posées aujourd'hui. Posez simplement le problème et, pendant la nuit votre subconscient travaillant bien plus efficacement que votre conscient, au réveil vous aurez la solution. S'il s'agit d'un membre de la famille malade, visualisez sa guérison. Vous lui serez bien plus utile en lui transmettant votre énergie psychique qu'en vous lamentant. Penser positivement c'est aussi donner aux autres. Pensez à ceux qui sont plus malheureux que vous, à ceux qui souffrent et surtout agissez mentalement pour que cela change.

Si vous êtes de nature individualiste et que seule votre personne vous intéresse, alors mes conseils ne vous concernent pas. Le matérialisme, l'absence d'idéal, l'arrivisme, la recherche des honneurs sont des châteaux de sable, sources de bien des désillusions et de stress par épuisement des réserves nerveuses.

---

4. Voir les deux livres de Pierre Fluchaire : *Bien dormir pour mieux vivre* et *Renaître au sommeil naturel* (Éditions Dangles).

Causes organiques : de nombreux patients présentent des troubles du sommeil d'origine organique (les troubles du foie peuvent vous réveiller entre 1 et 3 heures du matin, ceux des poumons de 3 à 5 heures). Un blocage vertébral, une compression organique, une cicatrice interne, un foyer perturbateur dentaire ou sinusien passant inaperçu, imperceptibles le jour peuvent irriter le système nerveux ou créer des douleurs qui vous réveillent la nuit.

Conseils pratiques :

— Dépistez et éliminez les causes fonctionnelles et organiques : ostéopathie, acupuncture, soins dentaires, diététique et phyto-aromathérapie ; élimination des perturbations telluriques et électromagnétiques.

— L'épuisement du système nerveux entraîne un état d'excitation réactionnel et une insomnie. Dans ces cas il ne s'agit pas de calmer artificiellement le système nerveux, mais de le recharger en énergie. Avant de vous mettre au lit, faites pratiquer le long de la colonne vertébrale une onction douce d'H.E. énergétisantes et apaisantes : géranium rosat, lantana, lavande, mandarine, marjolaine, mélisse, niaouli, oranger, ravensare, verveine (30 à 50 gouttes de l'une ou de l'autre).

Voie orale : 2 à 3 gouttes d'H.E. de néroli ou de mandarine.

— Pensez aux plantes favorisant le sommeil (1/2 heure avant le coucher) : mélisse, monarde, passiflore, fleur d'oranger, aubépine, lotier corniculé, houblon, escholtzia, valériane, en tisanes ou en teinture mère (une tasse de tisane ou 50 à 100 gouttes de T.M. du mélange dans 1/2 verre d'eau une heure avant le coucher).

— Comblez la carence vitaminique et minérale : vitamine C naturelle matin et midi (acérola et agrumes, cynorhodon), vitamine B5 (acide pantothénique), calcium, chrome, magnésium, sélénium, zinc, oligo-élément, aluminium (1 dose le soir).

— Apprenez, auprès d'un relaxologue, les techniques de Schultz et de Jacobson, la visualisation des couleurs, etc., afin de maîtriser vos tensions.

6. Système endocrinien

Les affections endocriniennes concernent les organes les plus délicats du corps humain. Il ne faut jamais interrompre un traitement sans être sûr de pouvoir le faire sans risque (examens de laboratoire) et sans avis médical. Les H.E. ne doivent être utilisées que sur conseil d'un aromathérapeute. Elles constituent un appoint aux autres traitements naturels ou allopathiques : opothérapie, organothérapie, sérocytols, biothérapies, acupuncture, ostéopathie...

De nombreux produits chimiques employés couramment perturbent le système endocrinien, parmi lesquels de nombreux médicaments dits « de confort » : les tranquillisants modifient les sécrétions cérébrales et affectent les réflexes et le comportement social, le café rend agressif et accélère le rythme cardiaque, épuisant le système sympathique, la pilule contraceptive aux effets secondaires prévisibles (5) modifie le caractère et favorise la prise de poids.

Les **glandes endocrines** sécrètent dans le sang (à doses infinitésimales) des hormones qui contrôlent en permanence l'équilibre physiologique du corps en relation avec le système nerveux végétatif. Ces messagers chimiques agissent directement sur des « cellules cibles » dont ils règlent, selon les besoins, le métabolisme (par freinage ou accélération).

Les **hormones** agissent sur la reproduction, la croissance, l'utilisation des nutriments, l'équilibre de l'eau corporelle, l'équilibre minéral et sanguin, le réglage du métabolisme et du tonus, la réaction aux agressions (stress).

Le **cortex** ou **cerveau** est le centre de commande supérieur de toutes les glandes endocrines. Ses 60 milliards de neurones sont reliés entre eux par des synapses d'une grande complexité et reliés à tous les tissus du corps. Le moindre parasitage par des émotions excessives, la fatigue, les chocs ou les produits chimiques, entraîne aussitôt des réactions de compensation qui peu-

---

5. Voir, du même auteur : *La Santé au féminin* (Éditions Dangles).

vent aussi altérer son fonctionnement, se répercuter au niveau des glandes endocrines et créer des troubles tels que :

— aménorrhée, troubles des règles (hypophyse, ovaires) ;

— prise de poids (hypothalamus, hypophyse, thyroïde) ;

— hyper- ou hypothyroïde (palpitations, angoisse, prise ou perte de poids brutales) ;

— fatigue, diminution de la résistance à l'inflammation et à l'infection ;

— hypertension (posthypophyse) ;

— diabète (foie, pancréas).

Devant tout trouble endocrinien, la méthode naturelle peut apporter, dans la mesure où le trouble n'est pas irréversible, une aide précieuse. Dans les cas graves consulter un endocrinologue. Les méthodes naturelles à utiliser doivent être adaptées à la cause à traiter :

— *Causes énergétiques :* acupuncture traditionnelle, homéopathie, organothérapie.

— *Causes mécaniques :* ostéopathie crânienne, vertébrale et viscérale, déblocage des plexus et chakras par massage aromatique.

— *Causes biochimiques :* diététique, rééquilibrage minéral (après analyse des cheveux), gemmothérapie, aromathérapie et phytothérapie.

— *Causes psychiques :* relaxation et techniques mentales associées à des aérosols aromatiques.

a) Hypothalamus

Les troubles à ce niveau sont très nombreux et pas encore parfaitement élucidés. Cette zone est essentielle au bon fonctionnement du système hormonal et endocrinien qu'elle dirige et coordonne. Son dérèglement peut se traduire sous de multiples formes : boulimie, troubles du sommeil, fatigabilité, agressivité, concentration, rapidité d'exécution, mauvaise résistance au stress, troubles de la thermorégulation (frilosité ou chaleur excessive)...

Traitements naturels : corriger les causes mais penser aussi aux oligo-éléments spécifiques (lithium, sélénium, germanium, aluminium). L'aromathérapie est particulièrement intéressante dans la rééquilibration de cette zone vitale ; choisissez parmi les H.E. relaxantes et calmantes, celle qui vous est la plus agréable : angélique, armoise arborescente, basilic, camomille, citron, estragon, géranium rosat, lantana, lavande, lemon-grass, marjolaine, mélisse, monarde, oranger, mandarine, néroli, petit grain, valériane, verveine, ylang-ylang...

b) Hypophyse

Cette petite glande endocrine située au centre du cerveau dépend d'une zone supérieure appelée hypothalamus, véritable chef d'orchestre hormonal, elle-même sous le contrôle permanent du cerveau supérieur ou cortex.

Sous-chef d'orchestre du système endocrinien, l'hypophyse en supervise une grande partie. Ainsi, par l'intermédiaire des hormones hypophysaires, sont réglés : la croissance, la diurèse, le métabolisme (thyroïde), la fixation du calcium (parathyroïdes), la résistance aux inflammations et infections, le tonus (surrénales), l'ovaire, les testicules, la sécrétion lactée.

Son dysfonctionnement peut être lié à un stress psychologique, physique ou un déséquilibre énergétique ou biochimique.

Traitements naturels : traiter la cause (ostéopathie crânienne, acupuncture, psychothérapie, homéopathie et organothérapie, aromathérapie).

Aromathérapie : H.E. de menthe et les H.E. relaxantes en cas de stress psychologique (basilic, estragon, mandarine, marjolaine, orange, petit grain...).

c) Diabète sucré

Maladie qui se caractérise par une diminution de la sécrétion d'insuline par les îlots de Langerhans du pancréas. Appelée en Orient « maladie de la bouche sucrée », elle se manifeste par une augmentation de la quantité de sucre dans le sang (hyperglycémie). Certaines formes sont héréditaires ou accidentelles, d'autres secondaires à des habitudes alimentaires néfastes (excès de sucre).

Certains diabètes, d'apparition brutale, nécessitent un traitement d'urgence à l'insuline. Cette maladie est à prendre très au sérieux du fait des atteintes secondaires des vaisseaux artériels.

Préventivement : n'habituez pas les enfants à la saveur sucrée (sucreries, gâteaux, sodas fatiguent prématurément le pancréas et font le lit du diabète). Préférez les « sucres lents », contenus dans les céréales complètes, aux sucres « rapides » comme le saccharose (sucre blanc).

En cas de fringale et d'envie de sucre, mangez plutôt des fruits sucrés : raisins, dattes, figues, pruneaux.

d) Prédiabète

Le plus souvent le diabète ne s'installe pas d'emblée. La glycémie est légèrement augmentée. Le foie est souvent à la base du problème car il travaille en tandem avec le pancréas. Un régime strict suffit en général à remettre les choses en ordre : alimentation antidiabétique (limiter l'apport de sucres et de graisses au minimum des besoins : à faire calculer suivant l'activité de chacun par un endocrinologue).

Traitements naturels :
— Aliments antidiabétiques : artichaut, fraise, oignon, pomme de terre, topinambour.
— Biothérapie : surveiller les carences en certains oligo-éléments (zinc).
— Plantes antidiabétiques : tisanes d'artichaut, chicorée, cosse de haricot, eucalyptus, myrtilles, noyer, ortie, pissenlit, solidago.
Exemple de formulation : feuilles de myrtilles + feuilles de noyer + solidago + pissenlit (racines) + cosses de haricots (20 g de chaque en mélange). Jetez 2 cuillerées à soupe du

mélange dans 1 l d'eau et laissez bouillir 2 mn. Buvez dans la journée. Par cures de 3 semaines avec arrêt de 8 jours.

— H.E. : camomille, carotte, eucalyptus, genièvre, géranium rosat, hélichryse, menthe, romarin (1 à 2 gouttes trois à quatre fois par jour).

Curativement : faites-vous suivre impérativement par un endocrinologue.

e) Foie

Le foie est un grand oublié dans la physiologie des glandes endocrines. N'oublions pas qu'il constitue l'usine de transformation et de construction des protéines alimentaires, mais aussi la station d'épuration qui détruit les hormones après usage. Son bon fonctionnement est donc primordial à un bon équilibre endocrinien et nerveux.

Son dysfonctionnement peut être la cause de nombreux problèmes à distance : diabète, troubles des règles, troubles digestifs et circulatoires (voir *Système digestif*).

f) Glandes surrénales

Elles sont situées au-dessus des reins et formées de deux parties :

— La corticosurrénale qui produit le cortisol et la corticostérone qui règlent les métabolismes, et l'aldostérol qui assure le contrôle des minéraux (électrolytes).

— La médullosurrénale qui, par l'adrénaline et la noradrénaline, agit sur les vaisseaux (vasoconstriction et hypertension) et sur la glycémie.

Le dysfonctionnement se manifeste par une fatigabilité, une baisse de tonus et une diminution de la résistance à l'inflammation et à l'infection.

Les traitements à la cortisone, aux effets souvent spectaculaires dans le traitement de la douleur et de l'inflammation, ne sont pas dénués de conséquences. Ils doivent être réservés aux cas graves car ils entraînent un affaiblissement secondaire des sécrétions hormonales.

Traitements naturels : les dysfonctionnements des surrénales se manifestent par une fatigue, une baisse de tonus, un état inflammatoire chronique (arthrite, myosites, douleurs vertébrales récidivantes et sans cause mécanique évidente, inflammations organiques) et sont souvent associés avec une faiblesse du système sympathique et du foie qui se traduit par asthme, eczéma, œdème de Quincke, rhinites, maux de tête, douleurs musculaires et articulaires.

L'erreur qui consiste à utiliser systématiquement la cortisone a pour conséquence d'affaiblir encore plus les surrénales et de créer une accoutumance et des maladies secondaires (prise de poids, syndrome de Cushing, allégement osseux et ses risques de fractures...).

Prendre la précaution de rechercher auparavant un champ perturbateur dentaire, vertébral ou cicatriciel.

Comment tonifier et équilibrer naturellement les surrénales :

— Mécaniquement, par ostéopathie, chiropractie, gymnastique énergique de type « stretching » pour solliciter les muscles vertébraux profonds qui rechargent les batteries nerveuses.

— Énergétiquement, par acupuncture et moxas.

— Biochimiquement sur conseils d'un praticien : homéopathie, organothérapie, oligothérapie.

— Aromathérapie : H.E. et baumes toniques : basilic, baume de copaïba, bornéol, camphre, épicéa, gurjum, macis, pin, sarriette (1 à 2 gouttes en mélange par voie orale, ou en onctions sur la colonne vertébrale sur la zone surrénale avec 10 à 20 gouttes deux à trois fois par jour).

Exemples de formules de mélange : baume de copaïba (50 %) + basilic (10 %) + bornéol ou camphre (20 %) + épicéa (20 %). Ou pin sylvestre (50 %) + sarriette (10 %) + bornéol ou camphre (10 %) + macis (10 %) + gurjum (20 %).

— Psychiquement : en éliminant les causes de stress (relaxation, sophrologie, yoga).

g) Thymus

Glande située dans le thorax. Elle participe à la formation d'anticorps et à la défense immunitaire. Véritable programmateur immunitaire.

Troubles : déficits immunitaires, infections à répétition.

Traitements naturels qui auront pour but de renforcer le terrain : organothérapie (thymus 4CH), gemmothérapie, aromathérapie immunostimulante (H.E. déterminées par aromatogramme de terrain).

h) Thyroïde

Cette glande est située dans le cou, au-dessous du larynx. Elle sécrète la thyroxine et la triodothyronine à effet général sur le métabolisme (croissance, lipides et glucides) et la thyrocalcitonine qui aide au maintien du taux sanguin de calcium.

Les carences graves sont du ressort de l'endocrinologue. Pratiquez les examens complémentaires devant toute grosseur anormale.

L'*hypersécrétion* fonctionnelle se caractérise par un métabolisme accéléré, un appétit augmenté qui contraste avec une perte de poids, une irritabilité.

L'*hyposécrétion* est grave pendant la croissance car elle freine le développement physique et mental. Chez l'adulte, elle se manifeste par un ralentissement du métabolisme, une prise de poids.

Traitements naturels des troubles fonctionnels de la thyroïde : éliminez les causes puis rééquilibrez la physiologie :

— Causes psychiques de stress (relation cortex/hypothalamus/hypophyse/thyroïde) : apprenez une technique de relaxation.

— Causes mécaniques : pensez à faire vérifier votre colonne cervicale et votre crâne dont les troubles modifient l'apport sanguin à la glande.

— Causes énergétiques : acupuncture.

— Pensez à un apport régulier en iode (sel de mer gris, produits de la mer).

— Organothérapie dynamisée.

— Phytothérapie.

Pour stimuler la thyroïde : 2 à 4 gélules de 250 mg par jour de poudre de fucus vésiculeux.

Pensez à utiliser les algues dans votre cuisine (exemple : spaghettis de mer).

Pour freiner la glande thyroïde : teinture mère de lycopus europaeus (25 à 50 gouttes par jour dans un peu d'eau).

— Aromathérapie : les H.E. antistress qui ont un effet positif sur l'équilibre thyroïdien. Suivant le cas et sur conseils d'un aromathérapeute, on utilisera soit des H.E. stimulantes, soit des H.E. relaxantes.

L'H.E. spécifique de la thyroïde est la marjolaine qui possède un effet régulateur : applications locales (5 à 10 gouttes deux à trois fois par jour) ou par voie interne (1 à 2 gouttes deux à trois fois par jour).

i) Parathyroïdes

Au nombre de 4, ces petites glandes sont attachées en arrière à la thyroïde. Elles sécrètent l'hormone parathyroïdienne qui maintient l'homéostasie du calcium sanguin en prévenant l'hypocalcémie. Son hyperfonctionnement entraîne une dégradation du tissu osseux (décalcification) et une élimination des phosphates par les reins. Consultez un endocrinologue.

Traitements naturels des troubles fonctionnels de la parathyroïde :

— Alimentation équilibrée en calcium par un apport régulier d'aliments lactés (fromage blanc, yaourts).

— Rééquilibrez la flore intestinale (levures vivantes), traitez l'intestin (capable d'entraver l'absorption du calcium) et vérifiez la colonne cervicale.

— Compléments alimentaires : poudre d'os, dolomite, lithothamne, poudre d'huîtres, sans oublier la vitamine D naturelle de l'huile de foie de flétan ou de morue.

— Organothérapie dynamisée pour stimuler, équilibrer ou freiner.

— Aromathérapie : H.E. de menthe suave (2 gouttes deux fois par jour par voie orale).

7. Articulations, os et muscles

a) Les soins du sportif amateur ou professionnel

Les sportifs amateurs ou professionnels doivent respecter un certain nombre de règles précises et d'interdits pour éviter les accidents : surentraînement, fatigue, tension psychologique mal maîtrisée, hygiène de vie défectueuse. De plus en plus d'athlètes de haut niveau confient leur santé aux méthodes naturelles, en parallèle de la médecine du sport classique : diététique, ostéopathie, acupuncture, sophrologie, yoga, utilisation de plantes stimulantes mais sans toxiques dopants, aromathérapie. Les accidents graves nécessitent souvent le recours à la chirurgie. Les accidents moyens et légers ne doivent pas pour autant être négligés. Une révision de la biomécanique par un ostéopathe est le meilleur garant de l'absence de suites fâcheuses de type arthrose, arthrite, bursite, myosite (contracture et inflammation permanente des muscles), pubalgie, tendinite, etc. Les huiles essentielles appliquées par voie externe sont intéressantes en pratique sportive car elles agissent rapidement, sur les lieux mêmes du problème, de même que les aimants fixes polarisés (6).

PRÉVENTION, ENTRETIEN, SOINS CURATIFS :
Contusions, ecchymoses : applications de baume de copaïba mélangé à 50 % de teinture d'arnica, d'H.E. pures de camomille, hélichryse, laurier, lavande, myrrhe, romarin.

---

6. Voir l'ouvrage du docteur Louis Donnet : *Les Aimants pour votre santé* (Éditions Dangles).

Courbatures : massages avant et après l'effort pour éviter les courbatures avec le mélange suivant : 50 % d'huile vierge de qualité + 50 % d'une ou plusieurs des H.E. suivantes : baume de copaïba, camomille, cannelle, genièvre, menthe poivrée, poivre, romarin, serpolet, thym doux (à linalol).

Crampes (en applications externes) : 50 % d'huile de noisette + 50 % de l'une des H.E. suivantes (ou en mélange) : baume de copaïba, baume du Pérou, camomille, camphre, laurier, lavande, lavandin, marjolaine, persil, romarin, sauge officinale, valériane.

Douleurs secondaires à un choc, sans lésion musculaire, ligamentaire ou osseuse : baume de copaïba, camphre, camomille, encens, gingembre, girofle, laurier, lavande, lavandin, menthe, myrrhe, galbanum, thym doux.

Douleur vertébrale : chercher et traiter la cause (ostéopathie, kinésithérapie, yoga, gymnastique douce...). Massages avec un mélange d'H.E. comprenant : baume du Pérou, baume de copaïba, bouleau ou gaulthérie, camomille, encens, galbanum, lantana, sassafras, laurier, vétiver.

Élongation, déchirure musculaire : repos impératif de 10 à 21 jours. Les médicaments qui masquent la douleur (cortisone, anesthésiques) peuvent avoir des conséquences redoutables, car le sportif sera alors tenté de forcer sur la lésion rendue muette et aggravera son problème, parfois de façon définitive.
Soins naturels : applications locales d'H.E. vasodilatatrices et anti-inflammatoires : bois de rose, baume de copaïba, encens, eucalyptus citronné, gaulthérie, galbanum, hélichryse, myrrhe.

Entorses : d'abord remettre les articulations en état de fonctionnement en consultant d'urgence un ostéopathe, sinon appliquez immédiatement de la glace et un bandage serré pour empêcher l'épanchement sanguin et le gonflement. Auparavant, vous aurez appliqué du baume de copaïba ou de l'H.E. de bouleau, hélichryse, laurier (5 à 10 gouttes en onctions très douces). Appliquez de la teinture de benjoin pour protéger la peau avant de mettre en place une bande élastique adhésive (stripping).

Épanchement de synovie : il s'agit d'un épanchement de liquide synovial dans une articulation (genou, cheville, coude, poignet, doigts), secondaire à une entorse ou à un choc direct près de l'articulation, provoquant une hypersécrétion des bourses synoviales. Dès que possible, bandez fortement l'articulation et la refroidir par application de glace. Consultez, mais évitez la ponction (sauf en cas d'épanchement sanguin) qui ne traite ni la cause, ni le déséquilibre mécanique.

Applications de feuilles de chou en cataplasmes à laisser en place la nuit par un bandage. Persévérez jusqu'à guérison.

Épicondylite et bursites rotuliennes : vérification ostéopathique des articulations voisines. Application de glace sur la zone douloureuse pour diminuer l'inflammation. Onctions douces avec 3 à 4 gouttes de baume de copaïba ou d'H.E. de gaulthérie, trois à quatre fois par jour.

Placez un aimant polarisé sur la zone douloureuse (pôle + sur la peau).

Myosite, myalgie : douleur musculaire secondaire à une surcharge toxinique associée à des lésions articulaires. Voyez un ostéopathe. Appliquez sur les muscles douloureux des H.E. pures de bouleau ou gaulthérie, baume de copaïba, encens, galbanum, genièvre, laurier, menthe, romarin, sassafras, en mélange.

Tendinites : inflammation du tendon suite à une tension permanente excessive, secondaire à une distorsion articulaire (pubalgie, tendinites de l'épaule, du genou, tendon d'Achille, poignet, pouce, pied).
— Application d'aimants fixes, pôle positif sur la peau.
— Massages doux avec baume de copaïba, H.E. de bouleau, camomille, encens, galbanum, gaulthérie, genévrier, pin, romarin.

b) **Rhumatisme dégénératif : l'arthrose**

C'est un rhumatisme dégénératif non inflammatoire secondaire à l'usure articulaire naturelle, ou secondaire à des séquelles de traumatismes souvent négligés (7).

Traitements synergiques conseillés : homéopathie, phytogemmothérapie, oligothérapie, acupuncture, massage, gymnastique et rééducation, cures thermales, thalassothérapie, cataplasmes de farine de moutarde, de raifort frais râpé.

Arthrose vertébrale : sans soins adéquats, elle s'aggrave rapidement. Je conseille l'ostéopathie, les exercices physiques d'auto-étirement, le yoga adapté, l'acupuncture, les plantes reminéralisantes et anti-inflammatoires, les bains aromatiques.

Les H.E. conseillées sont nombreuses. La formule qui semble donner les meilleurs résultats est : baume de copaïba (excipient de base) + les H.E. qui correspondent le mieux à votre terrain et que vous avez sélectionnées au test olfactif parmi les suivantes : angélique, bouleau, cajeput, camomille, camphre, citron, cyprès, encens, épicéa, estragon, eucalyptus, gaïac, galbanum, gaulthérie, genièvre, gingembre, laurier, lavande, lavandin, menthe, myrrhe, pin, poivre, romarin, sassafras, sauge officinale.

Formule de massage : baume de copaïba (50 %) + H.E. lavande ou lavandin (10 %) + H.E. eucalyptus citriodora (20 %) + H.E. pin (10 %) + H.E. bouleau (10 %). Mélange à utiliser pur ou dilué de 20 à 50 % dans de l'huile grasse fine (pour les peaux fragiles).

Cataplasmes de farine de moutarde ou de raifort râpé.

Arthrose des membres :

— *Arthrose des hanches (coxarthrose) :* souvent d'origine congénitale, elle doit être traitée orthopédiquement. Le problème de la longueur des membres est fondamental. Chez l'enfant, l'ostéopathie évite l'apparition d'une scoliose grave. Chez

---

7. Voir, du même auteur : *L'Ostéopathie, deux mains pour vous guérir* (Éditions Dangles).

l'adulte, le maintien de l'horizontalité du bassin empêche la survenue de destructions secondaires des disques vertébraux. Dans tous les cas, un suivi mécanique ostéopathique est nécessaire afin de prévenir les déformations.

— *Arthrose des genoux (gonarthrose), chevilles, pieds :* souvent secondaire à des traumatismes ou des déformations mal (ou pas) soignées (accidents de la circulation, de sport, faux-pas, entorses, efforts), son dépistage précoce est essentiel afin d'éviter une usure irrémédiable des cartilages articulaires. Le réajustement ostéopathique associé au port d'une paire de semelles orthopédiques proprioceptives (à la fois correctrices et rééducatives) permet dans bien des cas de ralentir ou de stabiliser l'arthrose. Attention au poids excessif ! **Toute surcharge accélère l'usure des cartilages.** Dans les cas évolués, la chirurgie orthopédique est le seul traitement efficace.

— *Arthrose du pied :* le hallux valgus (oignon) et les orteils en marteau imposent une correction précoce de la voûte plantaire et de l'ensemble de la mécanique.

— *Arthrose des mains, poignets, coudes, épaules :* souvent secondaire à des traumatismes violents ou des microtraumatismes professionnels ou sportifs. Supprimer la cause et traiter les effets. Dans certains cas, la chirurgie est nécessaire.

Sciatiques et névralgies cervico-brachiales : l'arthrose prédispose aux lumbagos, torticolis et névralgies de toutes sortes. A chaque étage de la colonne vertébrale, un nerf peut être irrité, comprimé par un fragment détérioré du système de suspension (le disque intervertébral). Cette « rouille » osseuse fragilise nos mécanismes articulaires et le moindre effort ou faux-mouvement peut le bloquer. Bien sûr, il est souvent nécessaire de soulager la douleur par des médicaments végétaux ou allopathiques, mais il ne faut surtout pas perdre de vue que si le traitement se borne à faire taire le symptôme sans atteindre les racines du mal, celui-ci reviendra rapidement en s'aggravant. L'ostéopathe a précisément pour rôle de réparer ces mécanismes perturbés et d'entretenir leur fonction.

c) Rhumatismes inflammatoires

L'**arthrite** et la **polyarthrite** sont des rhumatismes articulaires inflammatoires qui se manifestent par une rougeur, une chaleur et une douleur plus ou moins forte et parfois invalidante. Dans certaines formes d'arthrite, l'articulation se déforme, se détériore et se bloque. Dans certains cas évolués, la chirurgie orthopédique constitue la seule issue pour redonner une mobilité acceptable (cas de la polyarthrite rhumatoïde). Les traitements chimiques sont souvent décevants et leurs inconvénients supérieurs à leurs avantages (anti-inflammatoires, cortisone).

Le *traitement naturel* donne parfois des résultats étonnants. Il est indispensable de conjuguer plusieurs techniques synergiques :

— Réforme alimentaire éliminant les toxiques (alcaloïdes du café et tabac, alcool, métaux lourds), les aliments carnés, augmentez la ration vitaminique et minérale, rééquilibrez la flore intestinale par un réensemencement par des levures vivantes.
— Drainage homéopathique et phytothérapique, et autres traitements biothérapiques de type organothérapie diluée et dynamisée, autovaccin, sérocytothérapie, etc.
— Acupuncture traditionnelle dans le but d'augmenter et faire circuler l'énergie dans les organes et les méridiens, réharmoniser le Yin et le Yang...
— Soins naturels locaux pour soulager la douleur et l'inflammation : cataplasmes d'argile verte, application d'aimants plats polarisés sur les zones douloureuses. Appliquez le pôle positif sur la peau (effet anti-inflammatoire). Vous pouvez le conserver jour et nuit en cas de besoin, sans inconvénient. Il est judicieux de le placer dans un petit sac fixé aux vêtements, en regard de la zone à traiter. L'aimant, par le mouvement imprimé, n'en sera que plus actif.
— Applications d'H.E. spécifiques, localement et par voie interne, suivant les conseils d'un aromathérapeute. Quelques H.E. conseillées en massage : achillée millefeuille, armoise arborescente, basilic, baume de copaïba, bouleau, ciste, eucalyptus,

gaulthérie, lantana, lavande, lemon-grass, sassafras, verveine citronnée. D'autres H.E. peuvent être conseillées après examens biologiques suivis d'aromatogrammes (sang et selles).

Notre expérience praticienne a démontré que de tels traitements pouvaient normaliser la vitesse de sédimentation, éliminer la gêne fonctionnelle lorsque les lésions n'étaient pas irréversibles, réduire voire éliminer les drogues chimiques. Par contre, les tests biologiques restent positifs (tests au latex et de Waaler-Rose dans la polyarthrite rhumatoïde).

Inflammations musculaires (myosites), rhumatisme musculaire : traiter la cause et surtout ne pas oublier que le muscle s'attache sur les os. Il est évident que si la cause de l'inflammation est une surcharge alimentaire, le régime atoxique sera le traitement de choix. Si la cause est mécanique, on utilisera l'ostéopathie. Si la cause est énergétique, c'est l'acupuncture qui devient prioritaire.

Dans tous les cas, les H.E. seront utiles pour drainer les muscles, activer la circulation locale, relâcher les spasmes musculaires, lutter rapidement contre l'inflammation et activer la régénérescence tissulaire. H.E. utilisées en massage local : armoise arborescente, bois de rose, bouleau, baume de copaïba, gaulthérie, lantana, laurier, lavande, thym doux à linalol.

Goutte : l'excès d'acide urique dans le sang provoque des douleurs articulaires très violentes, accompagnées de rougeur et de chaleur intense, le plus souvent localisées au gros orteil, mais pouvant se rencontrer aussi au niveau des autres articulations et à la colonne vertébrale.

Traitement : régime strict sans viande, cure de désintoxication et d'élimination rénale. Plantes aromatiques et H.E. conseillées : ail, oignon (large consommation culinaire), bouleau jaune, citron, gaulthérie, genièvre (2 gouttes d'H.E. trois fois par jour par voie interne), accompagnées de tisanes à base d'eau de Volvic + cassis (ou frêne ou orthosiphon) + reine-des-prés (ou saule ou vergerette du Canada). Harpagophytum ou tayuya en gélules à absorber avec beaucoup d'eau (6 à 12 gélules de 250 mg par jour).

Ostéoporose, ostéomalacie, déminéralisation, décalcification : cette affection est particulièrement fréquente à l'adolescence et au troisième âge, et constitue une des plus importantes conséquences de l'après-ménopause (8). Soins fondamentaux :

— Alimentation riche en sous-produits laitiers maigres : yaourts, fromages maigres (20 % maximum), et en vitamines A, C et E. Le soleil peut être considéré comme un aliment car les rayons ultraviolets permettent la synthèse de la vitamine D à travers la peau. En dehors des périodes ensoleillées, prenez un complément alimentaire riche en vitamine D comme l'huile de foie de flétan.

— Complémentez l'alimentation en calcium naturel, magnésium et autres minéraux et oligo-éléments essentiels : lithothamne, dolomite, poudre d'os, prêle, bambou, pollen.

— Activez la circulation sanguine par des onctions d'H.E. ou des bains aromatiques. Les H.E. conseillées, en massage ou dans le bain, sont celles qui provoquent une dilatation des vaisseaux capillaires, augmentant ainsi l'apport minéral aux cellules osseuses les plus mal irriguées (comme celles de la colonne dorsale) : citron, épicéa, eucalyptus, lavande, lemon-grass, romarin, sauge officinale, térébenthine (30 gouttes de l'une ou l'autre, ou en mélange).

8. Les affections respiratoires

a) Allergies (asthme, rhume des foins, rhinites spasmodiques)

La pollution, les déséquilibres nutritionnels, les agressions chimiques, physiques et psychiques de toutes sortes provoquent une hypersensibilisation de notre système de défense : les allergies. Traitées le plus souvent par la chimie, certaines allergies peuvent être améliorées par un traitement naturel bien conduit.

Les allergies respiratoires sont liées à plusieurs facteurs essentiels : hérédité allergique, déséquilibre du système nerveux

---

8. Voir, du même auteur : *La Santé au féminin* (Éditions Dangles).

sympathique et du foie auquel se surajoute un affaiblissement du système immunitaire. Les allergies respiratoires (rhinites, asthme) et cutanées héréditaires (eczéma) sont difficiles à traiter.

Due à une hypersensibilité, ce type d'allergie est divisé en :

— **Type 1** : l'allergie immédiate ou saisonnière due aux anticorps IgE ou réaginines : rhume des foins, urticaire, asthme allergique (poils de chat, pollen).

— **Type 2** : allergie par auto-anticorps ; l'exemple le plus connu est celui des anticorps du streptocoque (antistreptolysine) qui sont capables de détruire nos propres articulations, la paroi interne du cœur, le rein.

— **Type 3** : allergies secondaires à une insuffisance en IgM (immunoglobulines).

— **Type 4** : allergie retardée qui met en jeu les lymphocytes T et qui ne se manifeste que 1 à 2 jours après le contact avec l'allergène.

Le sujet de terrain allergique doit, sa vie durant, se soigner pour atténuer les crises aiguës. Trop souvent un traitement lourd est entrepris utilisant en particulier la cortisone. Les glandes surrénales qui, déjà, ont du mal à assumer la lutte contre le stress, ne parviennent plus à compenser les réactions anormalement violentes secondaires à l'absorption d'allergènes (corps étrangers qui créent la réaction allergique), travaillent de moins en moins, la drogue créant un état de dépendance et d'accoutumance. Ces sujets sont difficiles à désintoxiquer car le médicament les tranquillise. Pourtant les effets secondaires sont loin d'être négligeables : déminéralisation osseuse et gonflement de la peau (syndrome de Cushing)... La désensibilisation donne parfois de bons résultats.

Soins naturels : ils nécessitent l'aide d'un thérapeute qui conseillera en synergie suivant le cas :

— La diététique qui représente la base fondamentale du traitement des allergies quel qu'en soit le type. Hypotoxique : éliminez, par déduction, les aliments allergisants, les produits chimiques, le lait dans certains cas d'intolérance. Éliminez les produits raffinés, les toxiques (café, tabac, alcool), certaines drogues (9).

— L'homéopathie et l'oligothérapie (traitement du terrain, notamment par manganèse et soufre), les bourgeons de plantes (gemmothérapie), les sérocytols, les autovaccins, par un thérapeute spécialisé.

— Les H.E. : achillée millefeuille, khella, armoise arborescente, eucalyptus, macis, menthe suave (aérosols ou huile nasale, onctions cutanées suivant conseils d'un aromathérapeute).

— L'acupuncture et l'ostéopathie (vertébrale et crânienne), sans oublier l'examen attentif des dents, des sinus, des cicatrices... à la recherche d'un foyer irritatif (champ perturbateur), la diététique afin d'éliminer les causes alimentaires (attention au lait pas toujours bien toléré chez les hépatiques).

— La sympathicothérapie endonasale associée à l'aromathérapie locale (huile nasale : 2 à 5 % d'H.E. diluée dans de l'huile de tournesol).

— L'apprentissage d'une respiration diaphragmatique correcte est essentiel pour contrôler les crises. Rappelons que, dans la respiration normale, lors de l'inspiration le ventre se dilate en même temps que le thorax, et que lors de l'expiration le thorax se vide, les côtes s'abaissent et le ventre se rentre au maximum.

Il est bon d'apprendre à contrôler le souffle poumons vides (ou apnée expiratoire) plusieurs secondes. Le sport en général — et en particulier la natation — développent la maîtrise de la respiration.

— Relaxation et yoga apprennent le contrôle du corps par la maîtrise des centres de commande cérébraux et renforcent les immunités. Le stress est un facteur favorisant et déclenchant des crises. Le climat psychologique du milieu familial et de travail du sujet est déterminant pour la stabilisation de son équilibre neuro-hormonal.

---

9. Voir, de Heusghem, Lagier et Lechat : *Risques et maladies liés aux médicaments* (Masson).

b) Infections respiratoires (nez, gorge, bronches, poumons)

Hivernales ou printanières, les infections respiratoires sont, la plupart du temps, systématiquement traitées par les anti-biotiques. Les H.E. offrent une solution différente, remarqua-blement efficace, qui renforce le terrain tout en détruisant d'une façon radicale les microbes et les virus. Les associer à la vita-mine C, aux magnésium, cuivre, sélénium et germanium. Dans les affections graves, un aromatogramme est indispensable.

Angine et **amygdalite :** affection fréquente qui se traduit par une inflammation suivie d'infection de la gorge. Suivant sa localisation, elle peut être appelée amygdalite ou laryngite. Elle traduit l'invasion de la zone par un microbe tel que le strep-tocoque, microbe commun que nos défenses organiques sont normalement capables de juguler.

Traitée précocement dès les premiers signes, la progression de l'angine est stoppée par les H.E. en quelques heures : 8 à 10 gouttes (pour un adulte) d'H.E. de bois de rose, origan ou sarriette diluées dans un produit naturel (miel, sirop d'érable) à 20 %, mais aussi H.E. de girofle, niaouli, romarin, thym doux à linalol. Persévérez durant une semaine. Pour les enfants : 1 goutte (par tranche de 10 kg de poids corporel) d'H.E. de lavande ou de pin dans une cuillère à café de miel, en plusieurs prises. En cas de difficulté d'absorption, faire de larges onc-tions sur la région de la gorge avec H.E. de niaouli + lavande (10 à 20 gouttes deux à trois fois par jour).

Badigeonnage de la gorge ou gargarisme avec jus de citron pur + cure de vitamine C (acérola, kiwi).

Encombrement bronchique : par leurs propriétés anti-septiques, anti-inflammatoires et dissolvantes des mucosités, les H.E. seront employées avec profit dans tous les cas de bron-chite aiguë ou chronique, associées aux thérapeutiques de ter-rain homéopathique, oligothérapique et vitaminique.

*
* *

Conseils :

— Onctions et aérosols sur le thorax avec des H.E. antiseptiques respiratoires pures telles que : épicéa, eucalyptus, girofle, iris, lavande, marjolaine, myrrhe, myrte, niaouli, pin ou ravensare. Si vous devez en utiliser une seule, je vous conseille l'eucalyptus ou le niaouli, très bien supportées par les enfants et les peaux fragiles. De plus, elles sont antivirales et protègent contre une infection grippale secondaire.

— Cataplasmes de farine de moutarde (rubéfiante et décongestionnante) ; pensez aux ventouses remarquablement décongestionnantes.

— Bains aromatiques particulièrement indiqués avec les H.E. précédentes, diluées préalablement à 20 % dans du dispersant.

— Traitement complémentaire sous contrôle d'un thérapeute ; dans la bronchite chronique, il est nécessaire de renforcer le terrain par l'homéopathie, les bourgeons (gemmothérapie) : ribes nigrum, abies pectinata et betula verrucosa (50 gouttes de chaque par jour en macération glycérinée 1D) + absorption de vitamine C à haute dose sous forme de poudre ou de gélules d'acerola (1 à 2 g par jour).

— Tisane de marrube blanc, bourrache ou monarde (2 à 4 tasses par jour de l'une ou l'autre).

Dilatation des bronches : c'est une complication de la bronchite chronique. La dilatation anormale et permanente des bronches entraîne une sécrétion exagérée de mucus et une tendance aux surinfections.

Traitement naturel (règle) : attachez-vous à prévenir les infections ; tout d'abord éliminez les sources d'infection dentaires (fréquentes).

— H.E. : pratiquez une aromathérapie de terrain permanente à l'aide d'H.E. anti-infectieuses pulmonaires et favorisant l'élimination des mucosités : onctions thoraciques et inhalations d'H.E. d'épicéa, eucalyptus, lavande, niaouli, pin maritime, pin sylvestre, ravensare (10 à 20 gouttes de l'une de ces H.E. ou en mélange, deux à trois fois par jour).

— Inhalations ou aérosols aromatiques avec les mêmes H.E.

— Tisanes de bourrache, marrube blanc, monarde : 2 à 4 tasses du mélange par jour.

— Gemmothérapie : corylus avellana bourgeons (macérat glycériné 1D), 50 gouttes trois fois par jour.

— Oligothérapie : manganèse-cuivre ou cuivre-or-argent suivant le terrain.

Emphysème : conséquence d'infections respiratoires chroniques.

Traitement naturel synergique : rééducation respiratoire, gemmothérapie (corylus avellana macérat glycériné 1D : 50 gouttes trois fois par jour), organothérapie, homéopathie, tisanes de marrube, bourrache, monarde (2 à 4 tasses de l'une ou de l'autre).

Grippe : le traitement d'attaque de la grippe par les H.E. permet, dans la majorité des cas, de se rétablir en 48 heures à condition de respecter le protocole suivant que j'utilise depuis des années avec un égal succès :

1. Pratiquez un « embaumement » à l'aide d'une des H.E. suivantes : bois de rose, ciste, eucalyptus, lavande ou lavandin, myrrhe, myrte, niaouli, ravensare. N'hésitez pas à utiliser de hautes doses (10 à 15 ml par jour) à bien faire pénétrer (en massage ou en bains) pour détruire le virus.

2. Prenez un à plusieurs bains hyperthermiques dans la journée (ou le matin et le soir pour ceux qui ne peuvent s'arrêter de travailler) : 20 à 30 gouttes dans le bain des mêmes H.E., mélangées à 20 % dans un dispersant ou un bain moussant (voir *Technique d'emploi*).

3. Buvez des grogs au citron et à la poudre d'acérola dans lesquels vous aurez ajouté 1 clou de girofle + 1 morceau de cannelle. Édulcorez au miel.

4. Pratiquez une magnésiothérapie intensive : achetez chez votre pharmacien 20 g de poudre d'hyposulfite ou de chlorure de magnésium que vous mélangerez à 1 l d'eau de source ; buvez 3 verres à bordeaux le premier jour, 2 verres le second jour,

1 verre le troisième jour et 1 cuillère à soupe les jours suivants jusqu'à vider la bouteille. Déconseillé aux insuffisants rénaux.

5. Ne mangez pas pendant le traitement. Profitez de l'occasion pour vous nettoyer les intestins. Buvez seulement des jus et bouillons de légumes, ainsi que des jus de fruits frais.

6. Couvrez-vous bien et, surtout, n'attrapez pas froid.

Quand la fièvre tombera naturellement, vous éprouverez une bienfaisante sensation de purification. Votre corps, par ses propres moyens et avec l'aide des nutriments naturels et des H.E., aura réussi à terrasser l'envahisseur. Vos immunités intactes et renforcées vous permettront de mieux résister encore lors de la prochaine invasion.

Laryngite : gargarismes au jus de citron. Les H.E. de bois de rose, cyprès et baume de copaïba (diluées à 10 %) par voie orale dans du miel de lavande, seront prises à raison de 8 à 10 gouttes par jour (2 gouttes par cuillère à café de miel).

Mucoviscidose : maladie héréditaire qui se manifeste par une sécrétion de mucus épais au niveau des bronches et autres organes.

Essayez les H.E. d'eucalyptus, hysope, inule, massoïa, niaouli, sur conseil d'un aromathérapeute.

Infusions de bourrache + marrube à parts égales : 1 cuillère à café par tasse d'eau bouillante (2 à 4 tasses par jour).

Rhino-pharyngites : H.E. d'eucalyptus en inhalations ou nébulisations. Soins naturels : homéopathie de terrain, gemmothérapie (abies pectinata, ribes nigrum, betula verrucosa), oligothérapie (manganèse-cuivre ou cuivre-or-argent suivant le terrain).

Infusion de bourgeons de sapin + marrube + ronce (feuilles). Mélange à parts égales : 1 cuillère à café par tasse trois à quatre fois par jour.

Rhume : inhalations ou aérosols avec un mélange comprenant des H.E. non agressives : eucalyptus, lavande, marjolaine, thym doux à linalol, ravensare. Ajoutez bains chauds aromatiques, grogs au citron et acérola (gélules ou comprimés).

Sinusite : affection courante se manifestant par une inflammation et/ou une infection des cavités sinusiennes.

Son origine est multiple : déviation de la cloison nasale et malformation des sinus, déformation de l'arcade dentaire, lésion ostéopathique crânienne ou des vertèbres cervicales, infection intestinale chronique (parfois secondaire à des traitements antibiotiques déséquilibrant la flore intestinale), infection ou inflammation des dents passant souvent inaperçues (appelées champ perturbateur).

Soins naturels pour traiter les causes :

— Drainage général des émonctoires par un régime alimentaire restrictif et atoxique, complété par des plantes alimentaires riches en vitamines A, C, E, ainsi qu'en oligo-éléments détoxicants et stimulants des défenses naturelles (magnésium et sélénium notamment).

— Plantes atoxiques drainantes (en poudre intégrale ou tisanes) : pissenlit et romarin (foie), cassis (reins), baccharis (foie, reins, intestins).

— Ostéopathie, acupuncture, sympathicothérapie nasale à l'aide d'huiles aromatiques.

— Inhalations et nébulisations aromatiques avec un mélange d'H.E. de qualité extra : bois de rose, cajeput, camomille, cyprès, eucalyptus, girofle, lavande, marjolaine, menthe, myrte, niaouli, pin, ravensare, romarin, sauge officinale, thym doux à linalol.

Trachéite avec toux : la toux sèche doit toujours faire penser à la présence de parasites intestinaux chez les enfants. Vermifuger est la première mesure indispensable. La toux sèche quinteuse secondaire à une inflammation du larynx peut être traitée par des moyens simples et souvent efficaces.

Formule pour inhalation : dans un bol d'eau chaude, mettre un mélange d'H.E. de cyprès (3 gouttes) + estragon (5 gouttes) + inule odorante (3 gouttes) + marjolaine (3 gouttes) + ravensare (10 gouttes).

La toux grasse nécessite d'ajouter 5 à 10 gouttes d'H.E. d'eucalyptus au mélange précédent.

Formule simplifiée : H.E. de pin + eucalyptus + niaouli + lavande + menthe (2 gouttes de chaque).

Tuberculose : déclaration obligatoire. Au traitement allopathique antibiotique, il serait judicieux d'ajouter une aromathérapie par voie externe, afin de diminuer le risque d'hépatite médicamenteuse : H.E. de girofle, néroli, pin, sarriette, verveine.

9. Système circulatoire (cœur, vaisseaux sanguins et lymphatiques)

Les accidents au niveau du système circulatoire représentent, dans les pays développés, une des causes principales de décès. L'alimentation, l'exercice physique, l'équilibre mental, les biothérapies, les plantes et les huiles essentielles jouent un rôle de premier plan pour la prévention et le traitement des maladies du cœur et des vaisseaux.

a) Hygiène et médecine préventive

Mieux vaut commencer tôt et ne pas attendre l'apparition d'athérosclérose ou l'infarctus. Les mesures préventives sont simples :

L'équilibre nutritionnel : le régime alimentaire correct doit être pauvre en graisses animales, comporter des acides gras essentiels polyinsaturés (vitamine F) qui captent et éliminent l'excès de cholestérol, pauvre en sucres raffinés, riche en vitamines A, C, E, P (bioflavonoïdes), riche en sélénium, dénué de produits toxiques et de métaux lourds (plomb, mercure, cadmium). Les toxiques doivent être éliminés, notamment tabac, alcool, café.

L'exercice physique modéré et régulier stimule la circulation générale, évite l'empâtement graisseux des tissus cutanés et du cœur, améliore les défenses organiques, évite la formation de caillots sanguins (thromboses), détend et rééquilibre le système nerveux, élimine les toxines par la transpiration. L'ostéopathie aura auparavant, si nécessaire, libéré les blocages et rétabli les fonctions vertébrales, organiques et crâniennes.

La relaxation fait baisser les tensions psychiques excessives, équilibre le système nerveux, libère les spasmes des muscles et des plexus, améliore le fonctionnement des organes et régularise les sécrétions hormonales. Le massage réflexe de la colonne vertébrale, des pieds, des oreilles ou du nez complète utilement cette réharmonisation du système nerveux cardio-vasculaire.

Les biothérapies : homéopathie, oligothérapie, sérocytothérapie, organothérapie, les thérapies énergétiques, acupuncture et dérivés.

L'aromathérapie et plantes aromatiques utiles : d'une grande efficacité, elles ne doivent pas être utilisées en auto-traitement, ni mélangées à des traitements allopathiques (risques d'incompatibilité ou effets secondaires). Voir les traitements phyto-aromathérapiques ci-dessous :

b) Le sang

Anticoagulants (sur prescription médicale) : H.E. de ammi visnaga, angélique, carotte, citron, hélichryse, lavande, verveine.

Excès de cholestérol : H.E. de carotte, citron, romarin, thym (2 gouttes trois à quatre fois par jour). Oignon et ail en salade + 2 pommes par jour.

Fluidifiants sanguins : H.E. d'ail, citron, estragon, lavande (sur prescription).

Hémostatiques : H.E. de ciste ou géranium rosat à appliquer sur coupure (1 goutte de l'une ou l'autre sur un petit coton, à maintenir 1 à 2 mn en compressant la plaie).

c) Le cœur

Suivi cardiologique indispensable.

Arythmie, asystolie : H.E. d'inule, romarin. Voir un cardiologue. Infusion : marrube + aubépine + lotier (infusion du mélange) ; 1 cuillère à café par tasse d'eau bouillante deux à trois fois par jour.

Infarctus : urgence médicale. Compléter par H.E. d'ammi visnaga en application externe sur la zone cardiaque en attendant le S.A.M.U. + H.E. d'hélichryse (10 à 20 gouttes).

Convalescence d'infarctus : H.E. d'estragon, hélichryse, lavande ; onctions sur la poitrine (zone cardiaque) deux à trois fois par jour, avec 3 à 5 gouttes de chaque.

Palpitations : H.E. de lavande, marjolaine, néroli, oranger, petit grain, romarin, valériane, ylang-ylang par voie interne (1 à 2 gouttes trois fois par jour), ou par voie externe (5 à 10 gouttes en onctions sur la région du cœur, deux à trois fois par jour). Plante complémentaire : aubépine (gélules ou tisanes).
Soignez le système nerveux, débloquez les plexus et faites vérifier vertèbres, estomac et diaphragme (ostéopathie). Conseil : effectuez un bilan cardiaque et thyroïdien.

Péricardite : voyez un cardiologue. Complétez par applications externes d'H.E. de ciste ou eucalyptus citriodora (10 à 20 gouttes deux à trois fois par jour) en onctions sur la zone cardiaque.

Régulation du rythme cardiaque : consultez. Complément : H.E. d'ylang-ylang en application externe (3 à 5 gouttes) ou par voie interne (1 à 2 gouttes trois fois par jour).
Infusion : marrube (2 à 3 tasses par jour).

Spasmes artériels coronariens : consultation d'urgence. Préventif : H.E. de petit grain par voie externe (5 à 10 gouttes trois fois par jour en onctions sur la zone précordiale), et par voie interne (1 à 2 gouttes trois fois par jour dans un liquide ou du miel de lavande).

d) Les artères, artérioles, vaisseaux capillaires

Suivi cardiologique indispensable.

Acrocyanose : se caractérise par une cyanose (aspect marbré et violacé) des mains et des jambes, observée essentiellement chez les jeunes filles. *Traitements naturels :*

— Alimentation équilibrée en minéraux (calcium, magnésium), oligo-éléments (cobalt, manganèse), vitamine P, acides gras essentiels (huile d'onagre, bourrache, rosa mosqueta).

— Phytothérapie : infusions de vigne rouge, hamamélis (1 cuillère à café par tasse deux à trois fois par jour).

— Aromathérapie : H.E. cyprès par voie orale (1 à 2 gouttes trois fois par jour) et par voie externe (bains chauds aromatiques, douches alternées, massages aromatiques avec les H.E. suivantes diluées à 10 % dans de l'huile de tournesol : cyprès, genévrier, niaouli, patchouli, romarin, santal).

Artériosclérose, artérite : traduisent le durcissement de la paroi des artères par des plaques d'athérome, diminuant l'apport sanguin aux tissus (cerveau, cœur...). L'artérite des membres inférieurs se traduit par des crampes à la marche (claudication intermittente). Un suivi cardiologique est essentiel.

— Alimentation : ail + oignon chaque jour, vitamine C naturelle et notamment citron non traité (1 à 2 par jour ; manger pulpe et peau) + 3 pommes (fruits non traités). Lutter contre le cholestérol : régime draconien riche en acides gras polyinsaturés (onagre, bourrache, rosa mosqueta, carthame, huile de saumon et de poissons des mers froides), lécithine de soja. Pour la cuisine, utiliser uniquement des huiles polyinsaturées vierges.

— Bains aromatiques (sur conseils d'un thérapeute) : H.E. de ciste, bois de cèdre, genièvre, lemon-grass, niaouli, oignon, romarin, thym. Les bains chauds de Salmanoff sont particulièrement indiqués pour dilater les vaisseaux capillaires et aider l'irrigation des tissus asphyxiés.

— Tisane de mélisse : 2 à 3 tasses par jour (1 cuillère à café par tasse).

Fragilité vasculaire : H.G. de calophylle, H.E. de carotte et d'hélichryse, par voie externe (pures en onctions locales sur les zones fragiles, 5 à 10 gouttes), ou par voie interne (1 goutte de chaque H.E. deux à trois fois par jour).

Compléments alimentaires indispensables : bioflavonoïdes contenus dans les fruits rouges, la peau du citron, la vigne rouge (tisanes ou gélules), le marron d'Inde (intrait — mode d'extraction différent de l'extrait — ou décoction), l'hamamélis, etc.

Hypertension artérielle : elle se caractérise par une augmentation de la pression sanguine dont les causes principales sont :

— une prédisposition héréditaire (hypercholestérolémie, affections rénales ou endocriniennes) ;

— une tension nerveuse excessive (hypertension passagère curable par les méthodes naturelles) ;

— une altération de la souplesse des vaisseaux par l'accumulation de cholestérol sur leur paroi (artériosclérose, athéromatose).

Cette dernière cause est le plus souvent consécutive à une mauvaise hygiène de vie : alimentation carencée en éléments essentiels, excès alimentaire de graisses et de sucres, stress chronique, mais aussi sédentarité, surmenage et obésité qui vieillissent prématurément les artères et l'ensemble des tissus du corps.

Traitement préventif : vie équilibrée, exercice physique régulier d'intensité modérée, relaxation, alimentation saine, riche en vitamines, en acides gras et oligo-éléments essentiels, pauvre en cholestérol.

Traitement curatif : long et difficile. Surtout ne jamais arrêter un traitement médical allopathique sans avis autorisé (risque de poussée d'hypertension). Rectifiez impérativement le mode de vie et les fautes d'hygiène. Maigrissez sous surveillance médicale par un régime hypocalorique équilibré, exercice physique régulier et modéré.

— Diététique : acides gras essentiels (huile de carthame, huile de saumon et de poissons, lécithine de soja).

— Tisane : aubépine + gui + olivier + pervenche + cassis + tilleul (sur conseil d'un praticien) : 1 cuillère à café du mélange trois à quatre fois par jour.

Aromathérapie : H.E. citron, gaulthérie, lavande, marjolaine, ylang-ylang (1 à 2 gouttes du mélange, ou de l'une des H.E. suivant votre terrain, deux à trois fois par jour).

Ajouter régulièrement à vos salades de l'ail frais (l'H.E. d'ail est très corrosive pour les muqueuses).

Ne pas oublier l'exercice modéré qui mobilise les graisses (jogging) et la relaxation qui modère les effets négatifs du stress.

Hypotension : traitez la fatigue et ses causes. Recharge énergétique et stimulation du système sympathique : acupuncture et moxas, vertébrothérapie d'Abrams, sympathicothérapie endonasale, ostéopathie.

Pétéchies : petites taches rouges (petites fraises des bois) dues à la dilatation permanente des vaisseaux capillaires, traduisant une fragilité capillaire associée à une fragilité hépathique. Soignez le foie et la fragilité capillaire. Applications locales de H.G. de rosa mosqueta mélangée à 20 % d'H.E. de géranium rosat (matin et soir).

Raynaud (syndrome et maladie) : le syndrome se traduit par un trouble de l'irrigation artérielle des extrémités puis coloration violacée marbrée avec sensation de doigts morts, pouvant s'aggraver jusqu'à la nécrose (gangrène sèche). Ce phénomène traduit un spasme au niveau des artérioles provenant d'un dysfonctionnement du sympathique.

Traitements naturels :

— Alimentation équilibrée. Compléments alimentaires : huiles riches en acides gras essentiels (onagre, rosa mosqueta, huile de saumon, huile de poissons des mers froides).

— Équilibrer le sympathique et les glandes endocrines : massage réflexe vertébral, homéopathie, organothérapie, oligo-éléments, acupuncture.

— Aromathérapie : agir localement par des H.E. vaso-dilatatrices (onctions d'H.E. de thuya) et au niveau de la colonne vertébrale.

Dans la maladie de Raynaud, qui se traduit par une nécrose des extrémités des doigts et une sclérose de la peau (sclérodermie), traitement intensif à base d'huile de rosa mosqueta dans laquelle vous aurez ajouté 10 % de thuya + 10 % de baume de copaïba (ou H.E. de lavande).

Régulateur de la circulation : H.E. d'ylang-ylang (1 à 2 gouttes diluées trois à quatre fois par jour, par voie orale). Pensez aussi à la phytothérapie et aux biothérapies.

e) Les veines

A la différence des artères, elles sont extensibles et déformables. L'apparition des problèmes veineux peut être liée à une insuffisance congénitale ou à des compressions en amont de la veine qui, par augmentation constante de la pression interne, déforment les parois. La distension légère des débuts de grossesse, par exemple, est réversible par le port immédiat de collants élastiques de repos ; elle disparaît automatiquement dès l'accouchement.

Causes les plus fréquentes : compression par un organe sur un trajet veineux (ptôse de l'intestin, bascule de l'utérus augmentant la pression en amont), compression par des vêtements trop serrés (ceinture, bas, chaussettes), attitudes de travail comprimant les veines (position assise), station debout prolongée (comprimant les voûtes plantaires, véritable cœur veineux), déformation des pieds et des jambes, chauffage par le sol...

L'absence de traitement laisse s'installer une déformation (varice) pouvant atteindre des proportions importantes. Aucun traitement ne peut réparer les fibres veineuses distendues. Le port de bas à varices ou la chirurgie (stripping) restent les deux moyens symptomatiques les plus efficaces. La sclérose peut se concevoir si des soins préventifs sont entrepris simultanément pour éviter la récidive.

Soins naturels :

— *Soins généraux :* éliminez dans la mesure du possible les causes de compressions...Surélevez les pieds du lit avec des cales de 15 cm (et non pas mettre un oreiller sous le matelas). Faites chaque soir 15 mn de postures sur un plan incliné ou des postures renversées de yoga. Chez la femme enceinte, je conseille fortement de porter une ceinture de grossesse dès le 5e mois et des bas de repos dès apparition de gonflements veineux (10).

— *Biothérapies :* homéopathie, oligo-éléments, organothérapie, gemmothérapie, phytothérapie, ostéopathie, acupuncture, massage de drainage. L'hydrothérapie est très utile dans les troubles congestifs : douches et bains alternés, bains de siège froids, bains aromatiques tièdes et froids (éviter les bains chauds).

Aromathérapie pratique :

— *Congestion veineuse, jambes lourdes :* H.E. d'armoise arborescente, cyprès, genévrier, lentisque, patchouli, romarin, santal (en onctions douces sur le trajet des veines douloureuses), diluées à 50 % dans de l'huile de noisette.

— *Hémorroïdes :* décongestionnez et soignez le foie (l'hémorroïde est un « avertisseur » de congestion hépatique), débloquez le diaphragme, postures renversées de yoga...

H.E. conseillées : cyprès, lavande, lentisque, niaouli, néroli, patchouli, sauge sclarée. Les bains de siège aromatiques (frais ou tièdes) sont très efficaces pour soulager en période de crise et en soins préventifs : 5 gouttes de l'une des H.E. ci-dessus, diluées dans un dispersant. En crise aiguë, prenez de l'intrait (extrait issu d'un procédé de stabilisation de certaines plantes par traitement à la vapeur d'eau puis évaporation) de marron d'Inde à hautes doses.

— *Phlébite :* consultation d'urgence. Complétez par une application locale d'H.E. d'hélichryse (5 à 10 gouttes).

— *Varices :* soins généraux + application locale d'H.E. de basilic, cyprès, lentisque, niaouli, néroli, patchouli, santal, sauge sclarée (sur conseils d'un aromathérapeute).

---

10. Voir, du même auteur : *La Santé au féminin* (Éditions Dangles).

— *Ulcère variqueux :* soins médicaux spécialisés. On peut ajouter localement les H.E. de laurier + poudre de centella asiatica.

f) Les vaisseaux lymphatiques, l'œdème

Moins connus que les veines, les vaisseaux lymphatiques transportent le « sang blanc » (ou lymphe) qui remplit l'espace entre les cellules, véritable mer liquide dans laquelle baignent nos organes. La lymphe évacue les déchets métaboliques et participe à la défense immunitaire en détruisant les toxines et les microbes au niveau des ganglions lymphatiques.

L'aromathérapie doit une grande part de son efficacité à son pouvoir osmotique. L'H.E. diffuse au travers des tissus, affaiblit les défenses des hôtes indésirables et va venir aider au travail d'épuration des cellules spécialisées des ganglions lymphatiques.

L'œdème lymphatique est dû à l'insuffisance de la circulation de retour lymphatique, souvent associée à une insuffisance veineuse. Elle se rencontre fréquemment après les ablations du sein et certaines affections circulatoires, inflammatoires et infectieuses.

Soins naturels : faites pratiquer un drainage lymphatique par un spécialiste dans tous les cas. Chez vous, massages avec le mélange suivant : H.E. de cèdre (5 ml) + H.E. de cyprès (5 ml) + H.E. de genévrier érigé (5 ml) + huile de noisette (45 ml). Massez par pressions lentes, la main bien à plat, de l'extrémité jusqu'à la racine du membre. Auparavant, pratiquez plusieurs respirations abdominales.

Portez des collants ou des bas élastiques de repos pour les œdèmes chroniques des membres inférieurs (s'adresser aux magasins spécialisés, corsetiers orthopédistes).

Adénites : gonflement des ganglions lymphatiques secondaire à une infection ou une inflammation locale.

Soins naturels : traitez la cause (dents, gorge, panaris, ongle incarné...). H.E. à appliquer sur les ganglions : bouleau, carotte, pin, romarin, sauge officinale (diluées à 50 % dans de l'huile de noisette).

10. Bouche et dents

a) Hygiène et prévention

L'entretien des dents par un brossage régulier avec un dentifrice au sel marin, à l'argile blanche (kaolin) et aux H.E. assure un bon équilibre de la flore buccale. Vous en trouverez facilement en pharmacie ou dans les magasins diététiques. Une visite annuelle chez le dentiste s'impose. Un détartrage périodique, la détection et le traitement des caries dès leur apparition vous permettront de conserver vos dents en bon état jusqu'à un âge avancé.

Si vous voulez faire votre dentifrice : achetez de l'argile blanche et des H.E. de qualité extra ; versez sur votre brosse à dent humide une pincée de kaolin. Ajoutez 1 goutte d'H.E. de laurier + 1 goutte de menthe, anis ou citron. Brossez doucement les dents et les gencives. Non seulement vos dents seront propres, mais votre bouche désinfectée et agréablement parfumée.

Autres formules :
— Vinaigre dentifrice : mélangez 250 ml de vinaigre blanc + 15 g de racine de raifort + 15 g de racine de pyrèthre + 2 g de cannelle + 2 g de clou de girofle. Laissez macérer 21 jours. Filtrez et utilisez en alternance avec la formule précédente ou une pâte dentifrice aromatique à l'argile ou au sel marin.
— Élixir dentifrice : mélangez 250 ml d'alcool à 90° + 20 gouttes d'H.E. anis vert, cardamome ou fenouil + 10 gouttes d'H.E. cannelle + 20 gouttes d'H.E. girofle + 40 gouttes d'H.E. menthe + 10 gouttes d'H.E. laurier. Quelques gouttes

de ce mélange dans un peu d'eau après les repas, accompagnées d'un brossage doux, parfument agréablement l'haleine, assurent une bonne hygiène des dents et gencives et préviennent les caries.

Plombages et couronnes : les plombages anciens sont à vérifier régulièrement. N'hésitez pas à les faire remplacer par de la résine.

Attention aussi aux couronnes : les vieilles couronnes mal taillées peuvent blesser vos gencives et provoquer de petites infections ou inflammations locales (appelées foyers infectieux ou champ perturbateur), susceptibles de créer de grands désordres dans l'organisme : arthrite, névralgies, spasmes, fatigue, fièvre inexpliquée...

Appareillages et dentiers : ils doivent toujours être parfaitement adaptés, ne pas gêner ni blesser. Les répercussions des prothèses incorrectes au niveau de la tête par blocage ou perturbation au niveau des os du crâne (11) sont innombrables : troubles de la mastication, névralgies faciales (trijéminales), maux de tête, migraines, otites et douleurs d'oreilles, troubles oculaires, douleurs cervicales et vertébrales, vertiges, troubles de l'équilibre, etc.

b) Douleurs

Pensez à une inflammation, une infection ou à une irritation mécanique.

Douleurs dentaires : consultez un dentiste. En attendant, vous pouvez utiliser un clou de girofle en le plaçant sur la zone douloureuse (ou appliquer un petit coton imbibé d'H.E. de clou de girofle). Après une extraction dentaire, 1 goutte d'H.E. de girofle désinfecte, cautérise et anesthésie la plaie, hâtant la cicatrisation.

---

11. Voir, du même auteur : *L'Ostéopathie, deux mains pour vous guérir* (Éditions Dangles).

Dans les **alvéolites,** utilisez l'H.E. de girofle + laurier (1 goutte de chaque en onction sur les gencives, trois à quatre fois par jour).

Douleur des gencives (gingivites, stomatites) : H.E. de citron, genièvre, hélichryse, laurier, ravensare ou sauge sclarée (massez les gencives avec 1 goutte de l'une ou l'autre).

Poussées dentaires chez les enfants : frottez doucement les gencives avec une carotte crue.

c) Infections

Infections alvéolo-dentaire (pyorrhée) : H.E. de bois de rose + laurier + origan + sarriette + girofle (1 goutte du mélange à parts égales, cinq à dix fois par jour).

Aphtes : appliquez localement l'une ou l'autre des H.E. suivantes : bois de rose, basilic, girofle, laurier, sauge. Leurs actions anti-inflammatoire, antiseptique et antalgique vous soulageront en accélérant la guérison des lésions. Acidifiez le terrain par une vitaminothérapie intensive (acérola + citron).

d) Mauvaise haleine

Drainez votre foie et votre intestin, rééquilibrez votre flore intestinale, faites vérifier dents, amygdales et sinus. Une odeur désagréable de la bouche traduit un processus interne d'infection ou de putréfaction.

Traitement : drainage général à l'aide de plantes aromatiques dépuratives (artichaut, baccharis, chardon béni, curcuma, gentiane, gingembre, pissenlit, saponaire...).

H.E. de basilic, cardamome, carvi, citron, iris, menthe, orange ou pamplemousse : 1 goutte de l'une ou de l'autre diluée dans un liquide (alcool à 70° ou dispersarom) ou du miel.

Plus simplement, mâchez après les repas (ou dans la journée) quelques graines d'anis ou de cardamome.

e) Lèvres

Lèvres gercées : sécheresse souvent due à un problème intestinal à traiter prioritairement. Préparez dans un petit flacon le mélange suivant à utiliser localement dès les premiers froids : huile de rosa mosqueta (97 %) + H.E. de sauge (3 %).
Si vous allez au ski, n'oubliez jamais de protéger vos lèvres en appliquant du beurre de cacao ou de karité (ou crème solaire haute protection, ou écran total).

Perlèche (impétigo labial) : infection surtout due au streptocoque et au candida, située à la commissure des lèvres et provoquant des fissurations douloureuses récidivantes. Consulter.
Traitement : appliquez localement des H.E. anti-infectieuses : sarriette (1 goutte) + lavande (1 goutte) pures ou diluées dans une huile végétale cicatrisante (rosa rubiginosa) ou baume de copaïba (dilution des H.E. : de 10 % pour un enfant à 50 % pour un adulte). Autres H.E. utilisées : bois de rose, laurier, thym à linalol.

Herpès buccal et labial : c'est le classique bouton de fièvre qui réapparaît de manière cyclique (fatigue, règles), puis disparaît au bout de quelques jours. Une éradication du virus a pu être obtenue dans certains cas par l'application systématique, pendant plusieurs semaines, de quelques gouttes d'H.E. de niaouli sur le pourtour des lèvres et en poursuivant l'application après disparition des lésions cutanées.

f) Langue

Elle doit normalement être rose, lisse et brillante. Elle indique votre niveau de santé organique interne. Prenez l'habitude de l'observer chaque matin dans votre miroir ; sa couleur et son aspect sont riches d'enseignements :

— Si elle est **blanche** ou **jaune,** recouverte d'un enduit, vous souffrez d'un encombrement digestif. Un traitement préventif s'impose avant le déclenchement d'une maladie.

Soins naturels : nettoyez votre foie, vos reins et vos intestins par des plantes aromatiques de drainage (artichaut, baccharis, boldo, romarin, thym...). Faites une courte diète, puis rectifiez votre alimentation en supprimant les sucres, farineux et toxiques (café, tabac, drogues).

— Si elle est **rouge,** elle traduit l'inflammation de votre tube digestif.

Soins naturels : jus de légumes crus adoucissants (carotte, betterave, chou, choucroute), 3 à 4 verres à bordeaux par jour. Pensez à réensemencer votre intestin (levure vivante en poudre ou gélules).

H.E. : voir *Colite.* Consultez un praticien.

— Si elle est **noire** ou **grise,** elle traduit une infection à champignons ou mycose (ne pas confondre avec la couleur donnée par l'oligo-élément cuivre, la réglisse, le café et le charbon végétal !).

H.E. antimycosiques : copaïba, géranium rosat, laurier, lavande, palmarosa, sarriette, sauge. Consulter un praticien.

11. Yeux

Jamais d'huiles essentielles dans les yeux. En cas de projection accidentelle, enlevez le surplus avec un coton imbibé d'huile végétale.

Conjonctivite : application d'un coton imbibé d'hydrosol aromatique de camomille romaine ou de rose. Laissez en place 15 mn. Faites faire des gouttes oculaires au bleuet ou euphraise suivant la formule : euphrasia T.M. diluée au 1/100 dans du sérum physiologique isotonique aux larmes (un flacon de 10 ml à renouveler et à conserver au frais) : 1 à 2 gouttes en instillation, trois à quatre fois par jour.

Faiblesse circulatoire oculaire : suivi ophtalmologique obligatoire. H.E. de menthe (2 gouttes deux fois par jour) par voie buccale, diluée dans un liquide. De toute façon, traitez la circulation en général, le cholestérol ou la tension. Vérifiez s'il n'existe pas un problème crânien ou cervical (suites de choc).

Infections oculaires : application d'un coton d'hydrosol aromatique de myrte + ravensare (15 mn deux à trois fois par jour), ou à défaut d'H.E. diluée à 1 % dans de l'huile de noisettes (pas d'autotraitement).

Larmoiement : sécrétion exagérée des glandes lacrymales.
Traitement naturel : régler le système neurovégétatif. Traiter la cause mécanique (vertèbres, crâne) par ostéopathie, acupuncture, sympathicothérapie endonasale à l'aide de dilutions aromatiques réglant le sympathique ou le parasympathique (voir ce chapitre).

Sécheresse oculaire : c'est l'inverse du larmoiement. Beaucoup de médicaments provoquent un assèchement des muqueuses et des glandes lacrymales. Autre cause : blocage du système parasympathique crânien.
Traitements naturels : ostéopathie, sympathicothérapie endonasale avec H.E. de marjolaine + menthe + lavande diluées à 5 % dans de l'huile de tournesol.

Zona : consulter.
Traitement naturel à appliquer d'urgence pour éviter les séquelles : déblocage vertébral + acupuncture + hydrosol aromatique de ravensare. Si vous n'en trouvez pas, diluez de l'H.E. de ravensare à 1 % dans de l'huile de noisette. Parallèlement, appliquez de larges onctions sur la zone du cou (20 gouttes d'H.E. pure, trois à cinq fois par jour). Synergie = H.E. de niaouli.

12. Oreilles

Dans le domaine O.R.L., les bases générales d'hygiène et de soins naturels s'appliquent au même titre que pour les infections et inflammations développées aux chapitres précédents.

Toujours consulter le spécialiste afin d'établir le diagnostic, suivre l'évolution et éviter les complications.

Bourdonnements et sifflements d'oreilles : faites vérifier les oreilles (bouchon de cérumen), l'audition et la circulation artérielle. Si ces examens sont négatifs, envisagez des solutions naturelles (biothérapie, ostéopathie, acupuncture). Utilisez les H.E. facilitant la circulation artérielle.

Otites : en plus du traitement interne (allopathique ou homéopathique), on peut mettre dans l'oreille un petit coton imbibé d'une goutte d'H.E. de lavande mélangée à une goutte d'huile de noisette. Pour les nourrissons et jeunes enfants, on peut aussi utiliser, sur conseil d'un thérapeute, de l'hydrosol aromatique de géranium rosat, millepertuis ou thym à linalol.

Surdité : examens spécialisés approfondis nécessaires (audiogramme classique, bilan audio-psycho-phonologique). Vérifiez vertèbres et os du crâne. H.E. intéressante qui améliore l'irrigation cérébrale : menthe + homéopathie + organothérapie + acupuncture.
S'il existe une sclérose organique, pensez à un appareillage.

13. Système digestif

Dans des conditions normales, notre système digestif assure sans le moindre trouble les fonctions de digestion et d'assimilation des aliments. A l'exception d'anomalies ou de prédispositions héréditaires (méga- et dolichocôlon, hépatisme, diabète...), la plupart des affections digestives sont consécutives à des erreurs dans l'hygiène de vie ou à des agressions externes auxquelles il est souvent possible de pallier.

Le système digestif est un des éléments fondamentaux de notre équilibre physiologique. De son fonctionnement dépendent la santé de nos cellules, la qualité de nos humeurs (sang, lymphe, eau intracellulaire) et de notre état général (tonus, résistance aux maladies infectieuses, au stress, à la fatigue, à l'équilibre endocrinien et nerveux).

Les affections digestives revêtent une importance toute particulière à certains stades de la vie :
— *Chez la femme enceinte :* elles peuvent influer sur la nutrition et le développement de l'embryon.
— *Chez l'enfant :* elles peuvent entraver la croissance osseuse et le développement intellectuel, prédisposer aux infections à répétition.
— *Chez l'adulte :* elles sont à la base d'une quantité de maladies inflammatoires et infectieuses (voir ce chapitre).
— *Chez les personnes du troisième âge :* elles retentissent sur le tonus, l'irrigation cérébrale, le vieillissement cellulaire et favorisent la déminéralisation osseuse (ostéoporose).

a) Digestion difficile ou dyspepsie

La plupart des troubles digestifs commencent à se manifester par une digestion lente et difficile caractérisée par une sensation de pesanteur stomacale, des ballonnements, une somnolence... La dyspepsie constitue le trouble fonctionnel le plus courant et le plus facile à traiter si l'on prend le soin d'en démonter le mécanisme. Plutôt que de faire appel au moindre trouble à des médications symptomatiques, essayez d'utiliser la logique en cherchant puis en corrigeant les causes du problème par des moyens naturels.

> **Les troubles fonctionnels ne sont pas à négliger car ils constituent le premier stade des maladies graves.**

Principales causes des dyspepsies et leur traitement :

— *Causes énergétiques :* une faible énergie entraîne un hypofonctionnement général ou localisé à un organe particulier, diminuant le niveau des sécrétions digestives (glandes salivaires, estomac, vésicule, pancréas, intestins). A l'inverse, un excès d'énergie localisé ou général aura pour conséquence un hyperfonctionnement. Dans les deux cas des troubles apparaîtront.

Traitement : procéder à un réglage alimentaire suivant la règle énergétique des cinq éléments et du Yin/Yang. Faire pratiquer un rééquilibrage énergétique par acupuncture, homéopathie, aromathérapie, organothérapie.

— *Causes mécaniques :* le tube digestif est une machinerie complexe où le dysfonctionnement du moindre engrenage perturbe l'ensemble du système (12).

La sédentarité, l'absence d'exercice physique, les vêtements trop serrés, la position assise, sont les causes les plus fréquentes de l'apparition des troubles chez l'adulte. Le spasme du diaphragme, l'estomac « en chaussette », la ptôse du foie, l'entéroptôse (descente de l'intestin), sont des causes souvent négligées dans la pratique médicale.

Rappelons pour mémoire le rôle prédisposant des « blocages vertébraux » dans l'apparition des dysfonctionnements organiques.

Traitement : traiter la cause. Ostéopathie vertébrale et crânienne, ostéopathie et gymnastique viscérales pour traiter les ptôses et autres perturbations organiques, yoga (postures renversées), massages des plexus avec des H.E. relaxantes : basilic, estragon, géranium rosat, lavande, mandarine... Parfois, il est nécessaire de porter transitoirement une gaine de soutien (entéroptôse, distension de la sangle abdominale, hernies). Pensez à rechercher les « champs perturbateurs » (dents, cicatrices).

— *Causes biochimiques :* la santé dépend en grande partie de notre alimentation. Les variations de la qualité de celleci ont des répercussions immédiates sur notre équilibre physiologique. Une alimentation saine, équilibrée, contenant tous les

---

12. Voir, du même auteur : *L'Ostéopathie, deux mains pour vous guérir* (Éditions Dangles).

nutriments nécessaires à la croissance, à l'entretien et au renouvellement de nos cellules, suffisamment énergétique, permet en général de bien résister aux agressions de l'environnement et de vous assurer santé, tonus et vitalité.

Rappelons **quelques principes de base essentiels** afin d'éviter ou de soigner vos problèmes digestifs :

— *La qualité des aliments est fondamentale ;* essayez, dans la mesure du possible, de consommer des aliments biologiques, sans pesticides ni engrais chimiques. Apprenez à manger lentement, en mastiquant correctement chaque bouchée.

— *Évitez les faux aliments* (excitants et stimulants contenant des alcaloïdes), les boissons alcoolisées, les sodas et boissons gazeuses et, en général, les aliments raffinés privés de leurs éléments les plus précieux (sucre blanc, farine blanche, riz blanc...).

— *La quantité des aliments doit être mesurée en fonction des besoins* (ne pas confondre faim et appétit). Il faut sortir de table en ayant apaisé sa faim, mais sans se sentir gavé. L'excès chronique mène tout droit aux maladies de pléthore : obésité, diabète gras, artériosclérose, vieillissement précoce. Les statistiques montrent une corrélation directe entre l'excès de poids et la mortalité par maladies et accidents cardio-vasculaires.

— *Apprenez à combiner :* le mariage harmonieux entre les aliments facilite leur digestion et leur assimilation. Retenez comme principe que les acides se marient mal avec les alcalins. Évitez donc systématiquement les fruits acides aux repas contenant des amidons (pain, pâtes, pommes de terre, céréales...). Vous éviterez ainsi bien des ballonnements et autres désagréments après les repas.

— *Mangez les fruits entre les repas,* par exemple le matin au réveil et vers 10 heures du matin ou à 16 heures.

— *Évitez de boire pendant les repas plus d'un verre* pour ne pas diluer les sucs digestifs et alourdir l'estomac. Par contre, buvez entre les repas une eau peu minéralisée.

— *Faites attention aux graisses et aux sucres cachés* (viandes, charcuteries, sodas, gâteaux) et veillez à consommer des crudités et produits végétaux frais chaque jour. Ne grignotez pas entre les repas. Évitez la cuisson excessive, les fritures et les sauces grasses qui compliquent et ralentissent le processus digestif.

— *Apprenez à utiliser dans la cuisine quotidienne les plantes aromatiques* fraîches, sèches ou en graines, afin de stimuler ou régulariser les sécrétions digestives : ache, ail, anis, aneth, basilic, cardamome, carvi, céleri, cerfeuil, ciboule, coriandre, cubèbe, cumin, échalote, estragon, fenouil, genièvre, gingembre, girofle, laurier, menthe, muscade, oignon, origan, poivre, romarin, sarriette, sauge officinale, serpolet, thym. N'abusez pas des « épices forts » : paprika, piment, poivre...

— *Sachez utiliser les infusions digestives* qui remplaceront avantageusement le café : pensez aux plantes aromatiques digestives telles que acore odorant, anis vert, aneth, angélique, badiane, calament, laurier, lime, livèche, marjolaine, mélisse, menthe, monarde, origan, romarin, serpolet, thym. Faites votre mélange vous-même en fonction de vos goûts : 1 cuillère à café par tasse d'eau bouillante ; laissez infuser 10 à 15 mn ; une tasse après les repas. Si vous préférez l'H.E. : 1 à 2 gouttes après le repas.

— *Faites appel à un thérapeute en cas de trouble important :* gastro-entérologue, biothérapeute, homéopathe, nutritionniste, ostéopathe, naturopathe...

— *Causes psychiques :* le repas doit être un moment de plaisir, une parenthèse au milieu de l'agitation d'une journée de travail.

Le psychisme commande toutes les fonctions digestives par l'intermédiaire du système nerveux autonome (sympathique et parasympathique) et des glandes endocrines. Nos glandes digestives sont hypersensibles au « climat psychologique ». Les soucis, les contrariétés, la présence de personnes désagréables peuvent gâcher un bon repas entre amis en vous spasmant la vésicule biliaire par exemple, ou l'estomac. La tension chronique (stress) peut avoir de graves répercussions sur la santé de votre tube digestif et votre état général : douleurs organiques, spasmophilie, fatigue, constipation ou diarrhée chronique, amaigrissement ou obésité...

Traitement : apprenez à vous relaxer, évitez le contact des personnes qui vous « stressent ». Le contrôle du mental peut s'acquérir à tout âge. Il suffit de le vouloir, d'apprendre une technique et de persévérer. Maîtriser vos émotions, canaliser votre mental peut vous permettre de changer radicalement la qualité de votre vie.

Les H.E. relaxantes seront choisies avec soin en fonction du test olfactif : parfums, onctions ou bains relaxants, massage des plexus.

b) Estomac

Pour toutes les affections gastriques, effectuez une révision de votre alimentation, éliminez tous les toxiques et irritants (tabac, café, alcool), traitez les causes physiques et faites vérifier systématiquement votre colonne vertébrale et votre diaphragme par un ostéopathe. Éliminez les causes de tension psychologique.

Acidité de l'estomac (pyrosis, hyperchlorhydrie) secondaire à un déséquilibre neurovégétatif : faire traiter les causes du déséquilibre, jus de pomme de terre crue (2 à 3 verres à bordeaux par jour), banane mûre, poudre de lithothamne micronisée, argile blanche fine, poudre de consoude, maytenius ilicifolia.

H.E. par voie externe (onctions sur le plexus solaire) : 2 à 10 gouttes de calamus + inule + menthe.

Aérophagie (appelée aussi ballonnements, accompagnée ou non d'éructations) : souvent secondaire à une hernie de l'estomac (hernie hiatale), à une ptôse gastrique ou à un spasme du diaphragme. D'abord traitez les causes puis utilisez les H.E. suivantes : angélique, basilic, carvi, coriandre, cumin, estragon, marjolaine ou menthe (1 à 2 gouttes de l'une ou de l'autre après les repas).

Plantes conseillées : calament, maytenius ilicifolia, mélisse, en infusion après le repas (1 cuillère à café par tasse), à la place du café et autres alcaloïdes qui stimulent le sympathique et bloquent la digestion. Évitez absolument les boissons gazeuses à base de coca et de cola.

Compléments alimentaires : lithothamne, argile blanche, jus de pomme de terre crue, banane mûre.

Gastrites, aigreurs et brûlures d'estomac : origines diverses se caractérisant par une inflammation de la muqueuse stomacale.

Vérifier les vertèbres, l'alimentation, éviter les épices, alcool, tabac, vin et boissons acides.

Avant et entre les repas, prendre dans un peu d'eau de la poudre micronisée de lithothamne, de la poudre de maytenius ilicifolia, de l'argile blanche et du jus de pomme de terre crue (1 verre à liqueur trois à quatre fois par jour).

H.E. : basilic, estragon, genévrier, menthe.

Infusion de mélisse : 2 à 3 tasses par jour.

Sécrétions insuffisantes (hypochlorhydrie) : souvent confondue avec l'hyperchlorhydrie. Les pansements gastriques sont inopérants, de même que les antiacides. Il convient de débloquer et de stimuler le parasympathique, ou de calmer le sympathique. Vérifiez la colonne vertébrale et le diaphragme.

H.E. : cyprès + niaouli + marjolaine (1 à 2 gouttes avant les repas).

Spasmes : H.E. de basilic, carvi, estragon, géranium rosat, mélisse ou menthe (1 goutte de l'une ou l'autre) en onction sur le plexus solaire.

Ulcérations : souvent secondaires à un blocage vertébral, une alimentation déséquilibrée ou un abus de toxiques (café, tabac, alcool). Supprimez les toxiques et les causes de tension nerveuse. Argile blanche + lithothamne (poudre) + consoude (poudre), maytenus ilicifolia.

H.E. : camomille, carotte, géranium rosat ou menthe (1 goutte de l'une ou l'autre mélangée à de l'argile ou à du lithothamne), sur conseil d'un aromathérapeute.

c) Foie

Insuffisance hépatique : c'est ce qu'on appelle couramment le terrain hépatique ou bilieux, le foie fragile (souvent constitutionnel). Il ne supporte pas les écarts, ni la fatigue et le stress. Ne parlons pas des traitements hormonaux et chimiques qui le bousculent et provoquent de saines réactions de rejet (allergies, dermatoses, coliques). Si tel est votre cas, il faut vous drainer régulièrement et mener une vie saine, exempte d'abus en tout genre.

Traitement surtout préventif mais, en cas de « crise de foie », pensez à réchauffer cet organe essentiel avec une bouillotte chaude. Jus de radis noir (1 verre à liqueur tous les matins à jeun), artichaut, baccharis, chardon béni, curcuma, pissenlit, verge d'or.

H.E. dépuratives hépatiques : boldo, carotte, citron, curcuma, genièvre, hélichryse, menthe, myrte, néroli, ravensare ou romarin (1 à 2 gouttes deux à trois fois par jour de l'une de ces H.E.).

Régénérants du tissu hépatique (séquelles d'hépatite) : H.E. de carotte, géranium rosat, menthe.

Hépatite : affection inflammatoire du foie secondaire à une atteinte par un virus (virus A et B), ou à une intoxication (amanite phalloïde, phosphore, médicaments, alcool) plus ou moins grave suivant l'état des défenses organiques. Le virus A est épidémique ; le virus B est inoculé par des objets souillés, non stérilisés et sexuellement transmissible.

Le traitement classique est essentiellement symptomatique accompagné de repos et d'une alimentation équilibrée. Maladie à déclaration obligatoire.

Le traitement naturel dans l'hépatite virale : l'aromathérapie est l'arme de choix pour attaquer directement le virus. Pratiquez l' « embaumement aromatique » en utilisant des onctions d'H.E. pures antivirales à sélectionner selon la préférence du malade et l'avis du praticien : basilic, eucalyptus, genévrier, clou de girofle, lavande, laurier, lemon-grass, menthe, niaouli, ravensare, romarin. Les appliquer en larges onctions sur l'abdomen jusqu'à 10 ou 15 ml par jour en plusieurs fois pendant deux ou trois jours. Diminuez les doses les jours suivants à 100 gouttes par jour.

En phase de convalescence, les H.E. de carotte, géranium ou menthe poivrée seront utilisées pour favoriser la régénérescence des cellules hépatiques (par voie interne : 1 à 2 gouttes trois à quatre fois par jour sur conseil d'un aromathérapeute).

Les hépatites toxiques pourront bénéficier d'onctions aromatiques à base de niaouli dans la région du foie.

Ajoutez au traitement les nutriments antitoxiques : vitamines A et C, sélénium organique, germanium, soufre.

d) Vésicule biliaire

Signal d'alarme du système nerveux végétatif, la vésicule biliaire (comme son voisin l'estomac) révèle en premier les agressions psychologiques et alimentaires, parfois douloureusement mais souvent avant toute lésion organique. Elle est le révélateur des déséquilibres fonctionnels : carences minérales, excès de soucis ou de fatigue, épuisement du système nerveux sympathique.

Traitez rapidement les causes et les effets par des traitements naturels.

Dyskinésie biliaire : c'est un dérèglement du fonctionnement de la vésicule qui se vide plus ou moins suivant l'état du système nerveux. La moindre contrariété bloque le sphincter d'Oddi, provoquant maux de tête, nausées, douleurs, irritabilité, fatigue, perte d'appétit, bouche amère. Vérifiez s'il n'existe pas de blocage des centres de commandes vertébraux ou crâniens.

Traitez le système nerveux et utilisez les H.E. et plantes suivantes : boldo, camomille, genièvre, inule, lavande, livèche, mandarine, menthe, romarin, thym.

Infusion de monarde ou mélisse : 1 cuillère à café par tasse d'eau bouillante deux à trois fois par jour.

Insuffisance de sécrétions (paresse) : H.E. de basilic, curcuma, estragon, menthe poivrée (1 goutte de l'une de ces H.E. avant les repas).

Inflammation (secondaire à infections ou fermentations) : H.E. de camomille, genévrier, lavande. Pensez au charbon végétal de peuplier (2 gélules aux 2 repas) et à l'argile fine blanche (1/2 cuillère à café avant les repas, dans un peu d'eau).

Lithiase (calculs) : H.E. de romarin, verveine, jus de radis noir, décoction d'aubier de tilleul ou d'aubépine.

Paresse biliaire : H.E. de boldo, romarin, verveine (1 à 2 gouttes deux à trois fois par jour ou 1 à 2 gélules de poudre trois fois par jour).

Taraxacum T.M. (50 gouttes matin et soir dans un peu d'eau).

Gemmothérapie : rosmarinus (jeunes pousses), macérat glycériné 1D (50 gouttes trois fois par jour). Cure de trois semaines, notamment au printemps et en automne.

Cure de jus de radis noir : un verre à liqueur de suc frais (en saison) ou en ampoules (complément diététique) le matin à jeun (par cure de trois semaines). A renouveler si nécessaire.

Autre forme simple à essayer aussi dans la constipation d'origine vésiculaire : prenez le soir au coucher une cuillère à soupe d'huile d'olive vierge aromatisée de quelques gouttes de jus de citron.

e) Pancréas

Diabète : voir § 6 c) et d) (p. 162 et 163).

Insuffisance des sécrétions digestives pancréatiques : H.E. de basilic, cyprès, genévrier, menthe, néroli ou verveine (1 goutte de l'une ou l'autre avant les repas).

Inflammation (pancréatite) : H.E. de basilic, camomille, géranium rosat, lavande, menthe, niaouli, romarin (sur conseils d'un aromathérapeute).

f) Intestins

Grippe intestinale : appliquez, dès les premiers symptômes (diarrhée), de larges onctions abdominales d'H.E. pures de cajeput, cannelle, eucalyptus, girofle, laurier, niaouli, pin, ravensare, sauge, thym (10 à 30 gouttes en mélange, quatre à cinq fois par jour). Bouillotte chaude sur le foie.

Colites : terme général qui recouvre des troubles variés traduisant une inflammation de la paroi intestinale et dont la gravité varie selon la cause ; beaucoup sont dues à des fautes d'hygiène dont la plus courante repose sur l'abus de médicaments laxatifs (13). H.E. de gurjum, lavande ou géranium rosat (10 à 20 gouttes de l'une par jour, en onctions abdominales).
Par voie interne : 1 à 2 gouttes trois à quatre fois par jour.

Spasmes de l'intestin : ils expriment un déséquilibre du système nerveux végétatif ; rappelons que chaque organe, chaque glande exocrine (glandes digestives à mucus, salivaire, etc.) sont sous la double dépendance d'un système nerveux-frein et d'un système nerveux-accélérateur. De leur équilibre dépendent santé et bon fonctionnement organique.
Au niveau intestinal, le système sympathique joue le rôle de frein et ralentit le transit (péristaltisme) et les sécrétions. Il agit aussi au niveau des vaisseaux qui nourrissent la paroi du tube digestif.
Toute perturbation de ce frêle équilibre par des causes psychiques, mécaniques (lésions ostéopathiques) ou chimiques (médicaments, produits toxiques), est susceptible de provoquer (de manière momentanée ou chronique) des troubles fonctionnels (spasmes, inflammations) et, secondairement, des affections plus graves et plus profondes (ulcération, destruction tissulaire, hémorragies ou, au contraire, nécrose par ischémie ou arrêt de l'apport sanguin par constriction intense des vaisseaux nourriciers...).

---

13. Voir l'ouvrage de Jean-Luc Darrigol : *Traitements naturels de la constipation* (Éditions Dangles).

Traitement : augmentez la ration de vitamines A, C et D par des jus de légumes et fruits frais. Pensez au jus de betterave, carotte, chou, pomme de terre crue, banane mûre (1 à 2 verres par jour du mélange). Magnésium et calcium (lithothamne et dolomite).

Action directe sur le système nerveux végétatif avec les H.E. d'angélique, badiane, basilic, carvi, estragon ou lavande (1 à 2 gouttes de l'une avant les deux repas + onctions sur la zone intestinale et le plexus solaire).

Préservez votre équilibre neurovégétatif en éliminant les effets du stress : pensée positive, sophrologie, relaxation, yoga mental.

Aérocolie : appelé ballonnement, météorisme ou flatulences, ce trouble digestif résulte d'un excès de fermentations secondaires dû à une dégradation de la flore intestinale par des agents chimiques, à laquelle s'ajoute fréquemment une ptôse intestinale (affaiblissement des organes consécutif à celui des muscles abdominaux).

H.E. de basilic, carvi, céleri, coriandre, cumin, estragon, fenouil, livèche ou menthe : 1 à 2 gouttes de l'une ou l'autre après les principaux repas.

Traitements associés suivant le cas : charbon végétal de peuplier, argile blanche fine, ostéopathie viscérale, gymnastique respiratoire, postures renversées de yoga, port d'une ceinture de soutien. Diététique : respectez bien le principe des combinaisons alimentaires. Phytothérapie : maytenus ilicifolia.

Colite infectieuse : à traiter médicalement. Les H.E. les plus efficaces pouvant accompagner le traitement sont : basilic, camomille, cannelle, géranium, lavande, mélisse, menthe, origan, romarin ou thym (1 à 2 gouttes de l'une trois à six fois par jour).

Rectocolite hémorragique (ou maladie de Crohn) : colite de la portion terminale de l'intestin grêle, d'origine neurovégétative, souvent accompagnée d'hémorragie.

H.E. de géranium rosat, lavande, mélisse ou verveine, en onctions locales (10 à 20 gouttes de l'une deux à trois fois par jour) et par voie interne pendant plusieurs mois (1 à 2 gouttes trois à quatre fois par jour).

Diététique et ostéopathie (traitez impérativement les causes neurovégétatives et les blocages vertébraux).

Entérite et entérocolite : inflammation de la muqueuse intestinale d'origine infectieuse ou parasitaire. H.E. de cannelle, genévrier, menthe, millepertuis ou niaouli (1 à 2 gouttes de l'une ou l'autre trois à quatre fois par jour).

Diarrhées : souvent secondaires à une infection (cherchez la cause par des examens de laboratoire, si le phénomène est chronique).

Cas occasionnel : il peut s'agir d'un rejet de toxines ; n'entravez pas ce processus d'élimination naturel, mais canalisez-le.

Diététique : eau de riz, jus de carotte, jus de chou.

H.E. d'angélique, basilic, carotte, ciste, citron, genévrier, géranium, gingembre, girofle, lavande, marjolaine, mélisse, menthe, orange, origan, santal, sarriette ou thym (1 à 2 gouttes de l'une ou de l'autre de ces H.E. trois à quatre fois par jour).

T.M. de potentille-tomentille (50 à 100 gouttes deux à trois fois par jour).

Chauffez au moxa sur le point de commande de l'intestin (situé à 2 travers de doigts à l'extérieur de l'ombilic). A défaut, mettre une bouillotte sur la zone ombilicale.

Après tout traitement antibiotique, réensemencez la flore intestinale en levures vivantes (sinon, attention aux mycoses).

Constipation : il existe deux sortes de constipations :

— La *constipation spasmodique* correspond à un sujet nerveux, tendu, anxieux, au ventre dur et spasmé, souvent ballonné. Dans ce cas, il convient de calmer le système nerveux en équilibrant le parasympathique et le sympathique intestinal.

— La *constipation atonique* est au contraire caractérisée par une diminution du péristaltisme intestinal par baisse du tonus musculaire de la paroi de l'intestin. Il s'agit donc de la tonifier et de la stimuler.

Dans les deux cas, une constipation passagère due à un changement d'habitudes ou d'alimentation se transforme en constipation opiniâtre à la suite de traitements médicamenteux irritants. Il faut aussi savoir que la plupart des médicaments qui agissent sur le système nerveux (sédatifs, tranquillisants, hypnotiques, anxiolytiques, stimulants, excitants, sympathico-mimétiques...) ont une action déséquilibrante sur l'ensemble du système digestif. Exemple : un remède pour assécher le nez (rhinite chronique) aura un effet stimulant sur le sympathique nasal et asséchera les muqueuses momentanément, mais aura pour effet secondaire de ralentir le transit intestinal. De nombreux livres relatent les effets secondaires des médicaments. Il est toujours préférable d'agir en rééquilibrant les fonctions naturelles plutôt que de les forcer artificiellement en créant les inévitables effets secondaires (et les maladies iatrogènes).

Dans les cas chroniques, il est préférable de consulter un praticien qui adaptera les conseils à votre cas et éliminera les causes mécaniques, alimentaires et énergétiques de votre constipation.

Alimentation et diététique : la richesse en fibres de cellulose stimule naturellement la paroi de l'intestin atonique ; privilégiez les céréales complètes (14). Dans les constipations spasmodiques, évitez par contre d'irriter la paroi intestinale souvent inflammée : évitez l'excès de fibres et apprenez à utiliser les jus de fruits et légumes : carotte, cresson, épinard, ortie, feuilles vertes des salades (surtout laitue) (2 à 3 verres à bordeaux par jour en dehors des repas).

Le matin à jeun : cure de jus de radis noir pour stimuler la vidange vésiculaire et l'intestin (1 ampoule ou mieux 1 verre à liqueur de jus frais). Cure de 21 jours ; arrêt 8 à 15 jours puis reprenez.

Le soir : fruits secs que vous aurez fait gonfler pendant la journée dans une eau pure (pruneaux, figues à prendre au coucher).

---

14. Voir l'ouvrage de Jean-Luc Darrigol : *Traitements naturels de la constipation* (Éditions Dangles).

Autre formule : 1 cuillère d'huile d'olive aromatisée d'1 cuillère à café de jus de citron frais à prendre le soir au coucher.

Son alimentaire (spécialités diététiques) ; mais essayez d'abord du pain biologique complet ou bis, moins irritant et des céréales complètes.

Constipations atoniques : ispaghul (semences), lin (graines), psyllium (semences) : 1 cuillère à café de semences à ingérer deux à trois fois par jour dans du yaourt ou une boisson.

Traitement physique : la descente d'intestin ou ptôse, provoquant la formation de coudures, sera traitée par ostéopathie viscérale puis gymnastique et musculation de la sangle abdominale et du diaphragme, des postures renversées de yoga, parfois par le port d'une gaine ou ceinture de soutien.

Phytothérapie : tisanes laxatives douces ou gélules de plante entière : artichaut, guimauve, mauve, pissenlit, rhubarbe, baccharis, maytenius, à essayez seules ou en mélange. Évitez les plantes à effet irritant et à usage continu : bourdaine et séné (elles peuvent être intégrées à un mélange afin d'en adoucir les effets).

Exemple de formule laxative douce : préparez la décoction suivante : bourdaine + guimauve + mauve + pissenlit + mercuriale + rhubarbe (1 cuillère à café du mélange par tasse ; laisser bouillir 15 mn ; 1 tasse le soir après le repas).

Décoctions de graines de lin : 3 cuillères à café de graines pour un traitement journalier (infusion à préparer le soir pour le lendemain ; laissez reposer la nuit ; 3 tasses par jour).

Il est nécessaire de compléter la formule en fonction de votre terrain :

— Foie : charbon béni, artichaut, romarin...
— Reins : piloselle ou baies de genièvre...
— Poumons : bourrache ou iris de Florence, violette...
— Système nerveux : lotier, passiflore, tilleul, verveine...
— Cœur : aubépine, olivier...

Biothérapies : homéopathie, gemmothérapie, organothérapie, lithothérapie (utilisation des roches naturelles diluées et dynamisées) sur conseils d'un praticien.

Aromathérapie : H.E. de basilic, camomille, carotte, coriandre, estragon, genévrier, oranger ou romarin (1 à 2 gouttes de l'une ou de l'autre trois à quatre fois par jour).

Nota sur les médicaments laxatifs : la maladie des laxatifs est créée par l'accoutumance. Le remplacement des médicaments par une hygiène des soins naturels est souvent long mais nécessaire afin d'éviter les innombrables maladies secondaires au dysfonctionnement intestinal.

Fissures anales : l'anus est la portion visible de l'intestin. Pour les Orientaux, il est l' « œil du foie », sa souffrance étant révélatrice d'un trouble au niveau de cet organe. Les hémorroïdes sont souvent en relation avec une congestion hépatique et traduisent une augmentation de la pression dans le système veineux du foie produisant la dilatation de la paroi des veines hémorroïdaires.

Le réglage alimentaire est donc fondamental. Évitez les épices forts, réduisez la viande, les graisses et le sucre ; luttez contre la constipation par les méthodes naturelles (voir plus haut).

Cure de jus de légumes crus afin de désenflammer les parois de l'intestin et de cicatriser les lésions : betterave, carotte, céleri, chou, pomme de terre (2 à 4 verres à bordeaux par jour).

Localement, il faut pratiquer des bains de siège froids (1 à 2 mn) puis appliquer de l'huile de rosa mosqueta additionnée de 5 à 10 % d'H.E. cicatrisante : baumes de copaïba, du Pérou ou de Tolu, H.E. de bergamote, cajeput, camomille, ciste, citron, cyprès, élémi, encens, géranium, hélichryse, lavande, myrrhe, niaouli, orange, rose.

Prurit anal : démangeaison périodique ou constante de l'anus. Toujours penser aux vers (oxyures) ou à des hémorroïdes. Pensez toujours à traiter le foie.

Mêmes mesures hygiéno-diététiques que pour les fissures anales.

Appliquez localement de l'huile de sapucainha (antiprurigineuse) additionnée de 20 % de baume de copaïba ou d'H.E. de cyprès.

Hémorroïdes : voir chapitre *Système vasculaire.*

Parasites intestinaux : plus fréquentes qu'on ne le pense généralement, les infestations vermineuses sont à suspecter chez tout enfant ou adulte anormalement nerveux (correspondance avec le cycle lunaire).

Symptômes : démangeaisons au niveau du nez, abdomen, anus, agressivité, sommeil agité, grincements de dents, coloration terreuse de la paupière inférieure.

Traitement naturel : pensez à traiter foie et vésicule biliaire. Tartines frottées à l'ail.

H.E. : boldo, camomille, lavande, menthe, niaouli, santoline, thym. 1 à 2 gouttes trois à quatre fois par jour. Complétez par traitement homéopathique de fond et phytothérapie.

14. Affections génitales et urinaires (reins et vessie)

Le système génital et urinaire est sous la dépendance des sécrétions hormonales et du système nerveux. Il est hypersensible au stress, aussi bien chez l'homme que chez la femme (voir chapitre *Stress*), et son fonctionnement dépend étroitement de celui des organes voisins (notamment intestins). Il peut être le siège de simples dysfonctionnements ou de maladies inflammatoires, infectieuses ou de sclérose.

Les règles générales de la méthode naturelle sont à appliquer pour la prévention et les soins. Mais je conseille, encore plus que pour les autres organes, de prendre en compte tous les facteurs mécaniques, le plus souvent à la base des problèmes, surtout chez la femme (suites d'accouchements difficiles, ménopause...).

a) Affections générales homme et femme

Aphrodisiaque (stimulant du désir sexuel) : l'effet stimulant sexuel des plantes a de tout temps été très recherché. La plupart des produits proposés actuellement sont soit des excitants du système nerveux, soit des euphorisants, soit des place-bos.

Les conditions de vie actuelles sont en grande partie responsables de la plupart des problèmes sexuels. Le stress, la peur, la pilule anticonceptionnelle, les produits chimiques hypotenseurs... ne représentent que quelques-uns des éléments responsables de la baisse des pulsions naturelles.

Les plantes et les H.E. associées à une meilleure hygiène de vie et, si nécessaire une psychothérapie, parviennent bien souvent à résoudre ces problèmes. Les H.E. tonifient et régularisent le système nerveux (aussi bien chez l'homme que chez la femme) : anis vert, bois de rose, céleri, gingembre, menthe, niaouli, rose, santal, sarriette, ylang-ylang.

Pour vous déstresser, essayez les plantes traditionnellement réputées pour cet effet : éleuthérocoque, ginseng, gomphréna, muirapuama... (résultats variables suivant la cause) : 2 gélules de l'une ou l'autre de ces plantes au cours des repas deux à trois fois par jour. Cures de un mois minimum.

Infections urinaires : souvent secondaires à une inflammation ou à un encombrement intestinal. On retrouve le plus souvent des germes fécaux qui passent dans les voies urinaires à travers la paroi intestinale.

Traitez conjointement l'intestin en luttant contre la constipation et les fermentations, par un réglage alimentaire correct (combinaisons alimentaires, richesse en fibres, élimination des aliments raffinés, réduction de la consommation de viande). Dans les affections récidivantes, je conseille un aromatogramme de terrain.

H.E. (sur conseil d'un aromathérapeute) : baumes du Canada, de copaïba, du Pérou ou de Tolu, H.E. de carotte, cyprès, estragon, gaïac, gaulthérie, genévrier alpin, girofle, gurjum, lavande, myrte, niaouli, santal, sarriette, sassafras, thym doux à linalol, par voie interne et en onctions externes.

Tisanes de feuilles de cassis + orthosiphon + piloselle + queues de cerise : 3 à 6 tasses par jour du mélange à parts égales.

Incontinence nocturne (énurésie) : pensez à une parasitose et aux zones géopathogènes (emplacement et orientation du lit) (15).

Tonifiez le sphincter vésical en massant la zone du sacrum avec 5 à 10 gouttes d'H.E. de cyprès avant le coucher. Pour les enfants, pensez à confectionner un oreiller d'herbes à base de noix de cyprès, feuilles de mélisse, écorces d'orange, tilleul.

Traitements complémentaires : homéopathie, organothérapie, techniques d'acupuncture (pour les enfants, utiliser le marteau à fleur de prunier).

Reins : les affections des reins sont parfois redoutables. Une bonne hygiène met à l'abri de nombreux troubles :

— Boire en dehors des repas une eau de qualité (faiblement minéralisée) assure un drainage rénal régulier. Attention à la déshydratation qui entraîne l'accumulation rapide de sédiments s'agrégeant pour former des calculs rénaux ou vésicaux. Pratiquez des cures de drainage aux changements de saison pendant 1 semaine, à l'aide de tisanes dépuratives diurétiques : bouleau (feuilles) + cassis (feuilles) + uva ursi + orthosiphon + piloselle (2 à 4 tasses par jour du mélange) par exemple.

— Une simple infection de la gorge ou des dents peut se compliquer en infection rénale. Ne jamais négliger les angines et les infections dentaires. Les H.E. sont remarquablement efficaces dans le traitement préventif et curatif de la sphère urinaire :

Dépuratif rénal : H.E. d'acore, carotte, céleri ou sassafras (1 à 2 gouttes trois à quatre fois par jour). Buvez en abondance des tisanes de uva ursi + cassis + prêle + reine-des-prés + frêne... à base d'eau très peu minéralisée (Mont-Roucous, Charrier, Volvic).

Insuffisance rénale : suivi médical indispensable. Sur conseil d'un aromathérapeute, ajoutez au traitement classique l'H.E. de ciste. Phytothérapie, organothérapie et homéopathie.

---

15. Voir l'ouvrage de Jacques La Maya : *La Médecine de l'habitat* (Éditions Dangles).

Infection rénale : à traiter avec la plus grande rigueur en raison des complications possibles. Aromatogramme + traitement d'urgence avec des H.E. anti-infectieuses : gaïac, girofle, origan, santal, sarriette, sassafras, thym doux à linalol (2 gouttes quatre à six fois par jour).

Lithiase rénale et vésicale :

— Diététique : boire en abondance de l'eau peu minéralisée (Volvic, Katell Roc, Mont-Roucous), surtout en été ou si vous transpirez beaucoup. Les urines doivent toujours être claires (si elles deviennent foncées, le risque de formation de calculs augmente). Consommez régulièrement de l'oignon cru ou cuit.

— Phytothérapie : cure d'aubier de tilleul sauvage.

— Aromathérapie : H.E. de citron, céleri, gaulthérie, lemon-grass ou thym (1 à 2 gouttes de l'une ou de l'autre trois à quatre fois par jour).

Rétention urinaire (stimulant de la diurèse) : H.E. de carotte, céleri, iris, lemon-grass, lime ou livèche (1 à 2 gouttes de l'une ou de l'autre trois à quatre fois par jour).

Phytothérapie : T.M. et tisanes de barbe de maïs, céleri, orthosiphon, piloselle, solidago.

Buvez une eau peu minéralisée en dehors des repas. En cas de rétention grave, buvez de l'eau distillée et consultez.

b) **Problèmes spécifiques de la femme** (16)

En cas de douleur anormale, écoulement, éruption, consulter obligatoirement et d'urgence votre gynécologue. L'autotraitement ne s'adresse qu'aux affections bénignes. Afin d'éviter toute atteinte vénérienne, demandez à votre partenaire d'utiliser des préservatifs (pour les couples non stables).

Cystite : inflammation des voies urinaires externes qui s'accompagne de douleurs, brûlures, envie fréquente d'uriner,

---

16. Pour plus de détails, voir, du même auteur : *La Santé au féminin* (Éditions Dangles).

218 LES HUILES ESSENTIELLES POUR VOTRE SANTÉ

souvent accompagnée d'infection à germes fécaux (colibacilles, etc.).

Consultez un aromathérapeute qui pratiquera un rééquilibrage de la flore intestinale (aromatogramme de terrain), un réglage alimentaire, et conseillera la suppression des boissons à alcaloïdes (café, thé, cacao) à remplacer — en dehors des repas — par une préparation à base d'eau peu minéralisée et d'infusion de plantes décongestionnantes et antiseptiques : bruyère (fleurs) + piloselle + orthosiphon (4 cuillères à café du mélange à parts égales pour 1 l d'eau bouillante ; infusez 15 mn et buvez dans la journée en plusieurs fois).

Aromathérapie par voie interne : baume de copaïba, H.E. de genévrier, gurjum, girofle, lavande ou santal (1 à 2 gouttes trois à quatre fois par jour de l'une ou de l'autre).

Gemmothérapie : vaccinium vitis idæa (bourgeons 1D) : 50 gouttes trois fois par jour dans un peu d'eau.

Infections gynécologiques : elles sont de plus en plus fréquentes et se manifestent par des douleurs accompagnées ou non de fièvre (bartholinite, métrite, salpingite, vaginite). Consultez un gynécologue et un aromathérapeute (l'aromatogramme est souvent indispensable pour mettre en œuvre un traitement de terrain et rééquilibrer la flore intestinale et génitale). Bien souvent, des traitements antibiotiques intempestifs ou la prise d'hormones sont responsables de ce déséquilibre. L'aromathérapie est très utile pour juguler l'infection et éviter sa diffusion aux organes voisins.

Suivant l'aromatogramme : H.E. de bois de rose, estragon, lavande, myrte, sauge ou thym doux à linalol (2 gouttes de l'une ou l'autre de ces H.E. trois à six fois par jour). Onctions sur le bas-ventre avec 10 à 20 gouttes trois à quatre fois par jour.

Leucorrhées ou **pertes blanches :** elles traduisent une inflammation et une congestion de la sphère gynécologique. Ne pas confondre avec la glaire cervicale sécrétée par le col de l'utérus, qui est parfaitement physiologique (sa consistance et sa couleur varient selon la période du cycle). Si les pertes sont anormales (très colorées, malodorantes ou très liquides) et accompagnées de fièvre et de douleurs, consultez d'urgence un gynécologue ou un aromathérapeute.

Traitement local pour les cas légers : H.E. d'achillée millefeuille, lavande, myrte diluées à 10 % dans une huile vierge (20 à 50 gouttes sur un tampon à laisser appliqué toute la nuit).

Ovaires : leur fonctionnement peut être affecté par des perturbations psychologiques, un amaigrissement ou un déséquilibre énergétique ou hormonal. Un bilan endocrinien est indispensable. Le traitement naturel comprend l'acupuncture, l'ostéopathie, l'homéopathie, la phyto-aromathérapie et la gemmothérapie. Sur conseils d'un praticien :
— *Aménorrhée :* H.E. ou T.M. de sauge sclarée, rubus idæus (bourgeons 1D).
— *Congestion :* H.E. de ciste ladanifère.
— *Régulateur :* H.E. de romarin.
— *Stimulant :* H.E. de myrte, sauge sclarée, ylang-ylang.

Règles douloureuses : elles expriment une souffrance de l'utérus par congestion ou spasme, accompagnée de tiraillements des ligaments suspenseurs et de douleurs lombaires.

Complémentation alimentaire (vitamines B6 et F, magnésium). Gemmothérapie : rubus idæus (bourgeons 1D).

Cataplasme froid d'argile verte concassée sur le bas-ventre (à laisser 1 heure le soir) ; appliquez ensuite les H.E. spécifiques, en onctions sur la zone douloureuse : basilic, estragon, lavande, lavandin, lemon-grass, mandarine, néroli, palmarosa ou persil (10 à 20 gouttes de l'une ou de l'autre ou en mélange, deux à trois fois par jour).

Seins :
— *Crevasses du mamelon :* utilisez de l'huile de rosa mosqueta en onctions douces entre les tétées.

— *Insuffisance lactée :* l'allaitement maternel est fondamental pour le développement de l'enfant et sa protection contre les infections. La jeune mère doit essayer en cas d'absence ou d'insuffisance lactée la formule suivante : aneth, anis vert, cumin ou fenouil (semences) + galega (plante) : 1 cuillère à café du mélange à parts égales pour une tasse d'eau bouillante (laisser bouillir 2 mn), trois à cinq tasses par jour.

Compléments alimentaires : bière sans alcool, levure alimentaire, aliments riches en protéines. H.E. aneth, anis, cumin, estragon (ou basilic), fenouil : 4 gouttes par jour de l'une ou de l'autre.

— *Mastoses :* ce sont des douleurs périodiques qui accompagnent le gonflement des seins. Il s'agit fréquemment d'un déséquilibre hormonal et nerveux. Le traitement nutritionnel comprend une complémentation alimentaire en vitamine B6, en acides gras insaturés (linolénique ou vit. F) et en magnésium, dans la seconde période du cycle. Le traitement local associe le cataplasme d'argile verte (à conserver 45 mn) à l'onction de la poitrine avec de l'H.E. de palmarosa ou persil (pure ou diluée à 50 % dans de l'huile de rosa mosqueta ou onagre) : 10 à 20 gouttes de chaque par application une fois par jour.

— *Seins engorgés :* formule antilaiteuse : cataplasmes d'argile blanche + jus de persil. Laisser agir 1 heure deux à trois fois par jour.

Trompes (salpingites) : à traiter sérieusement pour éviter le risque de stérilité. Consultez absolument. On peut ajouter, par voie externe, des onctions d'H.E. de bois de rose et de thym doux à linalol (10 à 20 gouttes trois à quatre fois par jour).

Utérus : dans tous les cas, faites procéder à un bilan gynécologique et ostéopathique, et suivez les conseils du thérapeute. L'application de cataplasme d'argile soulage et décongestionne. Appliquez ensuite, selon le cas :

— *Congestion :* H.E. de basilic, lentisque, palmarosa, persil, romarin (10 à 20 gouttes en mélange deux à trois fois par jour).

— *Inflammation :* H.E. de lavande et lavandin (10 à 20 gouttes deux à trois fois par jour).

— *Stérilité fonctionnelle :* faites pratiquer un bilan complet (gynécologique, endocrinien et ostéopathique) afin de déterminer la cause. Corrigez le terrain spasmodique par des H.E.

calmantes en applications sur la zone gynécologique (basilic, estragon, lavande...). Consommez magnésium + vitamines B6 et F. Supprimer impérativement tabac, café, thé...

Vaginite : sur conseil d'un aromathérapeute, H.E. de camomille + inule + lavande + persil + sauge sclarée diluées à 10 % dans de l'huile de ricin ou de noisette, sur un tampon ou en ovules (préparation pharmaceutique) ; 5 à 10 gouttes d'H.E. pour 50 à 100 gouttes d'huile grasse.

Vulvite et prurit vulvaire (démangeaisons) : pensez aux parasitoses intestinales, surtout chez la petite fille.

Traitement : bains de siège froids. Appliquez ensuite de l'huile de rosa mosqueta ou sapucainha (calmante, régénérante, antiprurigineuse) à laquelle vous aurez ajouté 5 % d'H.E. d'achillée, camomille, lavande ou géranium rosat... (consulter).

c) Problèmes spécifiques de l'homme

Consultez d'urgence un généraliste, un urologue ou un spécialiste des maladies vénériennes en cas d'écoulement suspect, de douleur ou d'éruptions dans la zone génitale. La rapidité des soins peut transformer favorablement un pronostic, même pour des affections comme la syphilis. Conseil : utilisez systématiquement les préservatifs, autant pour vous protéger que par égard pour votre partenaire (pour les couples non stables).

Impuissance : les traitements symptomatiques ne sont pas dénués d'effets secondaires (sur la tension artérielle notamment).

Les traitements naturels sont de beaucoup préférables, même si leur effet semble moins spectaculaire. H.E. de bois de rose, cannelle, carotte, céleri, gingembre, menthe, muscade, romarin, rose, santal, sarriette, ylang-ylang (1 à 2 gouttes de l'une ou de l'autre de ces H.E. ou en mélange, deux à quatre fois par jour).

Phytothérapie : berce, catuaba, cresson, éleuthérocoque, ginseng, gomphréna, guarana, muirapuama (2 gélules de l'une ou de l'autre trois fois par jour). Traitez la fatigue, le stress, la circulation sanguine. Pensez aux médicaments hypotenseurs, souvent cause de ces troubles.

Pensez à la réflexothérapie vertébrale et à la sympathico-thérapie endonasale qui peuvent agir sur la cause nerveuse en rééquilibrant le système végétatif : érection (système para-sympathique), éjaculation (système sympathique).

Orchite : consultez. En complément, application locale d'H.E. d'eucalyptus.

Prostate : ses troubles se manifestent par des difficultés à la miction.

Consultez un urologue. Dans tous les cas, faire une cure de pollen (1 cuillère à soupe le matin).
— *Prostatite :* H.E. de lavande aspic, lemon-grass, genièvre, niaouli, santal. Phytothérapie : sabal serrulata T.M. (30 gouttes trois fois par jour dans un peu d'eau ; en pharmacie). Pollen.
— *Congestion prostatique* (difficulté à uriner) : H.E. de basilic, carvi, ciste, cyprès, myrte. Phytothérapie : sabal serrulata T.M. (20 gouttes deux fois par jour) + sequoia gigantea jeunes pousses 1D (50 gouttes matin et soir) + ribes nigrum bourgeons 1D (50 gouttes trois fois par jour).
Oligo-éléments : manganèse-cobalt et nickel-cobalt.

Testicules : consulter un urologue pour tout trouble douloureux.
— *Stimulant :* H.E. de cabreuva, niaouli, sarriette, ylang-ylang, notamment dans les fatigues transitoires (1 à 2 gouttes trois fois par jour, par voie orale).

15. Affections de la peau

Se reporter au chapitre IV : *Beauté et santé du corps.* Pour les maladies chroniques et infectieuses, consultez un dermatologue ou un phytothérapeute.

Abcès chaud : accumulation localisée de pus, accompagnée de douleur et d'inflammation. Application locale d'H.E. anti-inflammatoires antalgiques et bactéricides pour freiner son expansion : baume de copaïba, camomille, ajowan, girofle, hysope, lavande, origan, sarriette, serpolet, thym (sur conseils d'un aromathérapeute).

Abcès froid (sans inflammation) : baume de copaïba, H.E. de girofle, origan, sarriette, thym (consulter un aroma-thérapeute).

Acné : H.E. de bois de rose, ajowan, benjoin, clou de giro-fle, lavande, néroli, oranger, patchouli, romarin officinal, thym doux à linalol, vétiver (dans l'acné suintante : lavande). A uti-liser en mélange avec de l'extrait de gomphréna (cicatrisant par sa richesse en allantoïne). H.G. de calophylle.

Allergies : peuvent contre-indiquer l'usage de certaines H.E. et de parfums, notamment de ceux contenant des résidus de sol-vants. Toujours traiter en même temps le terrain (foie, système sympathique, glandes cortico-surrénales). H.E. antiallergiques : gaulthérie, mais surtout l'huile de graines de rosa mosqueta (sur conseils d'un aromathérapeute). Allergie aux pansements adhé-sifs : protégez la peau par de la teinture mère de benjoin.

Ampoules : H.E. de citron, géranium ou lavande (appli-quez localement 2 à 3 gouttes).

Brûlures : appliquez immédiatement sur la partie affectée l'une des H.E. pures suivantes (ou en mélange) : achillée mille-feuille, baume de copaïba, camomille, géranium, lavande, niaouli, romarin, sauge.

Cicatrices : traitées précocement, les cicatrices chirurgica-les s'estompent rapidement grâce à des produits naturels remar-quables, utilisés depuis des siècles par les Indiens d'Amérique du Sud : huiles de rosa mosqueta et de sapucainha. Appliquez matin et soir quelques gouttes de l'une ou de l'autre, en rap-prochant les lèvres de la plaie. Après 1 ou 2 mois de traitement, la cicatrice semblera aussi discrète qu'une cicatrice de 2 années.

Cicatrisations des blessures et plaies (domaine de prédilection des H.E. et de certaines huiles végétales grasses) : baume de copaïba, baume du Pérou, baume de Tolu, H.E. de bergamote, cajeput, camomille, ciste, citron, cyprès, élémi, encens, eucalyptus, géranium, girofle, hélichryse, lavande, myrrhe, niaouli, orange, romarin, rose.

Condylome : excroissance cutanée située au niveau anogénital. Application d'H.E. de thuya pure matin et soir pendant plusieurs semaines si nécessaire (idem pour verrues).

Cors et durillons : voir traitement des *Verrues*.

Dartres : H.E. de carotte (1 à 2 gouttes pures ou diluées à 50 % dans une huile vierge).

Dermatoses (elles comprennent toutes les maladies de la peau) : baume de Tolu, baume de copaïba, H.E. de genévrier, bois de rose, carotte, lavande, géranium, gurjum, élémi, mélaleuque à feuilles alternes.

Eczéma sec : H.E. de basilic, carotte, lavande (5 à 10 % dans huile de sapucainha, rosa mosqueta ou noisette). H.G. de calophylle.

Eczéma suintant : H.E. de lavande, huile aromatique de calophylle (sur conseils d'un aromathérapeute). Baume de copaïba, teinture de benjoin, H.E. d'élémi, encens, lavande, myrrhe, niaouli.

Engelures : bains de mains et de pieds avec une décoction de céleri. Appliquez ensuite du jus de citron frais additionné de glycérine ou d'huile de rosa mosqueta. Pommade à base de centella asiatica.

Escarres : plaies atones survenant chez les personnes alitées sur les points d'appui (talons, fesses), dues à la nécrose des tissus par compression. Fréquentes chez les vieillards, les polytraumatisés.

Soins préventifs « nursing » : changez fréquemment les points d'appui (matelas *alternating* impératif), massez vigoureusement par frictions et tapotements les zones les plus fragiles plusieurs fois par jour, et maintenez une propreté rigoureuse. Massage aux glaçons afin de provoquer une réaction de vasodilatation locale.

Soins curatifs : plus facile à prévenir qu'à guérir, l'escarre nécessite des soins intensifs dès l'apparition des lésions. Aux soins classiques il est bon d'ajouter les H.E. cicatrisantes (voir ce paragraphe). Pommade à base d'extrait sec de centella asiatica. Pansements à base de gaze aux H.E. (biogaze).

Furonculose : H.E. pures de carotte + sarriette + girofle en applications locales. Vérifiez le taux de sucre dans le sang et traitez le terrain.

Gale : parasite creusant des galeries sous la peau et provoquant d'intenses démangeaisons (contagieux). Appliquez du baume de copaïba additionné de plusieurs H.E. pures : cannelle, citron, eucalyptus citronné, girofle, lavande, menthe, sarriette, térébenthine, thym, pures ou diluées à 50 % dans de l'huile grasse de sapucainha (antiparasitaire).

Infections de la peau (microbiennes et virales) : H.E. de bois de rose, carotte, cyprès, lavande, lavandin, niaouli, sarriette (diluées dans de l'huile grasse de sapucainha ou rosa mosqueta).

Inflammation de la peau : H.E. d'achillée millefeuille, armoise, baume de copaïba, camomille, géranium rosat, gurjum, lavande, palmarosa.

Mycoses (pytiriasis, pied d'athlète, candidose unguéale) : infection à champignons due à une diminution des défenses cutanées. Pensez à drainer le foie et à rééquilibrer la flore intestinale. Désinfectez vêtements et chaussures. Baume de copaïba, H.E. de géranium rosat, lavande, patchouli, sarriette, sauge (quelques gouttes matin et soir, à bien faire pénétrer).

Lichen : H.E. de bois de rose, copaïba, thym doux à linalol, sarriette (diluées à 10 % dans huile grasse de sapucainha, rosa mosqueta ou noisette).

Parasitose externe, pédiculose (poux) : H.E. de géranium, sassafras, térébenthine + poudre de pyrèthre.

Piqûres d'insectes et morsures d'animaux venimeux : contre les piqûres de moustiques, appliquez préventivement de l'H.E. de citronnelle sur la peau.

En cas de voyage dans les pays à risque (Afrique, Asie, Amérique du Sud), consommer de la vitamine B1 qui donne à la peau une odeur qui fait fuir les moustiques. Curativement : utilisez sur la zone de l'H.E. de lavande, copaïba.

Contre les insectes et serpents (curativement) : voyagez toujours avec un aspivenin afin d'extraire le venin aussi rapidement que possible. Appliquez ensuite sur la plaie de l'H.E. de lavande. Ne pas s'affoler, ne pas courir afin de ménager le cœur. Sérum antivenimeux indispensable.

Pityriasis versicolor : dermatose contagieuse causée par un champignon s'étalant par plaques sur le thorax et les membres supérieurs. Les H.E. sont particulièrement efficaces pour cette affection plus inesthétique que grave. Appliquez directement sur les lésions de l'H.E. pure de lavande vraie, ou un mélange de : bois de rose (10 %) + lavande vraie (40 %) + copaïba (40 %) + thym ou sarriette (10 %).

Il est nécessaire de persévérer longtemps comme dans le traitement de toute mycose. Traitez toute la famille et désinfectez les vêtements (sinon réinfection) ainsi que les objets de toilette, baignoire, etc. Ne pas utiliser de savons détergents, mais préférer les savons à pH neutre.

Traitez le terrain est impératif pour modifier les défenses naturelles au niveau de la peau : augmentez la ration de végétaux frais, diminuez les graisses et les sucres, supprimez les excitants, buvez une eau pure peu minéralisée...

Compléments alimentaires : vitamines A, C et E, aliments riches en calcium, magnésium, oligothérapie (cuivre, argent).

Psoriasis : essayez les bains Scapidar (formule jaune) de Salmanoff, puis appliquez localement de l'huile de rosa mosqueta ou de sapucainha + poudre de pyrèthre + teinture de benjoin + H.E. de cajeput.

Sueurs fétides : désinfectez et déodorisez avec des H.E. comme bois de rose, cyprès, lavande, palmarosa, sauge. Bien désinfecter les chaussures avec H.E. d'origan, sarriette, thym (l'odeur désagréable provient de la dégradation des sécrétions de la peau par des bactéries et champignons).

Taches de vieillesse : elles ne sont pas à négliger et de nombreux traitements sont proposés.

Plusieurs variétés coexistent :

— *Les taches pigmentaires* situées sur le dos, les mains et le visage se présentent comme des taches lisses jaune/brun de quelques millimètres de diamètre. Traitement classique : neige carbonique ou azote liquide qui brûle les cellules superficielles laissant apparaître, après cicatrisation, une peau neuve et rose.

— *La crasse sénile,* à l'aspect de verrues brunes craquelées, sera facile à traiter par un dermatologue.

Traitement naturel : la prévention du vieillissement de la peau commence dès la jeunesse. Évitez l'excès de soleil, notamment l'exposition aux heures chaudes d'été (12/16 heures), et prendre soin de protéger la peau par des crèmes et huiles filtrantes puissantes (indice de protection 8 à 12), voire écran total pour les peaux fragiles. Entretenez l'hydratation de la peau et luttez contre les radicaux libres par une hygiène alimentaire et l'application de cosmétiques naturels (voir chapitre *Lutte contre le vieillissement*).

Phytocosmétique : centella asiatica, consoude, gomphréna, souci, huile florale d'amande douce, avocat, beurre de karité, jojoba, ricin, rosa mosqueta, sapucainha...

Aromacosmétique : quelques H.E. à intégrer dans les soins de la peau vieillissante : bois de rose, camomille, carotte, céleri, copaïba, lavande, néroli, petit grain, bigarade...

Transpiration excessive : traitez le système nerveux parasympathique et sympathique. Applications locales des H.E. pures de basilic, cyprès, géranium, lavande, néroli, palmarosa, sauge. Traitez surtout le terrain. Par voie interne : estragon, 4 gouttes par jour.

Verrues : H.E. de thuya (1 à 2 gouttes en application locale pendant plusieurs semaines si nécessaire). Pensez à combler une éventuelle carence en magnésium. Remèdes traditionnels :

— Appliquez deux à trois fois par jour du jus frais de chélidoine sur la verrue, pendant 3 semaines (commune dans les rocailles et talus).

— A défaut, vous pouvez appliquer pendant la nuit une rondelle d'ail frais de la taille de la verrue. Attention à ne pas déborder, car vous brûleriez aussi la peau saine. Laissez en place toute la nuit et répétez l'opération plusieurs nuits de suite, jusqu'à destruction de la verrue.

— Il existe en pharmacie des produits associant thuya + chélidoine.

Vitiligo : dépigmentation en plaques de la peau à tendance expansive d'origine mal élucidée. On retrouve souvent un stress intense comme point de départ (émotion, contrariété, choc affectif, accident), comme dans certaines alopécies sévères (pertes des cheveux et des poils).

Le traitement du vitiligo repose sur l'utilisation d'H.E. photosensibilisantes (riches en furocoumarines) telles que ammi et bergamote : applications locales sur les zones dépigmentées avant exposition très progressive au soleil. Le traitement est à effectuer sous surveillance médicale.

16. Tumeurs bénignes et cancers

Les maladies tumorales se subdivisent en maladies bénignes (kystes bénins, fibromes, verrues, papillomes) et en maladies malignes où la prolifération de cellules anarchiques échappe au contrôle de notre système immunitaire. Le traitement des problèmes cancéreux n'entre pas dans le cadre de cet ouvrage.

Néanmoins, il faut savoir que dans le monde de nombreux scientifiques procèdent, souvent avec peu de moyens, à des recherches fondamentales sur l'origine des cancers et leur traitement par des moyens naturels. Nous ne pouvons que déplorer le manque d'empressement à appliquer dès aujourd'hui les traitements traditionnels dénués de nocivité et utilisés depuis des siècles par les « médecins-aux-pieds-nus » indiens qui détiennent le savoir ancestral. J'ai pu, lors de mes voyages en Amérique du Sud, constater auprès de mes amis universitaires l'avancement de la recherche scientifique et vérifier l'intérêt de nombreuses plantes encore ignorées en Europe dans certains types de cancers : ipê-roxo (lapacho), gomphréna et de nombreuses autres...

De l'avis général des scientifiques indépendants, le problème du cancer ne sera résolu que par la convergence de tout un faisceau de mesures générales au niveau de la planète et de thérapeutiques naturelles et allopathiques qui viseront à soigner conjointement l'homme et l'environnement.

Les mesures antitumorales consistent à :

— **Soigner notre environnement** qui est la source de la quasi-totalité des maladies nouvelles.

— **Lutter contre toutes les pollutions cancérogènes** dans l'atmosphère, l'eau, les aliments et les substances chimiques que nous utilisons dans la vie quotidienne, les rayonnements nocifs...

— **Renforcer les défenses immunitaires** et éliminer les sources de stress, notamment par une alimentation vitalisante et un entretien physique régulier ; effectuer des bilans de dépistage systématiques.

— **Réénergétiser l'organisme** tout entier, rééduquer les cellules anarchiques et les repolariser électriquement par divers moyens naturels (champs magnétiques pulsés, moxas, huiles essentielles).

— **Lutter contre les radicaux libres** par l'utilisation d'oligo-éléments comme le sélénium, germanium, de vitamines A, E, C et F (acides gras essentiels).

— **Renforcer le mental** (volonté de guérir, pensée positive, visualisation de la guérison) et la spiritualité (prière, méditation) afin de s'élever au-delà des contingences matérielles.

La prévention est, dans ce domaine, primordiale. Éliminer chaque jour les cellules tarées et anormales de notre organisme ne peut s'effectuer que si nos mécanismes de défenses fonctionnent parfaitement, dans leurs axes. C'est le rôle d'une alimentation saine, biologique, d'une vie équilibrée et sans stress, situation aujourd'hui bien utopique pour un grand nombre d'humains.

Le rôle des huiles essentielles : certaines H.E. peuvent contribuer à augmenter les immunités et éliminer des cellules anormales. Elles devront être déterminées par le praticien aromathérapeute suivant les examens de laboratoire. Exemples : armoise, ciste, girofle, inule, marrube, niaouli, patchouli, verveine. Les plantes médicinales anticancer contiennent souvent des substances dangereuses (alcaloïdes) et doivent être prescrites par un praticien spécialisé : aloès, gui, petite pervenche...

Radioprotection aromatique : quand des soins de radiothérapie sont nécessaires, la peau peut être protégée par l'application d'H.E. de niaouli sur les zones traitées. Cette H.E. atténue les effets de brûlure au niveau de l'épiderme. Pratiquer des onctions d'H.E. pure avant les séances d'irradiation. Après la séance appliquer un des mélanges suivants : H.E. de niaouli (50 %) + huile de millepertuis (50 %) ou H.E. de niaouli (50 %) + huile de rosa mosqueta (50 %).

TROISIÈME PARTIE

Répertoire des plantes aromatiques

Mode d'emploi du répertoire :

Chaque plante est décrite à la lumière des connaissances actuelles et de leur intérêt. Vous trouverez une description succincte des plantes aromatiques dont l'usage est conseillé pour la cuisine, la parfumerie, la cosmétique, l'hygiène et la thérapeutique. Souvent, la même plante peut être utilisée indifféremment à plusieurs fins, en condiment, en tisane ou en H.E. à visée thérapeutique.

Les plantes étudiées à usage exclusivement curatif ne doivent être utilisées que sur les conseils d'un praticien aromathérapeute.

Rappel :

Pour l'absorption par voie interne :

1. **Toujours diluer l'H.E.** dans un solvant ou un dispersant naturel.

2. **Ne pas dépasser les doses admissibles :**

— *Hygiène et prévention :* 1 à 2 gouttes par jour sont des quantités raisonnables pour les H.E. ne contenant pas de phénols irritants.

— *Traitement préventif ou curatif :* 1 goutte par tranche de 10 kg corporel. Pas de traitement prolongé sans le conseil d'un aromathérapeute pour les H.E. à phénols ou à cétones.

3. **Pour les enfants :** pas d'H.E. par voie orale. Utiliser de préférence les hydrosols aromatiques ou sur conseil d'un praticien les arômels (1 goutte par cuillerée à café de miel).

Ache *(Apium graveolens)* (Ombellifères ou Apiacées)

Autres noms : céleri sauvage, ache des marais.

Origine : connue et utilisée depuis la haute Antiquité, elle fait partie des plantes médicinales citées dans *l'Odyssée*. Sa culture devait donner naissance à deux variétés de légumes : céleri-rave et céleri en branches.

Parties utilisées : racine, tige, feuilles.

Propriétés, indications : diurétique ; indiquée dans albuminurie, problèmes liés à la lithiase rénale, à la rétention d'eau et dans certaines douleurs rhumatismales (sirop des cinq racines).

Achillée millefeuille *(Achillea millefolium)* (Composées ou Astéracées)

Autres noms : herbe aux charpentiers, herbe de Saint-Jean.

Origine : très commune dans les régions tempérées. Connue depuis la plus lointaine Antiquité, cette plante doit son nom au héros grec Achille qui l'utilisa pour soigner en pleine bataille un roi blessé. Le fin découpage de ses feuilles lui vaut le nom secondaire de « millefeuille ». C'est avec des baguettes de tiges d'achillée que les devins chinois établissaient l'oracle du Yi king.

Partie utilisée : sommités fleuries.

Propriétés, indications : antiseptique, anti-inflammatoire, astringente (peau, hémorroïdes), hémostatique (coupures, après rasage), antispasmodique (spasmes et congestion de l'utérus), cicatrisante (peau, plaies), antiallergique.

Conseils d'utilisation : tisanes de plante sèche, cataplasmes.

H.E. : inhalation en aérosols (antiallergique), application locale en hydrosols ou liposols (acné, cellulite).

Acore odorant ou calamus *(Acorus calamus)* (Aracées)

Autres noms : roseau ou canne aromatique, jonc odorant.
Origine : Asie (Japon, Inde).
Acclimaté en Europe, se trouve dans les régions humides.
Partie utilisée : rhizome.
Propriétés, indications : diurétique, draineur rénal, stimulant du système digestif (apéritif, carminatif, stomachique), sudorifique.
Conseils d'utilisation : peut être consommé confit ou en tisanes (1 tasse après les repas).
H.E. : 1 à 2 gouttes deux à trois fois par jour.

Ail *(Allium sativum)* (Liliacées)

Autres noms : chapon, perdrix, rocambole, thériaque du pauvre.
Origine : les aulx sont communs dans les régions tempérées d'Asie centrale et répandus en Europe depuis la plus haute Antiquité.
Véritable panacée pour certains, remède stimulant pour d'autres, préventif des épidémies de peste, l'ail n'a jamais failli à sa réputation de remède universel. Son odeur forte et rustique l'a quelque peu fait délaisser par une grande partie de la population.
Les masques à long bec des médecins du Moyen Age étaient remplis d'ail, ce qui les protégeait des effluves microbiennes lors des épidémies.
Partie utilisée : bulbe divisé en gousses.
Propriétés, indications : fait baisser la tension, dilate les petits vaisseaux (action bénéfique dans l'artériosclérose), diminue le taux de cholestérol, préventif des maladies cardiovasculaires (évite la formation de caillots), antidiabétique, antiseptique particulièrement efficace dans les mycoses (candida), vermifuge. Traitement des cors et verrues en applications locales.

Utilisations alimentaires : les gousses sont à utiliser largement dans les salades, potages, légumes, viandes... L'ail doit figurer dans toutes vos salades ; allié au persil et au citron, il vous protège des infections, maintient un sang pur, des artères souples et un bon tonus.

Pour atténuer l'odeur de l'ail, mastiquez quelques graines d'anis, de cardamome ou des feuilles de menthe ou de persil.

Conseils d'utilisation de l'H.E. :

— Voie interne : 1 goutte très diluée dans un solvant naturel deux à trois fois par jour (prudence chez les sujets à l'estomac fragile).

Parasitoses (ascaris, oxyures, ténia) : tartines frottées à l'ail ou décoction (le soir, préparez 2 gousses râpées dans une tasse de lait, faites bouillir, laissez macérer toute la nuit et buvez le matin à jeun). Persévérez jusqu'à expulsion des vers. Complétez par des lavements : 5 gouttes d'H.E. diluées dans 200 gouttes d'huile d'olive.

— Voie externe : en application dans le traitement des cors, durillons, verrues, pansements avec une rondelle d'ail frais.

Ajowan *(Carum copticum)* (Ombellifères ou Apiacées)

Origine : Asie, cultivé en Europe.

Partie utilisée : fruit.

Propriétés, indications : pouvoir antiseptique puissant, similaire à celui de l'origan et de la sarriette.

Utilisation : comme l'origan et le thym fort, avec prudence.

— H.E. en usage interne à utiliser très diluée comme l'origan et le thym (causticité vis-à-vis des muqueuses) : 1 à 2 gouttes trois à quatre fois par jour.

— H.E. en usage externe : applications locales dans les infections de la peau (abcès, acné) ; tamponnez doucement les lésions avec un Coton-Tige imbibé d'1 à 2 gouttes d'H.E. deux à trois fois par jour.

Ne pas déborder sur la peau saine.

Ammi *(Ammi majus)* (Ombellifères ou Apiacées)

Origine : pourtour de la Méditerranée. Cousine germaine du khella égyptien.
Partie utilisée : graines.
Propriétés, indications : action identique à celle de la bergamote + accélération du brunissement de la peau. Son usage se limite au traitement du vitiligo (consultez un aromathérapeute).
H.E. en application locale sur les zones atteintes avant exposition aux ultraviolets.

Ammi visnaga : voir *Khella.*

Aneth *(Anethum graveolens)* (Ombellifères ou Apiacées)

Autres noms : fenouil bâtard, fenouil puant, faux anis.
Origine : Asie Mineure.
Acclimaté dans le sud de l'Europe.
Partie utilisée : graines.
Propriétés, indications : digestive, évacue les flatulences.
Conseils d'utilisation : en infusion après les repas (1/2 cuillère à café par tasse ; laissez infuser 10 à 15 mn).
H.E. : 1 à 2 gouttes après les repas.

Angélique archangélique *(Angelica archangelica)* (Ombellifères ou Apiacées)

Autres noms : herbe aux anges, herbe du Saint-Esprit.
Origine : Europe.
Elle doit son nom à l'archange Raphaël qui l'aurait indiquée aux hommes comme remède miraculeux. Sa cousine, l'angélique sylvestre, plus petite et moins aromatique, se trouve dans les régions montagneuses.
Parties utilisées : fruits, tige, feuilles.

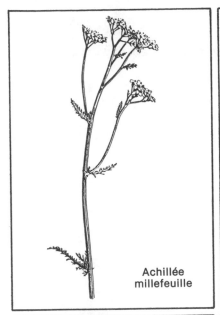

Achillée
millefeuille

Aneth

Angélique
archangélique

Basilic

Conseils d'utilisation de l'H.E. :

— Voie interne : calme le sympathique, digestive, élimine les flatulences (1 à 2 gouttes d'H.E. avant les deux repas), diarrhées.

— Voie externe : en onctions locales sur les articulations dans les rhumatismes inflammatoires ; elle possède de plus une action antidouleur.

Attention à ne pas exposer au soleil les zones traitées (photosensibilisation).

Anis étoilé : voir *Badiane.*

Anis vert *(Pimpinella anisum)* (Ombellifères ou Apiacées)

Origine : bassin méditerranéen, principalement Égypte, Moyen-Orient.

Partie utilisée : graines.

Propriétés, indications : facilite la digestion et évacue les flatulences, épileptisante à haute dose. Ses vertus sont vantées avec juste raison depuis l'Antiquité pour toutes sortes de troubles digestifs et comme aphrodisiaque.

Conseils d'utilisation : décoction de graines dans les troubles digestifs, flatulences et ballonnements. Utilisé comme aromatisant naturel.

H.E. : 1 à 2 gouttes avant ou après les repas ou quelques gouttes de la formule ci-dessous :

Formule de l'anisette : faites macérer dans 1 litre d'alcool à 85° après les avoir broyés : 1 g de cannelle + 10 g de zeste de citron + 15 g de graines de coriandre + 30 g de graines d'anis vert (laissez macérer 3 semaines en secouant chaque jour ; filtrez).

Si vous préférez utiliser les H.E. : 300 gouttes d'H.E. d'anis vert + 15 gouttes de cannelle + 15 gouttes de citron + 100 g d'eau pure ; complétez avec de l'alcool à 85° pour 1 litre (usage modéré dilué dans 5 à 10 fois son volume d'eau).

Armoise arborescente *(Artemisia arborescens)* (Composées ou Astéracées)

Parties utilisées : fleurs et sommités fleuries.

Propriétés, indications : antiallergique, antihistaminique et anti-inflammatoire (particulièrement indiquée dans l'asthme, le rhume des foins), calmante du système nerveux parasympathique, décongestionnant veineux.

Conseils d'utilisation de l'H.E. :

— Voie interne : 1 à 2 gouttes d'H.E. dans du miel, du sirop d'érable ou dans une gélule de charbon végétal de peuplier. Pour l'asthme, consultez un aromathérapeute.

— Voie externe : massage des jambes dans le sens bas/haut avec le mélange H.E. de cyprès + lentisque.

Armoise vulgaire *(Artemisia vulgaris)* (Composées ou Astéracées)

Autres noms : herbe de la Saint-Jean, herbe de feu.

Origine : doit son nom à la déesse Artémis ce qui symbolise son action spécifique aux problèmes féminins. Très commune en Europe. La variété chinoise est employée pour la confection des moxas utilisés en acupuncture pour chauffer par incandescence certains points et donner de l'énergie sous forme calorique. Stimule les défenses naturelles.

Parties utilisées : feuilles, sommités fleuries.

Propriétés, indications : facilite les règles, antispasmodique, vermifuge. Indiquée dans les troubles des règles, l'aménorrhée.

Utilisation : de préférence en tisane (2 à 3 tasses par jour). Vente réglementée pour ce qui concerne l'H.E. (contient de la thuyone).

Baccharis *(Baccharis trimera)* (Composées ou Astéracées)

Autre nom : carqueja.

Origine : Brésil.

Parties utilisées : feuilles, plante entière.

Propriétés, indications : dépuratif, possède une action favorable sur l'équilibre corporel, notamment au niveau de la régulation du poids et de l'élimination des graisses. Aide à l'élimination des résidus toxiniques par les voies urinaires et soulage ainsi le travail du foie et du cœur. Active les processus digestifs, la circulation du sang, lutte activement contre la constipation, la bouche amère (qui traduit un encombrement hépato-digestif). Antidiabétique.

Conseils d'utilisation : poudre de plante totale en cure de drainage, ou tisane (2 à 3 tasses par jour).

— H.E. par voie interne : 1 à 2 gouttes deux à trois fois par jour.

— H.E. par voie externe : en massage dans la cellulite et les troubles circulatoires des membres inférieurs.

Badiane ou **anis étoilé** *(Illicium verum)* (Magnioliacées)

Origine : Chine du Sud et Viêt-nam.

Partie utilisée : fruit en forme d'étoile.

Propriétés : l'H.E. est toxique pour les nerfs à hautes doses. A faibles doses, elle est utile dans les problèmes digestifs (digestions lentes, ballonnements, tendance diarrhéique). Utilisez sur conseil d'un aromathérapeute.

Utilisation de l'H.E. : 1 à 2 gouttes avant ou après les repas.

Basilic *(Ocimum basilicum)* (Labiées ou Lamiacées)

Autres noms : balicot, herbe royale.

Origine : Indes où il est consacré à Krishna et utilisé depuis des millénaires. Cultivé dans la région méditerranéenne sous le nom de « pistou ».

Principales variétés utilisées : basilic tropical, basilic à feuilles de laitue.

Parties utilisées : feuilles, sommités fleuries.

Propriétés, indications : régularise le système neuro-végétatif, antispasmodique, stimulant, digestif, antiviral. Conseillé dans gastrites, aérophagie, lenteur digestive, hépatite virale, maladies infectieuses tropicales, mal des transports.

Conseils d'utilisation :

— Voie interne : 1 à 2 gouttes d'H.E. avant ou après les principaux repas.

— Voie externe : H.E. en application sur le plexus solaire dans les spasmes digestifs (spasmes de l'estomac, de la vésicule biliaire et du sphincter d'Oddi), l'aérophagie, les irritations cutanées.

— Plante fraîche : feuilles à utiliser comme condiment dans les soupes, salades et viandes.

Baume du Canada *(Abies balsamea)* (Conifères ou Abiétacées)

Autre nom : sapin baumier.

Partie utilisée : on utilise le baume obtenu par incision de l'écorce.

Propriétés (similaires à pin maritime) : antiseptique, cicatrisant, utile dans les affections respiratoires et urinaires.

Conseils d'utilisation :

— Voie interne : 2 gouttes d'H.E. trois à quatre fois par jour.

— Voie externe : H.E. en application sur les plaies et en larges onctions sur la poitrine dans les infections pulmonaires.

Baume de copaïba : voir *Copahier.*

Baume du Pérou *(Myroxylon pereirae)* (Légumineuses)

Origine : n'est pas, contrairement à son nom, originaire du Pérou mais de San Salvador.

Parties utilisées : oléorésine ou baume.

Propriétés, indications : antiseptique cutané urinaire et bronchique, cicatrisant, utilisé dans certaines maladies de la peau, antirhumatismal et antidouleur.

Conseils d'utilisation : en application externe deux à trois fois par jour.

Baume de Tolu *(Myroxylon toluiferum)* (Légumineuses)

Origine : Colombie.

Parties utilisées : oléorésine ou baume d'odeur vanillée.

Propriétés, indications : balsamique et expectorant, facilite l'évacuation des mucosités bronchiques (bronchites, emphysème, tuberculose). Antiseptique et anti-inflammatoire urinaire (cystites, prostatites, urétrites).

Conseils d'utilisation : par voie interne, 2 à 3 gouttes trois à quatre fois par jour.

Bay *(Pimenta acris)* (Myrtacées)

Origine : Antilles, Amérique centrale.

Parties utilisées : feuilles et fruits.

Propriétés, indications : antiseptique des voies respiratoires, tonique et stimulante, ralentit la chute des cheveux.

Conseils d'utilisation :

— Voie interne : 1 à 2 gouttes d'H.E. deux à trois fois par jour.

— Voie externe (à intégrer dans une lotion tonique capillaire) : 10 gouttes d'H.E. pour un flacon de 100 ml et dans votre shampooing.

Benjoin officinal *(Styrax tonkinensis)* (Styracacées)

Origine : Malaisie, Thaïlande, Viêt-nam.

Partie utilisée : baume d'odeur vanillée.

Propriétés, indications : antiseptique pulmonaire mais surtout cicatrisant et protecteur de la peau. Employer la teinture de benjoin comme un vernis pour protéger la peau des allergies aux pansements chirurgicaux et dans les escarres.

Conseils d'utilisation externe : T.M. en application sur la peau avant de poser un bandage élastique adhésif (entorse). A essayer dans les soins de la peau (acné, couperose, psoriasis).

Bergamote *(Citrus bergamia)* (Rutacées)

Origine : hybride cultivé en Italie (Calabre).
Partie utilisée : zeste.
Propriétés, indications : en dehors de son rôle brunissant de la peau (par photosensibilisation), l'H.E. est anti-infectieuse, cicatrisante, parasiticide ; elle favorise la digestion et recharge en énergie le système nerveux central.
Conseils d'utilisation (applications cutanées) : l'H.E. diluée à 10 % dans de l'huile de jojoba accélère le bronzage. Utilisée en parfumerie. Évitez de vous exposer au soleil après application (sauf avis médical dans le psoriasis et le vitiligo).

Bigaradier *(Citrus aurantium,* variété amère*)* (Rutacées)

Origine : Asie du Sud-Est. Cultivé en Afrique du Nord, Sicile et Amérique du Sud.
Parties utilisées : zeste des fruits qui entrent dans la composition de liqueurs. Fleurs (voir *Néroli*) et feuilles (voir *Petit grain*).
Indications : antispasmodique et calmant nerveux.

Bois de rose *(Aniba rosaeodora)* (Lauracées)

Origine : Brésil sauvage (Amazonie), Guyane.
Parties utilisées : bois, feuilles.
Propriétés, indications (liées à la totalité de ses composants qui agissent de façon synergétique) : tonique, antiseptique, astringent, cicatrisant. A conseiller dans les angines, les problèmes de peau, la fatigue générale et sexuelle.

Conseils d'utilisation : 2 gouttes d'H.E. pures ou diluées deux à six fois par jour.

En cas d'angine : 6 à 12 gouttes d'H.E. par jour pendant 4 à 6 jours avec une H.E. puissante de type thym noir, ajowan, origan compact ou sarriette des montagnes.

Boldo *(Peumus boldus)* (Monimiacées)

Origine : arbuste toujours vert, originaire des versants montagneux ensoleillés du Chili.

Partie utilisée : feuilles.

Propriétés, indications : la feuille utilisée en tisanes ou gélules favorise la sécrétion de la bile par la cellule hépatique et son écoulement au niveau de la vésicule biliaire.

Conseils d'utilisation : l'H.E. est légèrement toxique, mais peut être utilisée sans problème par :

— Voie interne : dans les parasitoses de l'adulte, ne pas dépasser 4 gouttes par jour pendant 6 à 8 jours. De nombreuses spécialités pharmaceutiques en contiennent.

— Voie externe : comme antidouleur, antimicrobien et antiparasitaire.

Bornéol *(Dryobalanops camphora)* (Guttifères)

Autres noms : camphre de Bornéo, camphre droit.

Origine : Bornéo, Sumatra. Ne pas confondre avec le camphrier du Japon.

Partie utilisée : le bornéol, liquide ou cristallisé (suivant l'âge de l'arbre), qui exsude du tronc de l'arbre.

Propriétés, indications : considéré pendant des siècles comme une panacée, il est encore très utilisé en Orient (Chine, Inde). En Europe il est remplacé par le camphre qui entre dans la composition de nombreux remèdes allopathiques. En médecine naturelle on préférera le bornéol qui est dépourvu de toute toxicité. Antiseptique, tonique du système sympathique et des surrénales.

L'odeur « camphrée » de nombreuses plantes est due à la présence du bornéol (gingembre, lavande, marjolaine, romarin, sauge, thym...).

Conseils d'utilisation :

— Usage externe : massage de la colonne vertébrale ou des plexus, mélangez 20 % d'H.E. à de l'alcool ou de l'huile (liniment tonique).

— Inhalations : en mélange avec H.E. de cajeput, eucalyptus, hysope, niaouli, ravensare...

Bouleau jaune *(Betula alleghanensis)* (Bétulacées)

Origine : Amérique du Nord. Attention à ne pas confondre avec bouleau noir (à odeur goudronnée) contre-indiqué pour absorption interne (risque cancérigène).

Parties utilisées : écorce, bois.

Propriétés, indications : antirhumatismale, anti-inflammatoire, antidouleur, dépurative, diurétique, l'H.E. est particulièrement indiquée dans les affections urinaires, arthritiques, la goutte, les rétentions d'eau, la pléthore qui s'accompagne d'un excès de cholestérol, d'urée et de sucre sanguins. Cicatrisante, elle peut être utilisée dans les ulcères.

Conseils d'utilisation : H.E. en application externe dans les douleurs rhumatismales.

*
* *

N.B. : la sève du bouleau blanc est un excellent diurétique antirhumatismal. En prendre 50 gouttes dans un peu d'eau, trois fois par jour.

Cabreuva *(Myrocarpus frondosus* et *Myrocarpus fastigiatus)* (Papilionacées)

Origine : Amérique du Sud (Argentine, Brésil).

Partie utilisée : bois.

Propriétés, indications : H.E. à odeur de cèdre riche en nérolidol (80 %) et farnésol. Énergétisante, tonique, stimulante, anti-infectieuse, aphrodisiaque.

Conseils d'utilisation de l'H.E. :

— Voie interne : 2 gouttes trois à quatre fois par jour.

— Voie externe : application pure ou en mélange, par massage le long de la colonne vertébrale.

Cajeput *(Melaleuca leucadendron)* (Myrtacées)

Origine : Indonésie, Australie, proche du niaouli.

Partie utilisée : feuilles.

Propriétés, indications : antiseptique intestinal (entérite), nasal, pulmonaire (bronchite), urinaire (cystite, colibacillose). En usage interne, l'H.E. est conseillée dans les rhumatismes, les douleurs et certaines affections de la peau (pityriasis, psoriasis).

Conseils d'utilisation de l'H.E. :

— Voie interne : 1 à 2 gouttes trois à quatre fois par jour.

— Voie externe : 10 à 20 gouttes pures ou en mélanges synergiques.

Calament *(Calamintha officinalis)* (Labiées ou Lamiacées)

Autres noms : pouliot de montagne, baume sauvage.

Origine : montagnes calcaires d'Europe et d'Orient.

Partie utilisée : tige fleurie à odeur de menthe et de mélisse.

Propriétés, indications : tonique, stomachique et antispasmodique, elle est utilisée depuis l'Antiquité contre les spasmes d'origine neurovégétative (douleurs abdominales), l'aérophagie, les troubles digestifs.

Conseils d'utilisation : infusion après les repas (1 cuillerée à café par tasse).

Calamus : voir *Acore odorant.*

Calophylle *(Calophyllum inophyllum)* (Guttifères)

Origine : régions tropicales (Indochine).

Partie utilisée : fruit contenant une huile grasse aromatique (H.G.A.).

Propriétés, indications : baume aromatique cicatrisant, anti-inflammatoire, antiviral, fluidifiant sanguin, protecteur vasculaire.

Conseils d'utilisation : soins de la peau.

Peut être utilisée pure en onctions dans certaines affections cutanées (eczéma, acné) et dans les fragilités capillaires (tendance à faire facilement des bleus), les varicosités, les pétéchies.

En synergie avec des H.F. antivirales pour le zona, anti-inflammatoires et anti-infectieuses dans les gingivites et stomatites.

Camomille allemande *(Matricaria chamomilla, Matricaria recutita)* (Composées ou Astéracées)

Autres noms : petite camomille, œil-du-soleil, matricaire.

Origine : Europe. Très utilisée en Allemagne.

Partie utilisée : capitules.

Propriétés, indications : anti-inflammatoire, antidouleur, cicatrisante, antispasmodique, antiseptique, favorise les règles, vermifuge. Fait blondir les cheveux.

Conseils d'utilisation :

— Voie interne : en infusion (1 cuillerée à soupe par tasse deux à trois fois par jour loin des repas dans les règles difficiles, parasitoses intestinales) ou en H.E. (1 à 2 gouttes deux à trois fois par jour).

— Voie externe : massage sur les régions douloureuses (voir formule dans *Camomille romaine*).

— Cheveux : ajoutez quelques gouttes d'H.E. dans votre shampooing pour blondir vos cheveux, ou faites après le shampooing une application d'infusion.

*
* *

N.B. : la **Grande camomille** *(Chrysanthemum parthenium)* est souvent confondue avec la camomille allemande. Elle s'en différencie par ses feuilles découpées en larges lobes (voir dessin). Ses indications sont identiques à celles de la **Petite camomille.**

A essayer dans les maux de tête, céphalées et migraines.

Infusion : 1 cuillerée à café par tasse d'eau bouillante ; laissez infuser 15 mn (2 à 4 tasses par jour) ou 4 à 6 gélules de poudre.

Camomille romaine *(Anthemis nobilis, Chamaemelum, Chamomilla)* (Composées ou Astéracées)

Autres noms : camomille noble, camomille odorante.

Origine : Europe (surtout Anjou, France). C'est le genre le plus utilisé pour l'extraction de l'H.E.

Partie utilisée : capitules.

Propriétés, indications : anti-inflammatoire, cicatrisante, antiseptique, antispasmodique.

Conseils d'utilisation :

— Voie interne : deux à trois tasses de tisane par jour.

— Voie externe : l'hydrosol de camomille est conseillé dans les affections oculaires inflammatoires, les irritations de la peau (après rasage), en onctions dans les douleurs rhumatismales mélangé à des synergiques.

Formule à appliquer sur les articulations douloureuses : 15 ml de baume de copaïba + 4 ml d'H.E. de bouleau jaune + 1 ml d'H.E. de camomille.

Camphre *(Cinnamomum camphora)* (Lauracées)

Origine : Chine, Japon.

Partie utilisée : le bois dont est extrait le camphre.

Propriétés, indications : utilisé à des fins médicinales comme tonique, stimulant des voies respiratoires, asthme, dyspnées (difficultés respiratoires), dans les faiblesses cardia-

Grande
camomille

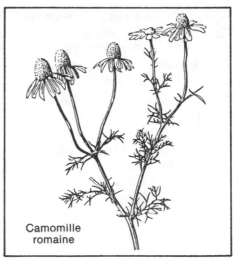

Camomille
romaine

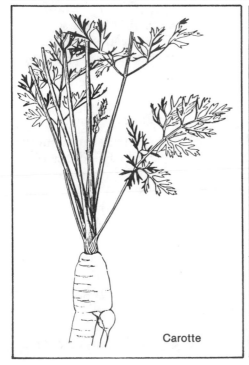

Carotte

Ciboulette

ques, syncopes, état de choc (traitement d'urgence médicale par injection intraveineuse).

Conseils d'utilisation : prudence car il est toxique à haute dose (présence de cétones).

— Voie interne : aérosols dans l'asthme et les troubles dyspnéiques, en mélange avec des H.E. synergiques : achillée, ammi visnaga (khella), armoise arborescente, cajeput, eucalyptus radiata...

— Voie externe : H.E. en friction le long de la colonne et sur la poitrine diluée à 10 % dans de l'alcool ou de l'huile de tournesol ou d'olive.

Cannelier de Ceylan *(Cinnamomum zeylanicum)* (Lauracées)

Origine : Ceylan. Une espèce voisine *(Cinnamomum cassia)* se trouve en Amérique du Sud. Remarquable antiseptique polyvalent, son H.E. détruit les germes pathogènes (colibacille, streptocoque, staphylocoque) dans 98 % des cas (voir *Aromatogramme*).

Parties utilisées : feuilles, écorce.

Propriétés, indications : antiseptique et antibiotique majeur, efficace dans la plupart des infections intestinales et urinaires et dans les maladies tropicales (amibiases). Tonique puissant du système nerveux sympathique, l'H.E. peut se révéler utile dans certaines dépressions, l'hypotension et les troubles sexuels masculins (utilisée à petites doses : 1 goutte diluée dans 10 gouttes de solvant, huile ou dispersant).

Conseils d'utilisation :

— Voie interne : toujours diluer l'H.E. (1 goutte pour 4 gouttes d'huile grasse : tournesol, olive, amande douce), puis intégrez le mélange dans 1 gélule de charbon végétal ou d'argile blanche. (Attention aux muqueuses fragiles. L'H.E. extraite des feuilles est moins agressive que celle extraite de l'écorce.)

— Voie externe : H.E. en massage le long de la colonne vertébrale diluée dans de l'huile grasse (voir *Formules d'huiles de massage*).

Recommandation : déconseillée chez les enfants de moins de 7 ans.

Variété : **cannelle de Chine** *(Cinnamomum cassia),* utile dans les affections dentaires (pyorrhées, gingivites).

Cardamome *(Elettaria cardamomum)* (Zingibéracées)

Origine : Indes et Sri Lanka.
Parties utilisées : feuilles et fruits.
Propriétés, indications : antiseptique, antispasmodique, apéritive, stimule la digestion, évacue les flatulences, rafraîchit l'haleine.
Conseils d'utilisation : surtout culinaire.
H.E. : 1 goutte avant les repas. Entre dans les formules de complexes relaxants.

Carotte *(Daucus carota)* (Ombellifères ou Apiacées)

Origine : plante potagère cultivée en Europe. La variété sauvage est utilisée pour la récolte des graines.
Parties utilisées : graines qui contiennent les H.E. Racine comestible riche en carotène (provitamine A).
Propriétés, indications : l'H.E. est dépurative pour le foie et les reins. Elle élimine les toxines, fait baisser le taux de cholestérol, régénère le foie après une infection virale, rééquilibre le système nerveux vago-sympathique intestinal. Aphrodisiaque. Utilisée dans les convalescences posthépatite, le diabète et certaines maladies de peau.
Conseils d'utilisation de l'H.E. :
— Voie interne : 2 à 3 gouttes deux à trois fois par jour avant les repas.
— Voie externe : entre dans la composition de certains complexes antirides, régénérants de la peau.
Conseils d'utilisation de la racine : en jus dans les inflammations de l'appareil digestif, constipations et diarrhées, colites, fissures anales...

Carvi *(Carum carvi)* (Ombellifères ou Apiacées)

Origine : Europe centrale et du Nord (fruit très aromatique anisé, souvent confondu avec le cumin).
Propriétés, indications : apéritif, digestif, favorise l'élimination des spasmes, des gaz et des parasites, aérophagie.
Conseils d'utilisation : cuisine, tisane.
H.E. à faible dose (2 à 3 gouttes par jour).

Cédrat *(Citrus medica)* (Rutacées)

Origine : énorme citron originaire d'Asie. L'odeur de l'écorce évoque celle du cèdre.
Conseils d'utilisation : écorce confite, pulpe pour confectionner des limonades.
H.E. : odeur comparable au citron, employée comme aromatisant.

Cèdre de l'Atlantique et du Liban *(Cedrus atlantica et Cedrus libani)* (Conifères ou Abiétacées)

A ne pas confondre avec le cèdre de Virginie qui est un genévrier.
Origine : Moyen-Orient, Afrique du Nord.
Parties utilisées : feuilles, bois.
Propriétés, indications : H.E. antiseptique, circulatoire lymphatique, tonique. Utilisée dans les problèmes de peau, du cuir chevelu, de déficit de la circulation lymphatique (en massage drainant), cellulite.
Conseils d'utilisation : H.E. en mélange synergique pour tonifier le cuir chevelu (lotion, shampooing). En massage pour favoriser la circulation lymphatique.

Céleri *(Apium graveolens)* (Ombellifères ou Apiacées)

Autre nom : variété cultivée de l'ache sauvage.

Origine : Europe.

Parties utilisées : tige, racine, feuilles, semences.

Propriétés, indications : utilisé depuis l'Antiquité comme diurétique. Tonique nerveux, évacue les flatulences, aphrodisiaque, soins de la peau.

Conseils d'utilisation :

— Culinaire : salades et légume cuit. Diurétique.

— Tisane : 1 cuillerée à soupe de feuilles fraîches pour 1 tasse d'eau bouillante ; 3 à 4 tasses par jour (rétentions urinaires, lithiases).

— Thérapeutique : remarquable contre les engelures. Faire bouillir 250 g de tiges et morceaux de céleri-rave dans 1 l d'eau pendant 1/4 d'heure. Prendre des bains avec cette décoction le soir pendant 30 mn.

H.E. : 1 à 2 gouttes trois à quatre fois par jour.

Cerfeuil *(Anthriscus cerefolium)* (Ombellifères ou Apiacées)

Origine : sauvage dans l'Europe du Sud-Est ; la variété cultivée est commune en Europe.

Partie utilisée : feuille utilisée crue et fraîche.

Propriétés, indications : essentiellement diurétique, antispasmodique, digestif.

Conseils d'utilisation : plante condimentaire à utiliser dans les salades.

Tisane : 1 cuillerée à soupe de feuilles fraîches par tasse d'eau bouillante ; infusez 10 mn ; 2 à 3 tasses par jour.

Ciboule et ciboulette *(Allium fistulosum* et *Allium schoenoprasum)* (Liliacées)

Autres noms : cibolle, chive, cive, ognonette.

Origine : Sibérie ; elles sont cultivées à des fins culinaires.

Parties utilisées : parties aériennes, condimentaires.

Utilisation culinaire : toniques et antiseptiques, elles accompagnent avantageusement salades, potages et omelettes aux « fines herbes ».

Ciste ladanifère *(Cistus ladaniferus)* (Cistacées)

Origine : pourtour de la Méditerranée.
Partie utilisée : feuilles.
Propriétés, indications : antihémorragique, antiartéritique, anti-infectieux, astringent, régulateur du tonus du système nerveux sympathique, immunostimulant, antidiarrhéique, antirides, régulateur rénal, décongestionnant génital.
Conseils d'utilisation de l'H.E. : comme cicatrisant en onctions sur les zones lésées. Antigrippe, stimule les défenses naturelles, péricardite.

A intégrer dans la composition de complexes revitalisants et dans les techniques d' « embaumement aromatique ». Cosmétique.

Par voie interne : 1 à 2 gouttes trois à quatre fois par jour (diarrhées, infections et spasmes intestinaux).

Citron *(Citrus limonum)* (Rutacées)

Origine : Asie, Californie, Amérique du Sud. Cultivé dans les régions méditerranéennes.
Parties utilisées : pulpe du fruit et peau (alimentaire), zeste, feuilles pour l'extraction de l'H.E.
Propriétés, indications :
— Pulpe : riche en vitamine C (acide ascorbique qui renforce les défenses naturelles, antioxydante, désintoxicante et anti-infectieuse), en acide citrique et en minéraux. Contrairement à une idée reçue, le citron n'est pas acidifiant mais alcalinisant après assimilation organique. En revanche, il est indéniablement acide : il est déconseillé de boire le jus pur (détérioration irrémédiable de l'émail des dents) ; toujours le diluer dans 1 verre d'eau pure.
— Peau : riche en provitamine A (carotène), en vitamine P (protecteur vasculaire indispensable dans les fragilités capillaires) et en vitamine B.
— Pépins : vermifuges (oxyurose).
— H.E. : indiquée dans les lithiases.

Antiseptique, anti-inflammatoire, cicatrisante, fluidifie le sang, hypotenseur, anti-infectieuse, régularise le tonus nerveux, favorise la digestion.

Conseils d'utilisation : un des fruits les plus utiles en médecine naturelle. Choisir de préférence des citrons biologiques ou non traités afin de pouvoir utiliser le fruit entier.

— *Usage interne :*

Fruit entier : l'ensemble du fruit favorise les sécrétions digestives (utiliser une centrifugeuse), tonifie les parois des vaisseaux sanguins, désintoxique l'organisme et le régénère. 1/2 ou 1 citron par jour est amplement suffisant. Ne pas abuser des « cures » de citron. Pour effectuer une bonne désintoxication et une revitalisation (atteinte virale par exemple), ne pas dépasser 3 à 4 citrons par jour. Bien diluer et mélanger à des jus de fruits ou de légumes crus (raisin, pomme, cerise, carotte, chou, betterave, salade verte...). Ne pas dépasser 4 à 5 jours de cure sans avis médical.

H.E. : 1 à 2 gouttes trois à quatre fois par jour.

— *Usage externe :*

Douche nasale : le jus est indiqué dans les rhumes, sinusites. Méthode : dans 1 tasse à café d'eau tiède ajouter 1 pincée de gros sel et le jus d'1/4 de citron. Aspirer le liquide par une narine en tenant l'autre narine obturée par la pulpe du pouce. Faites la même chose de l'autre narine. Vous pouvez aussi instiller le liquide avec une poire à oreille ou un compte-gouttes. A pratiquer plusieurs fois par jour.

Soins des mains : quand vous pressez un citron, ne jetez plus la peau. Il reste toujours un peu de pulpe avec laquelle vous vous masserez les mains. Très adoucissant et régénérant pour la peau (peau sèche et abîmée).

Masque à la pulpe de citron pure ou à intégrer dans un masque argile blanche/citron : utile pour prévenir et traiter les rides, séborrhée, acné, taches de rousseur ou de vieillesse.

H.E. : légèrement irritante pour la peau. Il est préférable de la diluer dans d'autres H.E. ou de la réserver aux aérosols (en mélange synergique avec orange et mandarine).

Variété : le **citron vert**. H.E. extraite du zeste, très utilisée en raison de son parfum très agréable.

Citronnelle de Java *(Cymbopogon winterianus)* (Graminées ou Poacées)

Origine : pousse à Java dans les régions tropicales. Son arôme se rapproche de celui de la mélisse à laquelle elle est parfois substituée.

Partie utilisée : parties aériennes.

Propriétés, indications : anti-inflammatoire, antiseptique, rubéfiante ; conseillée en applications externes dans les rhumatismes inflammatoires.

Conseils d'utilisation : H.E. en massage le long de la colonne vertébrale.

Citronnelle de Ceylan *(Cymbopogon naardus)* (Graminées ou Poacées)

Origine : Sri Lanka. Contient une H.E. proche de la précédente.

Propriétés, indications : anti-inflammatoire, antiseptique, légèrement rubéfiante, purifie l'air (fumée de tabac), éloigne les moustiques.

Conseils d'utilisation : en massage et en diffuseurs d'arômes.

Copahier *(Copaifera officinalis)* (Légumineuses)

Autres noms : copaïba, baume d'Amazonie, copahu.

Origine : Amérique du Sud (Amazonie) et Afrique occidentale. De nombreuses variétés existent.

Partie utilisée : l'oléorésine ou baume de copaïba qui exsude naturellement du tronc de l'arbre après incision.

Propriétés, indications : longtemps le baume de copaïba a été employé pour traiter les maladies vénériennes et uri-

Ciste à gomme
(Cistus ladaniferus)

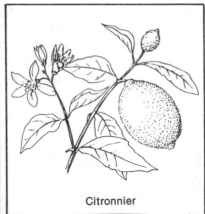

Citronnier

Estragon

Eucalyptus

258   LES HUILES ESSENTIELLES POUR VOTRE SANTÉ

naires. Les Indiens d'Amazonie l'utilisent depuis des temps immémoriaux en application externe pour ses propriétés anti-inflammatoires, cicatrisantes, antidouleur, stimulant de la circulation des vaisseaux capillaires. Il est conseillé dans les suites de choc (contusions, élongations), les douleurs articulaires arthritiques inflammatoires, les entorses bénignes, les hématomes, les courbatures, l'arthrose vertébrale et des membres. Anti-rhumatismal, il est à essayer dans les épicondylites, bursites, myosites et tendinites. Tonique général, énergétisant, stimulant les glandes surrénales, il est indiqué dans les dépressions, la fatigue, chez les sujets hypotoniques. Au niveau de la peau il s'est révélé actif dans les mycoses, lichens, gale, plaies, dermatoses inflammatoires, cors et durillons. Par voie interne, anti-inflammatoire et antiseptique de la bouche, de la gorge et des voies urinaires.

Conseils d'utilisation :

— Voie interne : 1 à 2 gouttes deux à trois fois par jour dans les inflammations de la bouche et de la gorge.

— Voie externe : il constitue une excellente base pour des mélanges synergétiques antirhumatismaux (onctions douces avec 3 à 10 gouttes). Il sera appliqué pur en massage doux avant ou après un effort sportif, le long de la colonne vertébrale en massage tonifiant.

Dans les plaies et blessures, appliquer quelques gouttes de baume après nettoyage de la plaie. Couvrir avec une gaze. Renouveler tous les deux jours.

*
* *

N.B. : en cas de réaction cutanée (allergie), le diluer à 20 % dans de l'huile d'olive et ajoutez au mélange 2 % d'H.E. de gaulthérie ou de bouleau jaune.

Coriandre *(Coriandrum sativum)* (Ombellifères ou Apiacées)

Autre nom : persil arabe.

Origine : cultivée en Afrique du Nord, en Europe centrale et du Sud.

Parties utilisées : fruits, feuilles.

Propriétés, indications : la plante (comme l'H.E. qui en est extraite) est tonifiante, énergétisante, antispasmodique, digestive et carminative. Indiquée dans l'aérophagie, les flatulences et ballonnements, les spasmes digestifs et de l'utérus, la fatigue cérébrale. Son action antiseptique et antiputride justifie son utilisation pour la conservation des viandes dans les pays chauds.

Conseils d'utilisation :

— Usage interne : ne pas dépasser 2 à 4 gouttes d'H.E. par jour.

— Usage culinaire : largement utilisé comme aromate (entre dans la composition du curry) dans de nombreux plats : soupes (chorba), ratatouille, salades, riz, marinades, charcuteries, gibiers et viandes. Utilisé pour l'aromatisation du pain, des gâteaux et de la bière.

Le coriandre entre dans la composition de l'eau de mélisse, de la chartreuse et de l'Izarra.

Croton (Euphorbiacées)

Genre de plantes tropicales comprenant plus de 1 000 espèces variant de l'herbe à fleurs à l'arbre. Très étudiées au Brésil (Université de Fortaleza). Plantes d'avenir pour la santé des populations des pays pauvres et arides, et pour remplacer certaines espèces en voie de destruction (exemple : le bois de rose, grand arbre de la forêt d'Amazonie, est abattu pour l'extraction de son H.E. très riche en linalol (85 %), utilisée pour la fabrication de parfums. Cette H.E. peut être remplacée par celle du croton cajuçara, arbuste à croissance rapide, facile à cultiver et contenant 65 % de linalol).

Cubèbe *(Piper cubeba)* (Pipéracées)

Autre nom : poivre à queue.

Origine : régions tropicales (Indonésie, Réunion).
Partie utilisée : fruit.
Propriétés, indications : aphrodisiaque, stimulant digestif.
Conseils d'utilisation : ne pas utiliser de façon prolongée.
H.E. : 2 à 3 gouttes par jour par voie orale.

Cumin *(Cuminum cyminum)* (Ombellifères ou Apiacées)

Origine : Inde. Cultivé dans son pays d'origine et en Europe méditerranéenne.
Partie utilisée : fruit.
Propriétés, indications : régularise la digestion, élimine les flatulences, action identique à celle de l'anis et du coriandre.
Conseils d'utilisation :
— Voie interne : 1 à 2 gouttes d'H.E. après les repas.
— Culinaire : il entre dans la composition de fromages, charcuteries et parfume la choucroute.

Curcuma *(Curcuma longa* et *Curcuma xanthorrhiza)* (Zingiberacées)

Origine : Asie du Sud-Est, Indonésie ; cultivé en Amérique du Sud.
Partie utilisée : rhizome.
Propriétés, indications : action élective au niveau du foie et des voies biliaires, donc indiqué dans la paresse biliaire, les lithiases (formation de calculs). Anti-inflammatoire et antiseptique, le curcuma est un condiment de choix qui mérite de figurer dans le présentoir à épices.
Conseils d'utilisation : frais ou en poudre comme condiment.
Le curcuma entre dans la composition du « curry » auquel il confère la couleur jaune safran et le goût piquant ainsi que dans le « colombo » antillais :
— Curry : 30 g de cardamome + 60 g de coriandre + 15 g de curcuma + 25 g de piment jaune.

— Colombo : 15 g de cannelle + 30 g de cardamome + 250 g de coriandre + 125 g de cumin + 250 g de curcuma + 30 g de gingembre + 75 g de piment + 30 g de poivre de Cayenne + 150 g de poivre noir.

H.E. : 1 à 2 gouttes avant ou après les repas.

Cyprès toujours vert *(Cupressus sempervirens)* (Conifères ou Cupressacées)

Partie utilisée : cônes ou noix de cyprès.

Propriétés, indications : antiseptique, astringent, antitussif, régulateur du système nerveux végétatif, tonique de la circulation veineuse, protecteur des vaisseaux capillaires. A utiliser dans les congestions veineuses (varices, varicosités, hémorroïdes), dans les toux opiniâtres (laryngite), l'énurésie, l'hyposécrétion stomacale (hypochlorhydrie).

Conseils d'utilisation :

— Voie interne : 1 à 2 gouttes d'H.E. dans une cuillerée à café de miel de lavande ou pin, deux à trois fois par jour.

— Voie externe : H.E. en onctions sur les trajets veineux (voir *Complexe de massage synergique pour la circulation*). Déodorisant et antitranspirant (pieds, aisselles).

Échalote *(Ascalonia)* (Liliacées)

Autre nom : oignon d'Ascalon.

Origine : variété d'oignon utilisée depuis le début de notre ère.

Propriétés, indications : sa saveur, qui se situe entre celle de l'ail et de l'oignon, est apéritive, digestive et diurétique.

Utilisation culinaire : elle relève agréablement la saveur des poissons, des gibiers. Elle entre dans la composition du fameux « beurre blanc » de Loire qui accompagne brochet, sandre, alose et dans la sauce vinaigrée qui souligne le goût naturel des huîtres.

Élémi *(Canarium luzonicum)* (Burséracées)

Origine : Manille, mais il existe d'autres variétés en Afrique, en Amérique du Sud et centrale, en Australie.

Partie utilisée : oléorésine qui exsude naturellement du tronc.

Propriétés, indications : H.E. longtemps utilisée pour confectionner des baumes et emplâtres.

Conseils d'utilisation de l'H.E. :

— Voie interne, comme tonifiant et stimulant : 1 à 2 gouttes deux à trois fois par jour.

— Voie externe : en massage tonique énergétisant le long de la colonne vertébrale (10 à 20 gouttes une à deux fois par jour).

Encens ou **Oliban** *(Boswellia carterii)* (Térébenthinacées ou Burséracées)

Origine : pourtour de la mer Rouge (Somalie, Arabie). Utilisée depuis la plus haute Antiquité dans les cérémonies religieuses pour sa fumée odoriférante.

Partie utilisée : gomme.

Propriétés, indications : l'H.E. est tonifiante et énergétisante, anti-infectieuse des voies respiratoires, anti-inflammatoire, antidouleur et cicatrisante. Indiquée dans les rhumatismes et soins des sportifs.

Conseils d'utilisation de l'H.E. :

— En fumigations : bâtons ou aérosols (H.E.) pour favoriser la méditation (de même que le santal).

— Voie interne : 1 à 2 gouttes trois fois par jour.

— Voie externe : en massage énergétisant le long de la colonne vertébrale, articulations et muscles.

Épicéa *(Picea exelsa, Picea mariana)* (Conifères ou Abiétacées)

Autres noms : sapin de Noël, sapin de Norvège.

Origine : régions montagneuses d'Europe des Vosges aux Balkans jusqu'à 1 800 m d'altitude.

Partie utilisée : feuilles (aiguilles).

Propriétés, indications : H.E. balsamique, antiseptique respiratoire, antirhumatismale et, à ce titre, utilisée dans la composition de bains aromatiques. Tonique, stimulante, antifatigue.

Conseils d'utilisation :

— Voie interne : 1 à 2 gouttes d'H.E. deux à trois fois par jour.

— Voie externe : aérosols, onctions thoracique et vertébrale, articulations, bains aromatiques.

Estragon *(Artemisia dracunculus)* (Composées ou Astéracées)

Autre nom : herbe du dragon.

Origine : Moyen-Orient ; elle connaît depuis le Moyen Age une renommée consacrée par Avicenne qui la mentionne dans son *Canon de la médecine.*

Partie utilisée : feuilles.

Propriétés, indications : cette plante doit sa renommée à son efficacité pour chasser gaz et fermentations.

H.E. très utilisée en aromathérapie pour ses propriétés antispasmodiques dans l'aérophagie, les digestions lentes, les gastrites et tous les troubles neurovégétatifs en rapport avec le plexus solaire, le mal des transports, la spasmophilie, l'hypersudation. Elle possède, de plus, une activité anti-infectieuse bactérienne et virale qui explique son efficacité dans les fermentations putrides digestives, véritables états de toxi-infection chronique et les infections urinaires. Fluidifiant sanguin. Favorise la lactation.

Conseils d'utilisation :

— Culinaire : comme condiment pour aromatiser les salades, sauces, poissons et viandes, vinaigres, moutardes et cornichons. Entre dans la composition de la sauce béarnaise.

— Voie interne : 1 à 3 gouttes d'H.E. après les repas.

— Voie externe : 5 à 10 gouttes d'H.E. en onctions sur le plexus solaire, avant ou après les repas.

*

* *

Les **eucalyptus** : originaires de l'Australie, ces arbres odoriférants de la famille des myrtacées sont acclimatés dans un grand nombre de pays du pourtour méditerranéen (Espagne, France, Italie), de l'Amérique du Nord (États-Unis, Mexique) et du Sud (Brésil, Chili). Le genre eucalyptus comprend plus de 300 espèces.

En aromathérapie, quatre variétés sont principalement utilisées.

La première est surtout anti-inflammatoire, les trois autres plus particulièrement indiquées dans les affections respiratoires.

Eucalyptus citronné *(Eucalyptus citriodora)*

Partie utilisée : feuilles.
Propriétés, indications : H.E. anti-inflammatoire, anti-infectieuse, antispasmodique et antidiabétique. Utilisée dans les arthrites inflammatoires, le zona, certains diabètes. Péricardite.
Conseils d'utilisation de l'H.E. :
— Voie interne : 1 à 2 gouttes trois à quatre fois par jour.
— Voie externe : en onctions et massages le long de la colonne vertébrale dans les douleurs arthrosiques et arthritiques, seule ou en mélange synergétique avec du baume de copaïba, de la gaulthérie (ou du bouleau jaune) et de l'hélichryse italienne.

Eucalyptus globuleux *(Eucalyptus globulus)*

C'est la variété utilisée dans de nombreuses spécialités pharmaceutiques pour ses multiples vertus sur l'arbre respiratoire.
Partie utilisée : feuilles.

Propriétés, indications : facilite la dissolution et l'élimination des glaires bronchiques, anti-infectieux vis-à-vis des bactéries et virus.

Conseils d'utilisation de l'H.E. :

— Voie interne : en inhalations, gargarismes ou aérosols. La mélanger de préférence avec de l'H.E. d'eucalyptus (*radiata* ou *polybractea*) ou d'hysope car, utilisée seule, elle dessèche trop rapidement les muqueuses.

— Voie externe : en onctions sur le thorax.

Eucalyptus à fleurs multiples *(Eucalyptus polybractea)*

Partie utilisée : feuilles.

Propriétés, indications : surtout indiquée pour les problèmes respiratoires. L'action dissolvante sur les mucosités bronchiques justifie son emploi dans tous les problèmes de catarrhe, encombrement bronchique, bronchite et sinusite chroniques, asthme (pour dégager les bronches entre les périodes de crise).

Anti-inflammatoire, antalgique et anti-infectieuse, l'H.E. d'*Eucalyptus polybractea* est particulièrement intéressante dans les arthrites infectieuses, la polyarthrite rhumatoïde (ou polyarthrite chronique évolutive), les infections digestives (toxi-infections bactériennes et virales), les névralgies.

Conseils d'utilisation :

— Usage interne : 2 à 3 gouttes d'H.E. trois à quatre fois par jour.

— Usage externe : en onctions sur les articulations douloureuses (dans les arthrites), sur le thorax (dans les bronchites), en aérosolthérapie (dans les affections des poumons et des sinus).

Eucalyptus camaldulensis

Constituants et propriétés similaires.

Eucalyptus à feuilles radiées *(Eucalyptus radiata)*

Remarquable variété d'eucalyptus, particulièrement indiquée pour les enfants mais aussi chez l'adulte où sa souplesse d'emploi justifie l'usage fréquent de son H.E. en aromathérapie.

Propriétés, indications : anti-infectieuse, énergétisante puissante ; H.E. particulièrement recommandée dans les affections respiratoires aiguës et chroniques, dans les pertes d'énergie (fatigue chronique) et dans les déficits immunitaires. A utiliser dans la technique d'embaumement vitalisant.

*
* *

Fenouil *(Foeniculum vulgare)* (Ombellifères ou Apiacées)

Origine : pourtour méditerranéen et Europe centrale.

Parties utilisées : graines, feuilles et tiges fraîches cuites ou en salades pour leurs vertus culinaires.

Propriétés, indications : diurétique énergique, stimulant digestif, diminue les ballonnements, régularise les règles, favorise la production de lait. Action épileptisante à haute dose.

Conseils d'utilisation : préférer la tisane (2 à 3 tasses par jour) à l'H.E.

Gaïac *(Guaiacum officinal* et *Guaiacum sanctum)* (Zygophyllacées)

Origine : Amérique centrale et du Sud. Connu dès le XVIe siècle pour ses vertus anti-infectieuses dans le traitement de la syphilis (Ambroise Paré).

Partie utilisée : bois en bûches.

Propriétés, indications : H.E. antiseptique des voies urinaires, diurétique, antilithiasique, tonique énergétisant, sudorifique, utilisée également pour les soins bucco-dentaires.

Conseils d'utilisation de l'H.E. :
— Voie interne : 1 à 2 gouttes trois à quatre fois par jour diluées dans du miel ou du sirop d'érable. Usage de courte durée.
— Voie externe : en massages ou onctions dans les maladies de la peau et certaines douleurs rhumatismales.

Galbanum *(Ferula galbanifera)* (Ombellifères ou Apiacées)

Origine : Perse.
Parties utilisées : gomme, résine.
Propriétés, indications : utilisé depuis la plus haute Antiquité, il est mentionné par plusieurs auteurs grecs comme antidouleur, antispasmodique et facilitant les règles. Aujourd'hui, il n'est plus guère utilisé malgré ses propriétés tonifiante, énergétisante, antispasmodique et anti-inflammatoire.
Conseils d'utilisation : il peut figurer en bonne place parmi les H.E. à utiliser en application externe (massages et onctions dans les douleurs rhumatismales et dans le domaine sportif). Il entre dans la composition de nombreux parfums.

Gaulthérie *(Gaultheria procumbens)* (Éricacées)

Autre nom : Wintergreen.
Origine : Amérique du Nord ; cette plante était déjà employée par les Indiens pour combattre douleur et fièvre.
Partie utilisée : feuilles.
Propriétés, indications : H.E. anti-inflammatoire, antidouleur, vasodilatatrice, régénérante du foie, désintoxicante et draineuse urinaire.
Conseils d'utilisation de l'H.E. :
— Voie interne : à utiliser à petites doses dans les insuffisances hépatiques, les séquelles d'hépatite (1 à 2 gouttes trois fois par jour, fortement diluées). Lithiase rénale et vésicale, coliques néphrétiques.
— Voie externe : H.E. utilisée dans les arthrites inflammatoires, la polyarthrite, les tendinites, la myosite (rhumatisme

musculaire), en onctions. Indiquée dans les coronarites, l'hypertension. Arthrose vertébrale et des membres.

Genévrier commun alpin *(Juniperus communis)* (Conifères ou Cupressacées)

Origine : Europe. D'autres variétés sont utilisées : le genévrier commun érigé, le genévrier de Virginie, le genévrier cadier.
Parties utilisées : feuilles et baies.
Propriétés, indications : anti-inflammatoire, antidouleur, antiseptique urinaire et intestinal, régulateur du système nerveux (qu'il tonifie et énergétise), dépuratif (nettoie les reins et le système digestif). Par ses propriétés, l'H.E. est indiquée dans les rhumatismes, les affections de l'appareil urinaire, la fatigue, l'artériosclérose.
Conseils d'utilisation de l'H.E. :
— Voie interne : 2 à 3 gouttes deux à trois fois par jour (pure ou diluée).
— Voie externe : en massages le long de la colonne vertébrale dans un but tonifiant, ou sur les régions douloureuses dans les rhumatismes.

Variétés :
Genévrier cadier : le bois fournit, par pyrogénation, le goudron (huile de cade) qui entre dans la composition de préparations pharmaceutiques destinées aux soins de la peau.
Genévrier commun érigé : décongestionnant veineux, œdèmes. H.E. diurétique, facilite l'élimination des calculs rénaux et vésicaux (voie interne : 2 gouttes trois à quatre fois par jour).

Géranium rosat *(Pelargonium graveolens)* (Géraniacées)

Origine : Afrique du Nord (Maroc), île de la Réunion.
Partie utilisée : feuilles.
Propriétés, indications : H.E. anti-infectieuse et cicatrisante, particulièrement indiquée dans les mycoses cutanées, sous-

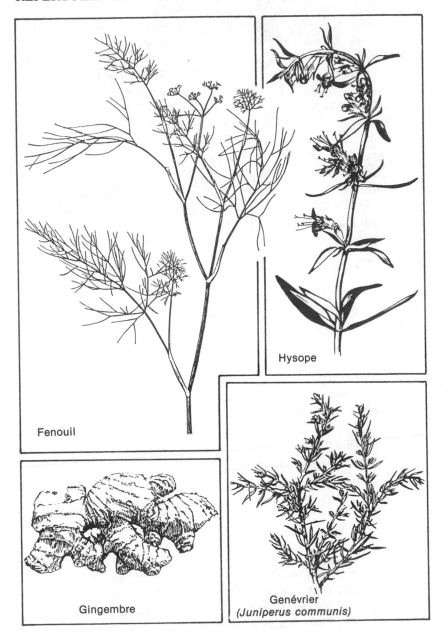

Fenouil

Hysope

Gingembre

Genévrier
(Juniperus communis)

unguéales, vaginales et digestives (candidoses). Antidiabétique, anti-inflammatoire, astringente, hémostatique, calme le système sympathique et parasympathique. Antispasmodique, elle est indiquée dans les règles douloureuses, spasmes digestifs, colites spasmodiques et même les colites hémorragiques (qui traduisent le plus souvent un profond déséquilibre du système nerveux végétatif). Stimulant la fonction hépatique et pancréatique ainsi que le système lymphatique, elle est utile dans les soins du corps et du visage.

Conseils d'utilisation de l'H.E. :

— Voie interne : 2 gouttes trois fois par jour.

— Voie externe (mycoses) : applications locales matin et soir pendant plusieurs mois.

Gingembre *(Zingiber officinal)* (Zingibéracées)

Origine : Malaisie, Indes orientales ; cultivé dans les régions tropicales fertiles.

Partie utilisée : rhizome.

Propriétés, indications : stimulant digestif, tonique général, énergétisant, aphrodisiaque et carminatif ; antalgique en application externe. Indiqué dans la fatigue, la lenteur digestive, les ballonnements.

Conseils d'utilisation de l'H.E. :

— Voie interne : 2 gouttes avant les repas.

— Voie externe : en application sur les zones douloureuses en mélange synergique.

Giroflier *(Sygyzium aromaticum* ou *Eugenia caryophyllata)* (Myrtacées)

Origine : îles Moluques, acclimaté à Madagascar et Zanzibar, Indonésie, Caraïbes, Brésil.

Partie utilisée : bouton floral appelé clou de girofle.

Propriétés, indications : H.E. anti-infectieuse majeure ; antibactérienne et antivirale, elle peut être utilisée dans la plupart des infections (3 gouttes quatre fois par jour, diluées à 10 %). Anesthésiante et cautérisante, elle est utilisée en art dentaire. Très énergétisante et tonifiante, elle est conseillée dans la fatigue, l'hypotension et pour stimuler les défenses immunitaires.

Conseils d'utilisation :

— Voie interne : 1 à 3 gouttes d'H.E. trois à quatre fois par jour sans excéder 7 jours.

— Voie externe : appliquer un petit morceau de coton imbibé d'1 goutte d'H.E. sur les douleurs dentaires en attendant le rendez-vous chez le dentiste.

— Culinaire : épice indispensable, le clou de girofle connaît depuis l'Antiquité une popularité justifiée. Utiliser dans les viandes bouillies (bœuf), choucroute, afin d'en relever le goût et d'en faciliter la digestion.

Gurjum *(Dipterocarpus alatus)* (Dipterocarpées)

Autre nom : copahu de l'Inde.
Origine : Asie tropicale et Océanie.
Parties utilisées : oléorésine ou baume.
Propriétés, indications : anti-infectieux et anti-inflammatoire de l'appareil urinaire et digestif, tonique et énergétisant.
Conseils d'utilisation : H.E. en application externe dans certaines maladies de peau.

Hélichryse *(Helichrysum angustifolium* ou *Italicum serotinum)* (Composées ou Astéracées)

Autre nom : immortelle.
Origine : pousse à l'état sauvage dans le sud de l'Europe, sur le pourtour de la Méditerranée (France, Italie, Yougoslavie).
Partie utilisée : sommités fleuries qui renferment une H.E. à l'arôme caractéristique rappelant la camomille et la rose.

Propriétés, indications : H.E. utilisée en phyto-aromathérapie comme antichoc (supérieure à arnica dans les contusions). Anticoagulante, anti-inflammatoire (arthrite, polyarthrite avec gaulthérie et bouleau jaune), cicatrisante. Elle possède une activité anti-infectieuse et antivirale (à utiliser dans l'herpès en synergie avec niaouli par exemple).

Énergétisante, antispasmodique, indiquée dans les troubles neurovégétatifs, les spasmes du plexus solaire et leurs conséquences (aérophagie, gastrite, colite). Dissout et fluidifie les mucosités. Antidiabétique par stimulation de la fonction cellulaire hépatique.

A conseiller comme préventif des pathologies cardiaques et vasculaires en application cutanée (synergie avec H.E. d'ammi visnaga).

Conseils d'utilisation de l'H.E. :

— Voie interne : 1 à 2 gouttes trois à quatre fois par jour.

— Voie externe : H.E. pure ou diluée (de 10 à 50 %) dans une huile grasse. Peut être utilisée en application directe sur la peau en cas de choc, avec ou sans plaie.

Hysope *(Hyssopus officinalis)* (Labiées ou Lamiacées)

Origine : coteaux calcaires du sud de la France ; cultivée sur le pourtour méditerranéen.

Parties utilisées : sommités fleuries et feuilles.

Propriétés, indications : son intérêt principal réside dans sa remarquable action dissolvante du mucus sécrété par les bronches. Elle est particulièrement indiquée dans les aérosols, en mélange synergique avec d'autres H.E. à visée respiratoire (eucalyptus, niaouli, ravensare).

Conseils d'utilisation (par voie interne) : délicat car elle est épileptisante à haute dose (cétones). Maximum 4 gouttes d'H.E. par jour pour un adulte de 70 kg. Emploi sur conseils d'un aromathérapeute. Vente exclusive en pharmacie sur prescription.

Immortelle : voir *Hélichryse.*

Inule odorante ou **aunée** *(Inula helenium)* (Composées ou Astéracées)

Origine : Europe centrale et orientale.

Partie utilisée : racines à l'arôme proche de l'iris.

Propriétés, indications : antiseptique, antispasmodique, antitussive, anti-inflammatoire, dissolvant les mucosités. L'H.E. d'inule est remarquable pour les affections pulmonaires chroniques accompagnées d'encombrements bronchiques. Très puissante, il est conseillé de la mélanger à des H.E. d'action plus modérée et complémentaires (*Eucalyptus radiata* ou *polybractea* par exemple). Elle est, de plus, tonifiante, énergétisante et immunostimulante. Régulatrice du cœur et des sécrétions stomacales.

A essayer dans la mucoviscidose.

Iris *(Iris florentina)* (Iridacées)

Origine : région de Florence, Italie, midi de la France.

Partie utilisée : rhizome à odeur de violette.

Propriétés, indications : favorise l'élimination urinaire et des mucosités. Parfume l'haleine.

Conseils d'utilisation : racine dans les pots-pourris, mais surtout dans les parfums.

Khella ou **ammi visnaga** (variété égyptienne de l'*Ammi majus*) (Apiacées)

Origine : Égypte, France.

Parties utilisées : semences et plante.

Propriétés, indications : H.E. d'emploi délicat, elle doit être réservée à l'usage médical pour les troubles nerveux et circulatoires, l'asthme (antiasthmatique remarquable). Anticoagulante, elle facilite l'irrigation des artères coronaires (dilatatrice).

Conseils d'utilisation (surtout comme antiasthmatique) : 1 à 2 gouttes d'H.E. deux à quatre fois par jour.

Lantanier ou **lantana** *(Lantana camara)* (Verbénacées)

Une des nombreuses variétés de la famille de la verveine odorante *(Lippia citriodora)*.
Origine : Amérique du Sud (Brésil).
Partie utilisée : parties aériennes.
Propriétés, indications : calmante du système nerveux, favorise le sommeil.
Anti inflammatoire, calme les douleurs d'arthrose, arthrite, douleurs vertébrales.
Conseils d'utilisation : traditionnellement en tisane calmante (1 à 2 cuillerées à café par tasse d'eau bouillante une à trois fois par jour).
H.E. : 1 à 2 gouttes une à trois fois par jour.

Laurier noble *(Laurus nobilis)* (Lauracées)

Autres noms : laurier d'Apollon, laurier suave. Chef de file de la famille des lauracées, ses feuilles entrent dans la composition du bouquet garni où il avoisine avec le thym, l'ail et le persil. Il a connu son heure de gloire dans l'Antiquité où, symbolisant Apollon, il couronnait la tête des généraux vainqueurs.
Parties utilisées : feuilles et fruits. L'H.E. est contenue dans le fruit et les feuilles. Les fruits contiennent une huile grasse verte appelée « beurre de laurier ».
Propriétés, indications : cette H.E. remarquable est peu souvent utilisée en aromathérapie. Sa composition biochimique lui confère de précieuses qualités. Tonifiante et énergétisante, elle est de plus :

— Anti-infectieuse et antivirale : à utiliser pour les infections et inflammations de la bouche, les infections cutanées, pulmonaires et certaines maladies génito-urinaires, les mycoses.
— Anti-inflammatoire : permet et accélère le processus de guérison postinfectieux et la cicatrisation aux niveaux bouche, gorge et peau (ulcères).

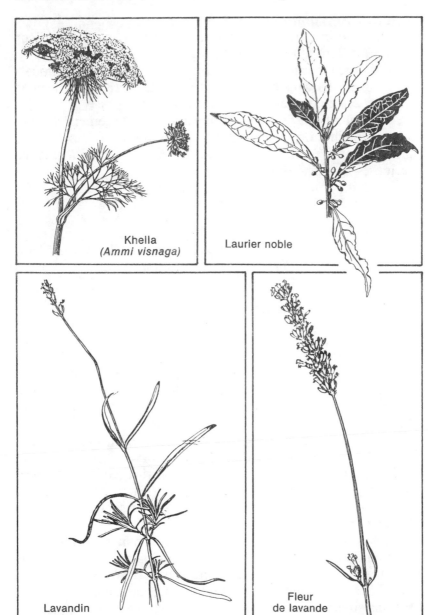

Khella
(Ammi visnaga)

Laurier noble

Lavandin

Fleur
de lavande

Conseils d'utilisation :
— Voie interne : 1 à 2 gouttes d'H.E. (sur un excipient ou pure) quatre à six fois par jour.
— Voie externe : H.E. en application ou massage local. A essayer en massage pour les rhumatismes « froids » de type arthrose, les contusions et entorses, les crampes.
— Culinaire : feuilles entières à utiliser largement dans la cuisine (fraîches ou séchées) pour la cuisson des fruits de mer, poissons, viandes, pâtés. A son arôme agréable s'ajoutent ses précieuses qualités antiseptiques.

*
* *

Les **lavandes** appartiennent à la vaste famille des Labiées. Plusieurs variétés sont utilisées en aromathérapie :

Lavande aspic *(Lavande aspic* ou *Aspic)*

La plus intéressante des lavandes sur le plan de la santé.
Partie utilisée : sommités fleuries.
Propriétés, indications : H.E. anti-infectieuse indiquée dans les infections microbiennes (angines, bronchites, et rhino-pharyngites, cystites, vaginites, dermites). Agit efficacement contre le staphylocoque doré, le colibacille, le candida albicans, le virus du zona et de l'hépatite. Anti-inflammatoire et cicatrisante, elle est à conseiller dans l'acné. Son action dissolvante sur les mucosités associée aux actions anti-infectieuse et anti-inflammatoire explique sa remarquable efficacité dans les rhino-pharyngites de l'enfant et dans les sinusites (associée à *Eucalyptus radiata*). Sédative.
Conseils d'utilisation : très bien tolérée par la peau, on peut pratiquer des onctions au niveau de toute partie du corps, mais surtout sur le thorax et la gorge au moindre soupçon d'infection, chez l'enfant comme chez l'adulte. Les inhalations ou nébulisations sont particulièrement recommandées pour les sinusites et rhino-pharyngites.

Lavande vraie ou lavande fine *(Lavandula vera)*

Cette plante, qui couvre de vastes étendues bleutées sur les versants ensoleillés des collines provençales, est certainement un des plus précieux fleurons de l'aromathérapie. Ses vertus et ses utilisations sont si nombreuses, son arôme si suave, que je conseille de la faire figurer prioritairement dans toute pharmacie familiale. Elle est actuellement acclimatée dans le sud de l'Europe.

Partie utilisée : sommités fleuries.

Propriétés, indications : anti-infectieuse et anti-inflammatoire.

Elle est particulièrement indiquée dans les otites.

Conseils d'utilisation : c'est, avec la lavande aspic, la seule H.E. qui peut sans danger être utilisée dans le conduit de l'oreille, diluée dans une huile grasse (mélanger 2 gouttes d'H.E. à 2 gouttes d'huile de noisette ou de ricin).

Dans les problèmes de peau, les eczémas secs, elle peut s'employer sans problème diluée dans une huile végétale vierge. Dans les infections et inflammations urinaires, on l'utilisera pure dans du miel, sur un petit morceau de sucre ou incluse dans une gélule de charbon végétal (dose maximum 6 à 12 gouttes par jour en trois prises avant les repas). Antimycosique, son action est remarquable dans les mycoses cutanées : pitiryasis versicolor et dans les candidoses unguéales et les pieds d'athlètes.

Antispasmodique et antiépileptisante, elle calme les systèmes sympathique et parasympathique. Fluidifie le sang, régularise le cœur, action hypotensive.

Lavande stoechade *(Lavandula stoechas)*

Elle est particulièrement intéressante pour les encombrements bronchiques chroniques, car elle associe à son rôle dissolvant l'action commune des lavandes anti-infectieuses et anti-inflammatoires (eczémas suintants + H.G. de calophylle).

Conseils d'utilisation : essentiellement par voie externe en onctions et en aérosols.

Lavandin *(Lavandula hybrida)*

Possède les mêmes indications que la lavande vraie.

*
* *

Lemon-grass *(Cymbopogon* ou *Andropogon citratus)* (Graminées)

Autres noms : herbe citronnelle, verveine des Indes.
Origine : régions tropicales, Inde, Indonésie.
Partie utilisée : parties aériennes.
Propriétés, indications : provoque sur la peau une vasodilatation intense. Rééquilibre le système sympathique suivant la dose absorbée. Digestive, améliore la diurèse. Déminéralisation. Anti-infectieuse et anti-inflammatoire. Artériosclérose. Souvent utilisé comme succédané de la verveine citronnée.
Conseils d'utilisation :
— En infusion : après les repas, 1 cuillerée à café par tasse.
— H.E. par voie interne : pour tonifier le système sympathique (2 à 3 gouttes par jour), ou pour calmer le système sympathique (4 à 6 gouttes par jour).
— H.E. par voie externe : massage le long de la colonne vertébrale dans les déminéralisations et l'ostéoporose (diluée à 50 % dans de l'huile grasse) pour activer la circulation locale et l'apport minéral. Désagrège les calculs.

Lentisque pistachier *(Pistacia lentiscus)* (Anacardiacées)

Autre nom : mastic de Chio (Grèce).
Origine : Grèce.
Partie utilisée : feuilles.

Propriétés, indications : H.E. décongestionnante de la circulation veineuse, elle est particulièrement indiquée dans les varices, varicosités, hémorroïdes et congestions utérines.

Conseils d'utilisation : en onctions douces (5 à 10 gouttes d'H.E. matin et soir), pure ou diluée à de l'huile de rosa mosqueta, seule ou en mélange synergétique sur le trajet des varices, veines congestionnées, hémorroïdes et région pelvienne (mélanger à une H.E. moins chère : cyprès, lavandin, palmarosa...).

Lime et limette *(Citrus aurantiifolia)* (Rutacées)

Origine : Asie du Sud-Est. La variété la plus connue est le citron vert au goût plus acide que le citron jaune. C'est la lime qui a permis aux marins britanniques d'éviter le scorbut.

Partie utilisée : zeste. Le jus, très acide, est un excellent bactéricide, riche en vitamine C, en préparation culinaire (marinade) ; le zeste pour l'huile essentielle.

Propriétés, indications : antiseptique, facilite la digestion et l'élimination urinaire.

Conseils d'utilisation de l'H.E. : 1 à 2 gouttes après les repas.

Variété : **lime sauvage** *(Citrus hystrix)*. Condiment.

Livèche *(Levisticum officinalis)* (Ombellifères ou Apiacées)

Autre nom : ache des montagnes.

Origine : prairies montagneuses de l'Europe. Cultivée.

Partie utilisée : racine. Odeur prononcée de céleri. Aromatisant alimentaire.

Propriétés, indications : digestive, facilitant l'écoulement de la bile. La plante entière (fraîche ou séchée) est indiquée dans les flatulences et comme diurétique. Dépuratif.

Conseils d'utilisation : en infusion (1 cuillerée à café par tasse d'eau bouillante après les repas).

H.E. : 1 à 2 gouttes après le repas.

Macis *(Myristica fragrans)* (Myristicacées)

Partie utilisée : H.E. extraite de l'arille qui recouvre le fruit du muscadier ou noix de muscade.
Propriétés, indications : H.E. antiasthmatique, puissant tonique du système sympathique.
Conseils d'utilisation de l'H.E. :
— Voie interne : asthme, fatigue (1 à 2 gouttes deux à trois fois par jour).
— Voie externe : en massage sur les plexus et la colonne vertébrale (antalgique, antirhumatismal).

Mandarinier *(Citrus reticulata* ou *Citrus deliciosa)* (Rutacées)

Origine : cultivé sur le pourtour de la Méditerranée ainsi que son hybride, la clémentine.
Partie utilisée : zeste.
Propriétés, indications : calme le sympathique, antispasmodique, favorise le sommeil, très douce pour la peau.
Conseils d'utilisation de l'H.E. :
— Voie interne : 2 à 4 gouttes le soir dans une tisane de fleur d'oranger ou de passiflore.
— Voie externe : massages relaxants. Aérosols (chambre d'enfants).

Marjolaine *(Origanum majorana)* (Labiées ou Lamiacées)

Autres noms : marjolaine à coquille, marjolaine des jardins, grand origan.
Origine : Europe.
Partie utilisée : sommités fleuries.
Propriétés, indications : anti-infectieuse, bactéricide (sinusites), antispasmodique par équilibration du parasympathique,

énergétisante. Régularise le cœur (hypertension). Indiquée dans l'aérophagie, l'hyperchlorhydrie, les problèmes nerveux tels que : nervosisme, spasmes nerveux, spasmophilie, angoisse, dépression nerveuse avec agitation. Elle favorise le sommeil. Régularisant le système nerveux végétatif, elle est utilisée en sympathicothérapie endonasale dans les sécheresses des muqueuses nasales et des yeux, les palpitations, l'hypertension et les problèmes digestifs par blocage des plexus. Régularise la thyroïde.

Conseils d'utilisation :

— Voie interne : tisane seule ou en mélange avec passiflore, fleur d'oranger, lantana (1 cuillerée à café par tasse deux à trois fois par jour).

Sympathicothérapie endo-nasale.

— Voie externe : H.E. en massages des plexus et chakras.

Marrube blanc *(Marrubium vulgare)* (Labiées ou Lauracées)

Origine : Méditerranée.
Parties utilisées : feuilles et sommités fleuries.
Propriétés, indications : fluidifie les sécrétions bronchiques, l'expectoration et régularise le cœur. Stimule les défenses naturelles.
Conseils d'utilisation : en tisane (1 cuillerée à café par tasse d'eau bouillante deux à trois fois par jour).

Massoïa *(Cryptocaria massoia)* (Lauracées)

Origine : Nouvelle-Guinée.
Partie utilisée : écorce.
Propriétés, indications (uniquement sur prescription) : fluidifie les mucosités, expectorant. Encombrement bronchique, catarrhe.
Conseils d'utilisation : H.E. à essayer dans la mucoviscidose, sur conseil d'un aromathérapeute, diluée à 10 % dans de l'H.E. d'eucalyptus radiata, niaouli.

Mélaleuque à feuilles alternes *(Melaleuca alternifolia)* (Myrtacées)

Autre variété de niaouli (voir ce mot).

Propriétés, indications : H.E. anti-inflammatoire et anti-infectieuse (sinusites, bronchites, otites, infections intestinales, dermatoses infectieuses). Antistress, antispasmophile, particulièrement conseillée pour prévenir les chocs opératoires (avant l'intervention).

Conseils d'utilisation (chocs opératoires) : appliquer 10 à 20 gouttes d'H.E. sur la région à opérer et le long de la colonne vertébrale.

Mélisse *(Melissa officinalis)* (Labiées ou Lamiacées)

Origine : cultivée en Europe.

Parties utilisées : tige et feuilles.

Propriétés, indications : favorise la digestion, régularise la sécrétion de la vésicule biliaire et de l'estomac, calme les spasmes, favorise le sommeil, anti-inflammatoire, vasodilatatrice des vaisseaux capillaires.

Conseils d'utilisation : le coût élevé de son H.E. lui fait préférer les tisanes et extraits alcooliques (teinture mère), ou l'hydrosol aromatique (très utile comme régulateur de la fièvre chez les enfants).

— En tisane : 1 cuillerée à café par tasse d'eau bouillante deux à quatre fois par jour.

— Hydrosol : chez l'enfant : 50 gouttes deux à trois fois par jour.

*
* *

La **menthe** (Labiées) : cette plante aromatique aux nombreuses variétés tient son nom de la nymphe Mintha que la femme de Pluton, Perséphone, métamorphosa en plante par jalousie.

Mélisse

Menthe des champs

Menthe à feuilles longues

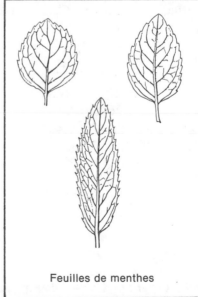

Feuilles de menthes

Les différentes variétés de menthe ont toutes en commun un parfum rafraîchissant caractéristique, plus ou moins agréable suivant les espèces. Utilisée depuis les Grecs et les Chinois antiques comme antispasmodique, aphrodisiaque et analgésique, la menthe entre dans notre vie quotidienne pour l'aromatisation d'un grand nombre d'aliments industrialisés et de produits d'hygiène.

Parties utilisées : feuilles et sommités fleuries.

Menthe poivrée *(Mentha piperita)* (variété Mitcham)

Autre nom : menthe anglaise.

Origine : très utilisée. Originaire de Mitcham (province anglaise), elle est largement cultivée en France (en Anjou et dans la région de Milly-la-Forêt). Très utilisée en aromathérapie.

Propriétés, indications : H.E. anti-infectieuse et anti-inflammatoire (notamment du système digestif), conseillée dans les hépatites virales et les colites, les acidités gastriques, l'aéropathie, l'entérite ; stimule la digestion. A essayer dans les cystites en mélange synergétique.

Conseils d'utilisation : analgésique en application locale dans le zona, mélangé à du ravensare aromatique. Très utile dans les maux de tête, céphalées et migraines d'origine congestive, l'hypotension. Améliore la circulation locale au niveau des yeux et de la tête (cerveau). Mal des transports, aphrodisiaque. A intégrer dans des mélanges synergiques pour inhalation dans les sinusites.

— Voie interne : 1 goutte d'H.E. trois à quatre fois par jour ; ne pas utiliser plus d'un mois de suite.

— Voie externe : 5 à 10 gouttes d'H.E. en application locale (attention aux yeux).

Menthe arvensis

Origine : Chine, Japon, cultivée au Paraguay.

Utilisée principalement pour en extraire le menthol.

Propriétés, indications : très riche en menthol. Procure une sensation de fraîcheur et une vasoconstriction des vaisseaux. Soulage les douleurs céphaliques momentanément. Utilisée dans les maux de tête (céphalées, migraines, névralgies).

Conseils d'utilisation : ne pas absorber le menthol par voie orale. Appliquer sur les zones douloureuses, coups de soleil.

Menthe suave *(Menthe suaveolens)*

Propriétés, indications : H.E. indiquée dans les troubles spasmophiles pour son action régulatrice sur le système neurovégétatif, améliorant le métabolisme hépatique, anti-inflammatoire.

Stimule les glandes parathyroïdes.

Autres variétés :
Menthe crépue *(Mentha crispa).*
Menthe pouliot *(Mentha pulegium).*
Menthe sylvestre *(Mentha longifolia).* Calme le système sympathique.
Menthe vraie *(Mentha viridis).*

*
* *

Millepertuis *(Hypericum perforatum)* (Hypericacées)

Autres noms : herbe aux mille trous, herbe aux piqûres. Ses feuilles sont remplies de petites poches à essence translucide à l'apparence de petites perforations.

Origine : commune en Europe.

Parties utilisées : sommités fleuries, feuilles.

Propriétés, indications : anti-inflammatoire et cicatrisant, il est utilisé en application externe dans le traitement des brûlures et plaies, coups de soleil (curatif mais non préventif).

Conseils d'utilisation : sert à fabriquer l'huile rouge par macération de la plante fraîche. Formule : 1 part de plante fraîche dans 2 parts d'huile d'olive chaude. Laissez macérer 7 jours au soleil, en secouant tous les jours ; filtrez et versez dans des petits flacons hermétiques. Se conserve un an à l'abri de la lumière et de la chaleur.

Monarde *(Monarda didyma)* (Labiées ou Lamiacées)

Autres noms : thé d'Oswego ou de Pennsylvanie.
Origine : utilisée traditionnellement en Amérique du Nord par les Indiens.
Partie utilisée : feuille très aromatique qui dégage une agréable odeur de bergamote.
Propriétés, indications : digestive, soulage les maux d'estomac, les nausées et vomissements, bronchites, rhino-pharyngites. Calmante et légèrement soporifique.
Conseils d'utilisation : en infusion (1 cuillerée à café par tasse d'eau bouillante deux à quatre fois par jour).
H.E. : 1 à 2 gouttes après les repas.

Moutarde noire *(Brassica nigra)* (Crucifères)

Origine : Europe, Asie, Amérique du Nord.
Partie utilisée : graine.
Propriétés, indications : énergétisante.
Conseils d'utilisation :
— Usage culinaire : condiment piquant.
— Usage thérapeutique : les sinapismes de farine mélangés avec de l'eau tiède provoquent une intense rubéfaction locale décongestionnante (poumons et douleurs rhumatismales). L'essence est peu utilisée.

Muscadier *(Myristica fragans)* (Myristicacées)

Voir aussi *Macis.*
Origine : Indonésie, Antilles, Amérique du Sud.

Parties utilisées : graine ou amande (noix de muscade), mais aussi le macis (arille rouge vif très aromatique donnant l'H.E. de macis).
Propriétés, indications : stimulant (serait aphrodisiaque).
Conseils d'utilisation : condiment à usage culinaire.

Myrrhe *(Commiphora abyssinica)* (Burcéracées)

Origine : mer Rouge, Somalie.
Partie utilisée : oléorésine épaisse ou gomme.
Propriétés, indications : H.E. tonique, stimulante, énergétisante, cicatrisante, antiseptique, antispasmodique, antiphlogistique (contrecoups), balsamique.
Conseils d'utilisation : en massages.

Myrte commun *(Myrtus communis)* (Myrtacées)

Deux variétés sont utilisées : l'une donnant une H.E. rouge et l'autre une H.E. verte.
Origine : région méditerranéenne.
Partie utilisée : feuilles.
Propriétés, indications : H.E. antiseptique des voies respiratoires et de l'appareil génital, anti-inflammatoire, tonifiante énergétisante. Très bon antiseptique atmosphérique.
H.A. indiquée dans les infections oculaires. Stimulant ovarien. Congestion prostatique.
Conseils d'utilisation : en inhalations ou aérosols, en onctions et massages des plexus. H.E. remarquablement bien tolérée par la peau.

Néroli *(Citrus aurantium* et *Citrus bigaradia)* (Rutacées)

Origine : Méditerranée.
Partie utilisée : les fleurs de l'oranger doux ou du bigaradier qui contiennent la précieuse H.E. de néroli.

Propriétés, indications : anti-infectieuse, énergétisante tonifiante du système nerveux, foie et pancréas ; régularise le système nerveux, favorise le sommeil, dépressions, nervosité, agressivité. Améliore la circulation capillaire veineuse. Décongestionne l'utérus, régularise le cœur. Soins de la peau sénescente.

Conseils d'utilisation :

— Voie interne : tisane de fleurs d'oranger après les repas ou le soir (1 cuillerée à café par tasse une à deux fois par jour). H.E. : 2 à 6 gouttes par jour.

— Voie externe : H.E. très douce pour la peau et les muqueuses, elle peut sans inconvénient être utilisée chez les jeunes enfants et les bébés, diluée à 1 % dans de l'huile grasse (gouttes nasales et onctions cutanées).

On peut aussi utiliser l'eau de fleurs d'oranger pure.

Niaouli *(Melaleuca quinquinervia viridiflora)* (Myrtacées)

Origine : Nouvelle-Calédonie, Madagascar. Très efficace et d'emploi courant.

Partie utilisée : feuilles. L'H.E. purifiée (essence) est connue sous le nom de « gomenol ».

Propriétés, indications : H.E. énergétisante, stimule les défenses naturelles, équilibrante du système nerveux végétatif, hypochlorhydrie, antiseptique général, bactéricide (staphylocoques, colibacilles), antiviral (grippe, hépatite, herpès, zona), antimycosique, cicatrisant puissant, énergétisant ; particulièrement indiquée pour les affections respiratoires. Décongestionnant de la circulation veineuse, indiquée dans les varices, jambes lourdes, hémorroïdes (en association avec cyprès et lentisque), artériosclérose. Radioprotecteur, il est conseillé d'en faire préventivement de larges onctions sur les zones irradiées en cas de radiothérapie anticancéreuse. Utilisée dans les traitements anticancéreux en applications locales (cancer du sein).

Conseils d'utilisation : surtout en inhalations et onctions cutanées ; peut être employée pure sans inconvénient. Il s'agit là d'une H.E. de première importance à utiliser dès les premiers signes d'infection respiratoire.

Menthe

Oranger

Persil

Millepertuis
officinal

Oignon *(Allium cepa)* (Liliacées)

Origine : régions tempérées. Véritable panacée, l'oignon jouit depuis des siècles d'une réputation méritée.

Partie utilisée : bulbe.

Propriétés, indications : antiseptique et anti-infectieux puissant, décongestionnant de la sphère génito-urinaire, diurétique ; il est aussi considéré comme dépuratif du sang par élimination de l'urée et des chlorures. Hypoglycémiant, stimulant nerveux général, tonique et protecteur du cœur, prévient l'artériosclérose.

Conseils d'utilisation :

— Usage culinaire : rien ne remplace le végétal frais mélangé aux salades, ou cuit aromatisant soupes, légumes et viandes.

— Usage médicinal : utilisé traditionnellement pour faire mûrir les abcès par application du bulbe cuit. Même indication dans les otites : appliquer l'oignon cuit en le fixant avec une bande pendant la nuit.

Oranger doux *(Citrus aurantium)* (Rutacées)

Origine : Méditerranée, régions tropicales.

Partie utilisée : zeste.

Propriétés, indications :

— Pulpe : les bioflavonoïdes de la pulpe renforcent la paroi des vaisseaux capillaires, la vitamine C a une action tonifiante générale, tranquillisante et détoxifiante.

— H.E. du zeste : calmante et rééquilibrante du système sympathique, légèrement hypnotique (voir *Mandarine* et *Néroli*), digestive, détoxicante, régulateur cardiaque (palpitations).

Conseils d'utilisation de l'H.E. :

— Voie interne : 1 à 2 gouttes trois à quatre fois par jour. Conseillée en aérosols.

— Voie externe : très agréable en massages pour les douleurs arthrosiques de la colonne vertébrale. Très bien tolérée par la peau.

Origan vulgaire *(Origanum vulgare)* (Labiées ou Lamiacées)

Origine : commun en Europe du Sud.
Partie utilisée : sommités fleuries.
Propriétés, indications : antiseptique et antitoxique, anti-microbien et antiviral, expectorant pulmonaire, tonifiant du système nerveux, parasiticide. Angine, infections diverses.
Conseils d'utilisation : culinaire et tisanes.
H.E. : 1 à 2 gouttes diluées à 10 % dans un dispersant quatre à cinq fois par jour, en mélange avec niaouli ou ravensare aromatique. Pas d'usage prolongé. A réserver aux cas d'urgence (ne pas dépasser 5 à 7 jours).

Autres variétés :
Origan d'Espagne *(Coridothymus capitatus).* Le plus puissant anti-infectieux par sa teneur exceptionnelle en phénols.
Origan à fleurs compactes *(Origanum compactum).* Précieux allié dans la grippe et comme stimulant des défenses naturelles.

Palmarosa *(Cymbopogon martinii)* (Graminées ou Poacées)

Autre nom : géranium des Indes.
Origine : Inde. Cultivé en Afrique, Indonésie, Amérique du Sud.
Partie utilisée : parties aériennes. Son parfum est très proche de celui de la rose et du géranium.
Propriétés, indications : antidouleur, il est recommandé dans les mastoses et douleurs du sein (et cancer du sein). Tonique général du système neuro-hormonal, il stimule les défenses naturelles.
Décongestionnant. Microbicide et antifongique, il est à utiliser dans les soins des pieds et des cheveux.
Conseils d'utilisation de l'H.E. :
— Voie interne : 1 à 2 gouttes deux à trois fois par jour.
— Voie externe : application en onctions douces, pure ou diluée à 50 % dans de l'huile d'onagre ou rosa mosqueta (mas-

toses). Mycoses : pure sur les zones atteintes. Soins de la peau : l'intégrer dans vos crèmes et lotions (1 à 2 %).

Pamplemousse *(Citrus grandis)* (Rutacées)

Origine : Asie. Nombreux hybrides.
Partie utilisée : jus riche en vitamine C.
Propriétés, indications : la pulpe est tonique et rafraîchissante. L'H.E. est apéritive et digestive, drainante du foie et des reins. Désintoxicante, elle participe à la régulation du poids corporel.
Conseils d'utilisation de l'H.E. : 1 à 2 gouttes trois à quatre fois par jour.

Variété : le **pomelo** *(citrus paradisi)* est le fruit que nous consommons sans le savoir sous le nom de pamplemousse.

Patchouli *(Pogostemon patchouli)* (Labiées ou Lamiacées)

Origine : Malaisie. Cultivé dans les pays tropicaux.
Partie utilisée : partie aérienne.
Propriétés, indications : anti-infectieux, anti-inflammatoire, antifongique, antiacnéique, décongestionnant veineux, tonique général. Stimule les défenses naturelles. Régularise l'épiderme.
Conseils d'utilisation externe : H.E. en application directe sur les lésions acnéiques, soit seule, soit en mélange synergique. Entre dans la composition de nombreux parfums.

Persil *(Petroselinum sativum)* (Ombellifères ou Apiacées)

Origine : sud de l'Europe. Cultivé dans les pays tempérés.
Parties utilisées : semences, parties aériennes, racines.
Propriétés, indications : emménagogue, c'est une des meilleures H.E. à utiliser dans les troubles circulatoires en rapport avec le cycle menstruel. Dépurative, elle nettoie les voies uri-

naires, le foie et la vésicule biliaire. Antiseptique et tonique stimulante, elle est dotée pour certains de propriétés anticancéreuses.

Conseils d'utilisation :
— Voie interne : 1 à 2 gouttes d'H.E. trois fois par jour (usage prolongé sous contrôle médical).

— Voie externe : ses propriétés antilaiteuses sont connues depuis fort longtemps ; appliquer sur les seins engorgés des cataplasmes de persil mélangé à de l'argile blanche.
— La racine en décoction a des propriétés diurétiques.

Petit grain

Nom donné aux H.E. extraites par distillation des feuilles d'oranger et de citronnier.

Propriétés, indications : calmant du système nerveux sympathique, régulateur cardiaque (palpitations), digestif et antiseptique. Excellent relaxant.

Conseils d'utilisation :
— Voie interne : 1 à 2 gouttes d'H.E. trois à quatre fois par jour.
— Voie externe : en massage vertébral et des plexus (5 à 20 gouttes d'H.E. une à trois fois par jour).

Piment doux *(Capsicum annuum)*, Piment enragé *(Frutescens)* (Solanacées)

Origine : régions tropicales et tempérées chaudes. Couleur variant du vert au rouge. Nombreuses variétés.

Partie utilisée : fruit.

Propriétés, indications : rubéfiant et piquant, voire brûlant.

Conseils d'utilisation :
— Usage condimentaire : principale utilisation.
— Usage thérapeutique : comme révulsif et rubéfiant.

Conseillé dans les rhumatismes, les lumbagos secondaires à un refroidissement (sous la forme de cataplasmes, sinapismes ou pommades).

Autres variétés :
Paprika *(Capsicum tetragonum)* : commun en Europe.
Chili *(Capsicum frutescens)* ou piment de Cayenne : utilisé comme condiment en Asie, au Mexique et en Amérique du Sud.
Toute-épice *(Pimenta dioica)* : originaire des Antilles et d'Amérique du Sud. Utilisée traditionnellement comme conservateur des viandes. Entre dans la composition de liqueurs (Bénédictine et chartreuse).

Pin maritime *(Pinus pinaster)* (Conifères ou Abiétacées)

Origine : Europe tempérée, côte landaise (France).
Parties utilisées : résine (donnant, par extraction, la térébenthine de Bordeaux), aiguilles (distillées pour extraire l'H.E.).
Propriétés, indications : antiseptique pulmonaire et des voies urinaires, fluidifie et facilite l'évacuation des sécrétions bronchiques, favorise la dissolution des calculs rénaux. Stimulant.
H.E. par voie externe : antiseptique et bactéricide, révulsive, antirhumatismale et antidouleur. Pédiculose.
Conseils d'utilisation :
— Voie interne : 2 à 3 gouttes d'H.E. diluées trois à quatre fois par jour (H.E. de pin, aiguilles) en inhalations.
— Voie externe : onctions sur le thorax et les articulations arthrosiques.
— Bains aromatiques : la térébenthine provoque une rubéfaction intense (vasodilatation) qui décuple le débit circulatoire capillaire et l'élimination des toxines.

Variété :
Baumier du Canada *(Abies balsamea)* : riche en pinène, aux propriétés voisines de la térébenthine.

Pin sylvestre *(Pinus sylvestris)* (Conifères ou Abiétacées)

Parties utilisées : bourgeons et feuilles.

Propriétés, indications : H.E. balsamique, antiseptique et fluidifiante des sécrétions bronchiques, utilisée principalement dans les affections respiratoires.

Tonique, elle stimule le système sympathique et les glandes surrénales. Dépurative, antirhumatismale, antilithiasique, antifatigue.

Conseils d'utilisation :
— Voie interne : inhalations, aérorols.
— Voie externe : onctions thoraciques des plexus et de la colonne vertébrale (20 à 50 gouttes d'H.E.) dans la fatigue, les pertes d'énergie, les infections respiratoires.
— Usage médicinal : goudron dans les affections de la peau.

Poivre *(Piper nigrum)* (Pipéracées)

Partie utilisée : fruit.

Propriétés, indications : H.E. chaude mais non piquante, aphrodisiaque, tonique stimulant du système digestif, antiseptique urinaire.

Antidouleur en application externe.

Conseils d'utilisation :
— Usage culinaire : grains.
— Voie externe : H.E. en massages.

Pyrèthre matricaire *(Chrysanthemum parthenium)* (Composées ou Astéracées)

Origine : très commune.

Partie utilisée : feuilles.

Propriétés, indications : réputée pour calmer les migraines.

Conseils d'utilisation : à mâcher ou en tisane (ne pas dépasser la dose d'une feuille par jour).

Variété : l'espèce *Cineariaefolium* (originaire d'Afrique) est utilisée pour la fabrication de poudres insecticides et de vermifuge (ascaris, oxyures).

Raifort *(Cochlearia armoracia)* (Crucifères)

Autres noms : cranson, moutarde des capucins.
Origine : côtes maritimes de l'Europe orientale. Cultivé.
Partie utilisée : racine à l'aspect, au goût et aux vertus très proches du radis noir.
Propriétés, indications : bactéricide, diurétique, révulsif, stimulant. Utilisé comme condiment.
Conseils d'utilisation : en cataplasme rubéfiant dans les douleurs rhumatismales (arthrose) et les crampes (appliquer pendant 15 à 20 mn de la racine râpée sur les zones douloureuses). Entre dans la composition du vinaigre dentifrice.

Ravensare *(Ravensara aromatica)* (Lauracées)

Origine : Madagascar.
Partie utilisée : feuilles.
Propriétés, indications : remarquablement tolérée, sans toxicité. Énergétisante, l'H.E. possède des propriétés détoxicantes, anti-infectieuses (antibactérienne, antivirale et antimycosique). Elle est particulièrement indiquée dans la grippe, les hépatites virales, le zona, les infections de l'arbre respiratoire et de la peau. Relaxante, elle peut s'utiliser en massage de la colonne vertébrale. Facilite le sommeil.
Conseils d'utilisation de l'H.E. :
— Voie interne : à utiliser en mélange avec des H.E. à phénols dans les infections de la gorge (angine) et à du niaouli ou de l'*Eucalyptus radiata* ou *polybractea* pour les inhalations et aérosols (1 à 2 gouttes trois à quatre fois par jour).
— Voie externe : en massage vertébral (10 à 20 gouttes). Dans la technique d'embaumement aromatique, on peut aller

jusqu'à 10 ml d'H.E. les deux premiers jours en onctions générales dans les grandes pertes d'énergie, les déficits immunitaires importants, les affections virales (grippe, herpès, zona...).

Rocouyer *(Bixa orellana)* (Bixacées)

Autres noms : roucou, urucu.
Origine : Brésil, Amérique centrale.
Partie utilisée : graines rouge vif.
Propriétés, indications : reconstituant remarquable par sa richesse en vitamine A (1 000-2 000 Ul/g), huile essentielle (0,08 %), minéraux (calcium, magnésium, soufre) et oligo-éléments (fer, sélénium).
Conseils d'utilisation :
— Complément alimentaire : poudre de plante en gélules ou pour saupoudrer salades, poissons, pâtes et céréales, à la dose de 1 g par jour.
— Macération huileuse : remarquable filtre solaire naturel et antimoustiques.

Romarin *(Rosmarinus officinalis)* (Labiées ou Lamiacées)

Autres noms : rose marine, rosée de la mer, encensier (odeur d'encens).
Origine : Europe centrale et méditerranéenne. Utilisé à des fins religieuses et médicinales par les Égyptiens, les Grecs et les Romains. Plante rendue célèbre au XVIᵉ siècle par la légende selon laquelle la reine Isabelle de Hongrie, malade et âgée, retrouva santé et jeunesse grâce aux vertus d'une eau de jouvence composée d'un mélange de solution alcoolique de lavande, menthe pouliot et romarin.
Formule simplifiée : 10 gouttes d'H.E. de lavande + 10 gouttes d'H.E. de menthe (menthe pouliot si vous en trouvez) + 10 gouttes d'H.E. de romarin + 1 l d'eau de source très peu minéralisée et pure. Secouer tous les jours, pendant une semaine ; mettre en petits flacons bien bouchés et conserver à

l'abri de la lumière et de la chaleur. A utiliser comme lotion de nettoyage.

Partie utilisée : sommités fleuries.

Propriétés, indications : trois races chimiques sont employées en aromathérapie. Propriétés communes : antiseptiques, antispasmodiques, antirhumatismales, cicatrisantes, détoxicantes, diurétiques, toniques cardiaque et veineux et stimulants généraux (hypotension), draineurs spécifiques hépatique et biliaire. Augmentent la sécrétion de bile et facilitent son écoulement. Particulièrement indiquées dans l'hépatisme, l'insuffisance biliaire, les dyskinésies biliaires, les digestions lentes, l'artériosclérose.

Variétés :

Romarin de Provence à verbénone : anti-infectieux, dissout les mucosités. Indiqué dans les angines, affections hépatiques et biliaires. H.E. en inhalations ou voie orale (6 à 8 gouttes par jour).

Romarin à 1.8 cinéol et bornéol ou camphre : décontractant musculaire, décongestionnant (pas d'utilisation chez la femme enceinte). Indiqué dans les états infectieux. H.E. en massages.

Rose *(Rosa damascena)* (Rosacées)

Partie utilisée : pétales. H.E. la plus précieuse d'entre toutes.

Propriétés, indications : astringente, cicatrisante, anti-inflammatoire, antihémorragique, tonique, aphrodisiaque, fortifiant général.

Conseils d'utilisation : eau de rose tonique astringent utile dans la couperose, et servant comme base dans des formules composées de crèmes régénérantes de la peau.

Le coût prohibitif de l'H.E. de rose en réserve l'usage aux parfums et produits cosmétiques de luxe. Souvent trafiquée et imitée par des mélanges de produits proches (géranium, palmarosa).

Romarin

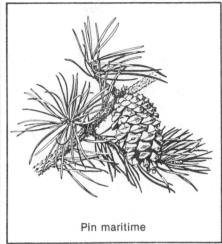

Pin maritime

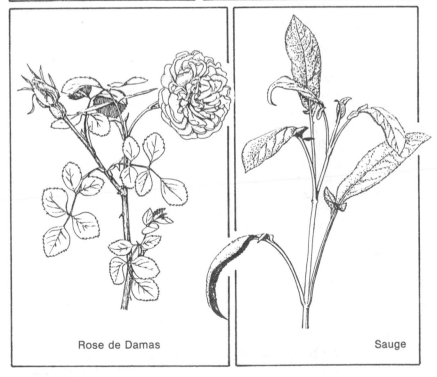

Rose de Damas

Sauge

Safran *(Crocus sativus)* (Iridacées)

Origine : Asie Mincure.
Partie utilisée : stigmates en poudre.
Propriétés, indications : facilite la digestion, colore agréablement les mets les plus divers. Entre dans la composition de nombreuses spécialités culinaires : paella, risotto, curry, soupe de poisson.

Son prix élevé se justifie par la main-d'œuvre nécessaire à la récolte des 200 000 stigmates constituant 1 kg de poudre de safran.

Santal *(Santalum album, Amyris balsamifera)* (Santalacées)

Origine : Inde.
Partie utilisée : bois.
Propriétés, indications : antiseptique génito-urinaire longtemps employé dans la blennorragie, diurétique, astringent intestinal (diarrhées), aphrodisiaque et tonique général, décongestionnant veineux. Utile dans le traitement de l'acné et de certains problèmes de peau. Parfumerie.
Conseils d'utilisation de l'H.E. :
— Voie interne : 1 à 2 gouttes deux à trois fois par jour. En fumigations (bois) ou aérosols (H.E.) pour favoriser la relaxation et la méditation.
— Voie externe : en massage vertébral (tonique). Applications locales : acné, varices.

Santoline *(Santolina chamaecyparissus)* (Composées ou Astéracées)

Autres noms : faux cyprès, aurone femelle, garde-robe. Ses fleurs jaunes l'ont fait choisir aux jardiniers pour orner les jardins du midi de la France.
Origine : Méditerranée.
Parties utilisées : semences, sommités fleuries, feuilles.

Propriétés, indications : principalement vermifuge (
ris, oxyures).

Conseils d'utilisation : en infusions (1 cuillerée à café
tasse d'eau bouillante trois à quatre fois par jour).

H.E. : 1 à 2 gouttes trois à quatre fois par jour pendant
sept jours par lunaison (trois jours avant la pleine lune et quatre jours après). Renouvelez si nécessaire.

Consultez un aromathérapeute.

Sarriette des montagnes *(Satureia montana),* Sarriette des champs *(Satureia hortensis)* (Labiées ou Lamiacées)

Origine : région méditerranéenne.

Parties utilisées : plante, fleurs.

Propriétés, indications : anti-infectieux majeur qui détruit
la quasi-totalité des germes pathogènes et des champignons
(mycoses à candida albicans). Une des plantes les plus toniques
à utiliser à faible dose eu égard à la causticité des phénols vis-à-
vis des muqueuses. Prenez la précaution de la diluer préalablement à 10 % dans un dispersant naturel. Hypotension. Énergétisante, antifatigue, puissant tonique général stimulant le
système sympathique, indiquée dans les dépressions, aphrodisiaque. Action puissante dans les infections à répétition : angine,
amygdalite, tuberculose, les parasitoses (oxyures, ascaris, tænia), les colites infectieuses, les diarrhées, les mycoses buccales
(langue noire ou grise), les infections urinaires et gynécologiques, les infections cutanées (abcès, furoncles, impétigo, lichen,
gale).

Conseils d'utilisation : pas d'usage prolongé sans avis d'un
aromathérapeute.

— Tisanes : 2 à 4 tasses par jour. Indiquées dans les infections de la gorge.

— Voie interne : 1 à 2 gouttes d'H.E. deux à quatre fois
par jour très diluées.

— Voie externe : H.E. en application sur les lésions. Ne
pas déborder sur la peau saine.

Sassafras *(Sassafras albidum, Ocotea pretiosa)* (Lauracées)

Origine : Amérique du Nord et du Sud.
Parties utilisées : écorce, racines.
Propriétés, indications : antiseptique urinaire, diurétique, tonique stimulant, à utiliser dans le traitement antitabac (antidote). Antalgique et antirhumatismal. Pédiculose.
Conseils d'utilisation de l'H.E. :
— Voie interne : 1 à 2 gouttes par jour dans les infections urinaires (pas d'usage prolongé sans conseil médical).
— Voie externe : en massages avec 20 à 30 gouttes (douleurs rhumatismales). Sympathicothérapie endo-nasale diluée à 10 % dans de l'huile d'amande douce (antitabac).

Sauges *(Salvia)* (Labiées ou Lamiacées)

Parties utilisées : feuilles, fleurs, parties aériennes.
Propriétés, indications :
— **Sauge officinale :** antiseptique, antimycosique, antisudorale, stimulante et tonifiante, hypertenseur, cicatrisante, draineur des émonctoires, de la vésicule biliaire, détoxicant, hypoglycémiante (prédiabète), indiquée dans les problèmes gynécologiques (favorise les règles et la conception, antilaiteux).
H.E. toxique à haute dose (vente réglementée). Usage en tisane de préférence.
— **Sauge sclarée :** n'a pas la toxicité de la précédente et possède sensiblement les mêmes effets. Conseillée dans les affections gynécologiques. Aménorrhée (hormonlike). Calme le système parasympathique. Détoxicante, elle participe à la lutte contre le vieillissement cellulaire. Favorise la croissance du cheveu.
H.E. : 1 à 2 gouttes deux à trois fois par jour (pures ou diluées).

Serpolet *(Thymus serpyllum)* (Labiées ou Lamiacées)

Autre nom : thym sauvage.

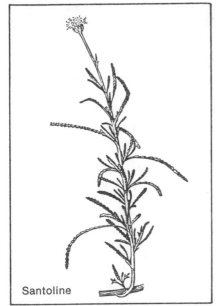

Santoline

Sauge
officinale

Thuya

Thym

Origine : Europe. Terres rocailleuses et ensoleillées.
Partie utilisée : tige fleurie.
Très proche du thym.
Propriétés, indications : H.E. antiseptique, microbicide, antispasmodique, expectorante. Indiquée dans les toux, bronchite et autres infections de l'arbre respiratoire. Rubéfiante en application externe.
Conseils d'utilisation : tisane ou H.E. mélangée à du miel (2 gouttes pour 1 cuillerée à café de miel trois à six fois par jour).

Térébenthine : voir *Pin maritime.*

Thuya *(Thuya occidentalis)* (Cupressacées ou Conifères)

Autres noms : arbre de vie, cèdre blanc.
Origine : Canada, Virginie. Acclimaté dans toute l'Europe.
Partie utilisée : rameaux.
Principaux constituants : tanins et huile essentielle riche en thuyone.
Propriétés, indications : antitumorale, son usage est essentiellement externe dans les condylomes, papillomes, polypes, verrues, nécroses de la maladie de Raynaud. Appliquer 1 goutte d'H.E. matin et soir pendant plusieurs semaines si nécessaire. Gargarisme pour traiter les végétations avec 3 gouttes diluées dans de l'alcool puis dans de l'eau.
Conseils d'utilisation :
— Usage interne : 10 à 30 gouttes de T.M. par jour.
— Usage homéopathique : remède majeur antitumoral, antidote des vaccinations.

Thym vulgaire *(Thymus vulgaris)* (Labiées ou Lamiacées)

Origine : Europe méditerranéenne.
Partie utilisée : tige fleurie.

Propriétés, indications : digestif, stimulant les sécrétions biliaires, il est largement utilisé en cuisine pour aromatiser viandes et poissons. Il est anti-infectieux majeur, antiseptique (angine, amygdalite, grippe intestinale, colite infectieuse, diarrhées, infections urinaires et gynécologiques, infections de la peau, acné, lichen). Antispasmodique, il calme la toux.

H.E. énergétisante, tonique, stimulante du sympathique, antiparasitaire (ascaris, oxyures, tænia), gale. Elle doit être utilisée avec modération pendant de courtes périodes. Elle possède un pouvoir antiseptique et antispasmodique, calme la toux et dissout les calculs. Vasodilatateur en application externe.

Conseils d'utilisation :

— Tisane : plante fraîche ou sèche (1 cuillerée à café pour une tasse trois à quatre fois par jour). Choisissez plutôt des thyms doux sans phénols pour vos tisanes.

— H.E. : ne pas les utiliser pures pour éviter les irritations de l'estomac, mais les diluer préalablement dans un dispersant naturel (1 à 2 gouttes diluées trois à quatre fois par jour).

Variétés :

Thyms forts : noir et rouge à thymol et carvacrol.

Thym doux (ou thym jaune) : à linalol, géraniol ou terpinéol n'a pas les effets corrosifs des précédents et peut être employé sans inconvénient pour la peau et les muqueuses. Cette variété de thym sera préférée pour traiter les enfants ainsi que les peaux et muqueuses fragiles (infections cutanées, rhumes).

Thym à thuyanol : régénérateur hépatique remarquable, stimule les défenses naturelles. Non irritant. Variété très intéressante.

Valériane officinale *(Valeriana officinalis),* **Valériane de l'Inde** *(Valeriana wallichii)* (Valérianacées)

Origine : Europe, Inde.
Partie utilisée : racine.
Propriétés, indications : calme le système nerveux et les spasmes, prépare au sommeil.

Régulateur psychique et cardiaque.

Conseils d'utilisation : dans les insomnies à associer à passiflore, houblon, lotier ou escholtzia en T.M. (ne pas oublier que les tisanes obligent souvent à se lever : leur préférer une forme plus concentrée).

Teinture mère : 30 à 50 gouttes dans un peu d'eau 1/2 heure avant le coucher ou en mélange dans une formule composée.

Exemple : T.M. de valériane + T.M. d'escholtzia + T.M. de passiflore (mélange à parts égales ; 50 à 100 gouttes dans un peu d'eau avant le coucher).

Vanille *(Vanilla planifolia)* (Orchidées)

Origine : régions tropicales.

Partie utilisée : fruit ou « gousse » au parfum sucré.

Principaux constituants : vanilline obtenue après fermentation du fruit et de nombreuses autres molécules qui personnalisent son délicat parfum.

Conseils d'utilisation : stimulant biliaire, elle est surtout employée comme aromatisant.

Verveine citronnée *(Lippia citriodora)* (Verbénacées)

Autre nom : verveine odorante.

Origine : Afrique du Nord, Amérique du Sud.

Partie utilisée : feuilles.

Propriétés, indications : très intéressantes, l'H.E. (qui a l'inconvénient d'être chère) possède de multiples usages thérapeutiques. Anti-inflammatoire, elle est utile dans les rhumatismes, l'arthrite et les inflammations articulaires. Calmante générale du système nerveux, elle se révèle très active en usage prolongé. Antithermique, antispasmodique (vésicule biliaire), antinévralgique. Donnée par certains comme anticancéreuse et antituberculeuse (à associer à niaouli pour stimuler les défenses naturelles).

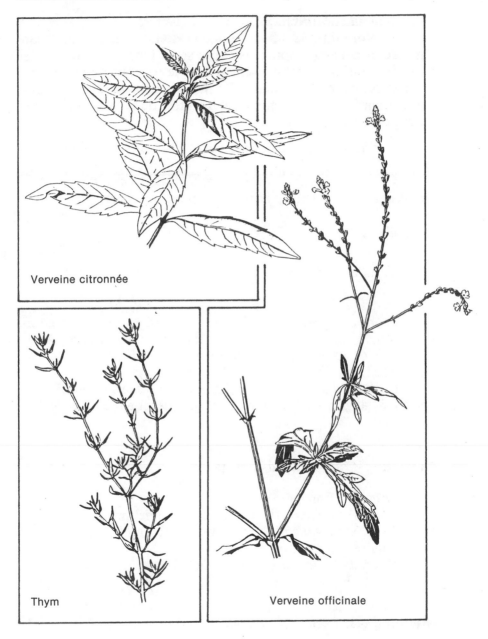

Verveine citronnée

Thym

Verveine officinale

Conseils d'utilisation :
— Voie interne : 2 à 3 gouttes d'H.E. diluées dans un liquide dispersant ou une tisane le soir après le repas.
— Voie externe : conseillée dans la formule de bains aromatiques antirhumatismaux. En massages sur les articulations arthritiques. Peut être remplacée par H.E. de lantana ou lemongrass moins chères.

Variété : à ne pas confondre avec **Verveine des jardins** *(Verbena officinalis)* très peu aromatique.
Espèces voisines : Lantana brasiliensis et *Lantana camara* : succédanés intéressants et beaucoup moins chers.

Vétiver *(Vetiveria zizanioïdes)* (Graminées ou Poacées)

Origine : océan Indien, Chine, Amérique du Sud. Cultivé dans les pays tropicaux.
Partie utilisée : racine.
Propriétés, indications : cette H.E. qui entre dans la composition de nombreux parfums s'utilise par voie externe. Antiseptique, désinfectante et tonique, elle est indiquée dans certaines affections de la peau (acné, dermatose).
Conseils d'utilisation : H.E. pure sur les lésions acnéiques ou en mélange avec des huiles synergétiques (baume de copaïba, lavande).

Violette *(Viola odorata)* (Violacées)

Origine : Europe.
Parties utilisées : fleurs et parties aériennes.
Propriétés, indications : calme la toux, anti-inflammatoire pulmonaire et urinaire.
Conseils d'utilisation : en infusion (1 cuillerée à café par tasse d'eau bouillante trois à quatre fois par jour).

Wintergreen : voir *Gaulthérie.*

Ylang-ylang *(Cananga odorata)* (Annonacées)

Origine : Madagascar. On le trouve en Asie et dans les îles de l'océan Indien.

Partie utilisée : fleurs.

Propriétés, indications : H.E. régulatrice du système cardiaque (hypotenseur, calmant du système sympathique). Tonifiant ovarien et testiculaire. Utilisée en cosmétique et parfumerie.

Conseils d'utilisation de l'H.E. :

— Voie interne : 2 gouttes trois à quatre fois par jour diluées.

— Voie externe : en massages des plexus (10 à 20 gouttes par jour).

Zédoaire *(Curcuma zedoaria)* : voir *Curcuma.*

Les familles
des plantes aromatiques

1. Les grandes familles

Burséracées : originaires des pays désertiques chauds et secs, elles possèdent une action énergétisante, cicatrisante et anti-inflammatoire.

Élémi, encens (ou oliban), myrrhe...

Composées ou **astéracées** : existant sur tous les continents en dehors des zones tropicales ou arctiques, cette famille regroupe près de 13 000 espèces et représente la plus grande famille parmi les plantes aromatiques. Elle se caractérise par le regroupement des petites fleurs en une sommité unique. Elles sont puissamment rééquilibrantes, souvent anti-inflammatoires.

Absinthe, achilée millefeuille, armoise, aunée, aurône mâle, baccharis, camomille romaine, estragon, génépis, grande camomille, immortelle, inule odorante, matricaire, santoline, vergerette de Naudin (plus riche en H.E. que la vergerette du Canada), wedelia scaberrina...

Conifères ou **abiétacées**, ou **pinacées**, ou **cupressacées** : c'est peut-être la plus vieille famille de végétaux aromatiques ; on retrouve sa trace il y a 300 millions d'années. Leur action est énergétisante, tonifiante ; elles apportent de la chaleur. Indiqués dans les affections respiratoires, les troubles liés à certaines insuffisances glandulaires et nerveuses.

Les principaux conifères utilisés actuellement pour leur H.E. sont : baumier du Canada, baumier du Pérou, cadier, cèdre, cyprès, épicéa, genévrier, mélèze, pin maritime, pin sylvestre, sapin blanc, thuya... D'autres mériteraient d'être plus étudiés, comme le cèdre rouge dont les feuilles contiennent une substance antitumorale (la podophyllotoxine).

Labiées ou **lamiacées** : originaires des zones tempérées, elles aiment les espaces ensoleillés. Très énergétisantes, elles possèdent des propriétés variées : régulatrices du système nerveux, antiseptiques, anti-inflammatoires et antispasmodiques digestives.

Basilic, calament, cataire, hyptis, hysope, lavande aspic, lavande stoechas, lavande vraie, lavandin, marjolaine, marrube, mauve, mélisse, menthes, monarde, ocimum gratissimum, origan, palmarosa, patchouli, raphiodon echinus, romarin, sarriette, sauge officinale et sclarée, serpolet, tanaisie, thyms...

Lauracées : plantes du soleil, elles ont une prédilection pour les zones tropicales et subtropicales. Leur action est énergétisante, tonifiante, stimulante voire aphrodisiaque.

Bois de rose, camphre, cannelle, dicepellium caryophyllatum, laurier commun ou laurier sauce, litsea, massoïa, ocotea pretiosa, ravensare aromatique, sassafras...

Légumineuses : vaste famille très polymorphe, variant de la plante herbacée aux arbres gigantesques des forêts tropicales. Leur point commun se situe dans leur fruit qui se présente comme un « légume » en gousse.

Baumier de Tolu, bugrane, copahier (baume d'Amazonie), hymenea courbaril, mimosa, poiretia...

Myrtacées : originaires des régions tropicales du globe terrestre, elles ont de remarquables actions énergétisantes, tonifiantes et anti-infectieuses ; elles sont souvent indiquées dans les problèmes respiratoires.

Bay Saint-Thomas, cajeput, eucalyptus citronné, eucalyptus globuleux, eucalyptus radiata, eugenia jambolana, melaleuca, myrcia polyantha, myrte commun, niaouli, psydium guajava...

Ombellifères ou **apiacées :** elles se caractérisent par l'extraordinaire découpage de leurs parties aériennes et de leurs fleurs réunies en vastes ombelles. Leur action semble axée sur les éliminations et les excrétions, notamment au niveau digestif et glandulaire.

Ammi, aneth, angélique, anis vert, carotte, carvi, céleri, cerfeuil, coriandre, cumin, fenouil, galbanum, livèche, persil...

Rosacées : famille la plus prestigieuse, elle contient la « reine » des plantes aromatiques : la rose, au parfum coûtant le prix de l'or.

Reine-des-prés, rosier de Damas, rosier de Provins...

Rutacées : famille originaire des zones tropicales, qui se distingue par ses belles fleurs délicatement parfumées, ses fruits juteux et riches en vitamine C ou ses baies épicées. Actions énergétisantes et calmantes, sédatives et antidépressives.

Bergamotier, bigaradier, buchu, citronnier, mandarinier, oranger (zeste, petit grain ou feuilles, néroli des fleurs), pamplemousse...

2. Les autres familles (liste non exhaustive)

Annonacées : annona squamosa, mangue, ylang-ylang...
Anacardacées : anacardium occidentale, mangifera indica, schinus terebinthifolius...
Aracées : acore calamus ou roseau des marais...
Bétulacées : bouleau blanc, bouleau jaune...
Cannabinacées : houblon...
Caprifoliacées : chèvrefeuille...
Cistacées : ciste ladanifère...

Crucifères : alliaire, moutarde noire, radis noir, raifort...
Diptérocarpacées : gurjum...
Éricacées : crotons (nombreuses espèces étudiées)...
Géraniacées : géranium rosat...
Graminées : citronnelle, lemon-grass, vétiver...
Guttifères : bornéol ou camphre de Bornéo...
Hypericacées : millepertuis.
Iridacées : iris de Florence, safran...
Liliacées : ail, ciboule et ciboulette, échalote, oignon...
Magnoliacées : badiane (anis étoilé)...
Méliacées : cedrela fissilis...
Monimiacées : boldo...
Myristicacées : macis (muscadier)...
Oléacées : jasmin...
Orchidées : vanillier...
Papilionacées : cabreuva...
Piperacées : lentisque pistachier...
Santalacées : santal...
Styracacées : benjoin...
Tiliacées : tilleul...
Valérianacées : valériane officinale...
Verbénacées : lantana camara, verveine odorante (lippia citriodora) et ses cousines de l'espèce Lippia (alecrim du Brésil, camara)...
Zingibéracées : cardamome, curcuma, gingembre...
Zygophyllacées : gaïac...

Index des noms latins

Huiles essentielles les plus utilisées

Abies balsamea : sapin baumier du Canada.
Achillea millefolium : achillée millefeuille (appelée aussi millefeuille).
Acorus calamus (voir Calamus) : acore.
Allium cepa : oignon.
Allium sativum : ail.
Ammi majus : ammi.
Ammi visnaga : khella.
Anethum graveolens : aneth.
Angelica archangelica : angélique.
Anthemis nobilis : camomille romaine.
Anthriscus cerefolium : cerfeuil.
Apium graveolens : ache des marais.
Artemisia absinthium : absinthe.
Artemisia arborescens : armoise arborescente.
Artemisia cina : semen contra.
Artemisia dracunculus : estragon.
Artemisia vulgaris : armoise vulgaire.
Barosma : buchu.

Betula alba : bouleau blanc.
Betula alleghanensis : bouleau jaune.
Calamintha officinalis : calament.
Calamus : acore odorant.
Calophyllum : calophylle.
Cananga odorata : ylang-ylang.
Canarium commune : élémi de Manille.
Carum carvi : carvi.
Carum copticum : ajowan.
Cedrus atlantica : cèdre.
Cinnamomum camphora : camphrier.
Cinnamomum zeylanicum : cannelle de Ceylan.
Citrus aurantium sinensis : oranger.
Citrus aurantium amara : oranger amer ou bigaradier.
Citrus aurantium dulcis : oranger doux.
Citrus aurantifolia : lime, limette, citron vert.
Citrus bergamia : bergamote.

Citrus deliciosa : mandarine (et son hybride : clémentine).
Citrus grandis : pamplemousse.
Citrus limonum : citronnier.
Citrus medica : cédrat (gros citron de Méditerranée).
Citrus paradisi : pomelo ou grape-fruit.
Citrus reticulata : mandarine.
Cochlearia armoracia : raifort.
Commiphora abyssinica : myrrhe.
Copaifera officinalis : copahier.
Coriandrum sativum : coriandre.
Crocus sativus : safran.
Croton elutheria : cascarille.
Cryptocaria massoïa : massoïa.
Cuminum cyminum : cumin.
Cupressus sempervirens : cyprès.
Curcuma longa et *Curcuma xanthorrhiza* : curcuma.
Cymbopogon naardus : citronnelle de Ceylan.
Cympopogon winteranius : citronnelle de Java.
Daucus carota : carotte.
Dryobalanops camphora : bornéol.
Erigeron canadensis : vergerette du Canada.
Eucalyptus citriodora (citronné), *globulus* (globuleux) ou *radiata* (radié) : eucalyptus.
Eugenia caryophyllata : giroflier.
Fœniculum vulgare : fenouil.
Gaultheria procumbens : gaulthérie ou wintergreen.
Guaiacum officinale : gaïac.
Helichrysum : immortelle.
Heracleum spondylum : grande berce.
Hypericum perforatum : millepertuis.
Hyssopus officinalis : hysope.
Illicium verum : badiane de Chine.

Inula helenium : aunée.
Iris florentina : iris.
Jasminum officinal : jasmin.
Juniperus communis : genévrier commun.
Juniperus oxycedrus : genévrier cadier.
Laurus nobilis : laurier noble.
Lavandula spica : lavande aspic ou aspic.
Lavandula vera : lavande vraie.
Lippia citriodora : verveine odorante.
Litsea cubeba : litsea.
Marrubium vulgare : marrube.
Matricaria chamomilla : matricaire ou camomille allemande.
Melaleuca leucadendron : cajeput.
Melaleuca quinquinervia viridiflorolifera : niaouli.
Melissa officinalis : mélisse.
Mentha piperita : menthe poivrée.
Myristica fragrans : muscadier.
Myroxylon pereirae : baumier du Pérou.
Myroxylon toluiferum : baumier de Tolu.
Myrtus communis : myrte commun.
Ocimum basilicum : basilic.
Origanum majorana : marjolaine.
Origanum vulgare : origan.
Pelargonium : géranium rosat.
Peumus boldus : boldo.
Picea excelsa : épicéa.
Pimpinella anisum : anis vert.
Pinus pinaster : pin maritime.
Pinus sylvestris : pin sylvestre.
Pistacia lentiscus : lentisque.
Rosmarinus officinalis : romarin.
Rosmarinus verbenonifera : romarin à verbénone.
Salvia sclarea : sauge sclarée.

Salvia officinalis : sauge officinale.
Santalum album : santal blanc.
Santolina chamaecyparyssus : santoline.
Sassafras officinalis : sassafras.
Styrax tonkinensis : benjoin officinal.

Tanacetum vulgare : tanaisie.
Thuya occidentalis : thuya.
Thymus serpyllium : serpolet.
Thymus vulgaris : thym vulgaire.
Valeriana officinalis et *Wallichii* : valériane.
Zingiber officinale : gingembre.

ANNEXE III

Bibliographie

Balz, Rodolphe : *Les Huiles essentielles* (Éditions Balz, 1986).

Bardeau, Fabrice et Fesneau, Max : *La Médecine aromatique* (Laffont, 1976) et *la Pharmacie du bon Dieu* (Stock, 1973).

Bassani de Barros, C., Yabiku, H.Y. et D'Andrea Pinto, A.J. : *Oleos essencias citricos* (Fundacao Cargill, 1986).

Bauer Oertel : *La Santé par les plantes* (Alsatia, 1965).

Belaiche, Paul : *Traité de phytothérapie et aromathérapie,* 2 vol. (Maloine, 1979).

Bernadet, Marcel : *La Phyto-aromathérapie pratique* (Dangles, 1983).

Bézanger-Beauquesne, Pinkas, M., Torck, M. et Trotin, F. : *Plantes médicinales des régions tempérées* (Maloine, 1980) et *les Plantes dans la thérapeutique moderne* (Maloine, 1986).

Bonar, Ann : *Le Grand Livre des herbes* (Solar, 1986).

Bontemps, Michel : *Les Petits Secrets des grands guérisseurs* (Balland, 1980).

Brosse, Jacques : *La Magie des plantes* (Hachette, 1979).

Bruneton, Jean : *Éléments de phytochimie et de pharmacognosie* (Lavoisier, 1987).

Campbell, A. et MacDonald, R.S. : *Natural Health Handbook* (Apple Press, 1984).

Cazin : *Traité pratique et raisonné des plantes médicinales* (P. Asselin, 1876).

Charles, Y.-J. et Darrigol, J.-L. : *Guide pratique de diététique familiale* (Dangles, 1987).

Herbes pour votre cuisine, votre santé et votre beauté (Dessain et Tolra, 1979).

Desrochers, Rachel : *Cosmétiques naturels* (L'Aurore/Univers, 1980).

Franchomme, Pierre : *Cours de phyto-aromathérapie* du Collège d'initiation aux plantes médicinales (Phyto-médecine, 1981) et Franchomme P. et Denoël P. : *l'Aromathérapie exactement* (Jollois, 1989).

Gattefossé, R.M. : *Distillation des plantes aromatiques et des parfums* (Desforges, 1926), *Antiseptiques essentiels* (Desforges/Girardot, 1931), *Aromathérapie, les huiles essentielles, hormones végétales* (Desforges, 1937) et *Formulaire de parfumerie et de cosmétologie* (Girardot, 1950).

Durrafourd, C., d'Hervicourt, L. et Lapraz, J.-C. : *Cahiers de phytothérapie clinique* (Masson, 1983).

Fritsch, Robert : *Les Plantes médicinales* (S.A.E.P., 1987).

Girault, Maurice : *Traité de phyto-aromathérapie ;* t. III : *Gynécologie* (Maloine, 1979).

Girre, Loïc : *La Médecine par les plantes à travers les âges* (Ouest France, 1981).

Guenther, Ernest : *The Essentials Oils,* 6 vol. (R.E. Krieger Publishing Company, U.S.A.).

Jarvis, Horace : *Nature Cure* (1970).

Lagrange : *3 Mémentos d'aromathérapie vétérinaire* (Agriculture et Vie, 1972).

Lagriffe, Louis : *Le Livre des épices, condiments et aromates* (Tchou et Morel, 1979).

Lancel, J.-P. : *Votre santé par les compléments alimentaires* (Maloine, 1980).

Lautié, Raymond : *Cours de phyto-aromathérapie* (Naturazur) et *Vie et plantes condimentaires* (Masson, 1929).

Leclercq, Christine : *La Beauté douce* (M.A. Éditions, 1984).

Lévy, Joseph : *La Révolution silencieuse de la médecine* (Le Rocher, 1988).

Masson, Robert : *Soignez-vous par la nature* (Albin Michel, 1977).

Matos, Craveiro, Fernandes, Andrade, Alencar, Machado : *Oleos essencias de Plantas do Nordeste* (Editiciones Universidade do Ceara, Brésil, 1981).

Moatti, R. et Fauron, R. : *La Phytothérapie* (Maloine, 1983).

Norfolk, Donald : *Farewell to Fatigue* (Michael. Joseph Publishing, 1985).

Paltz, Jacques : *Le Fascinant Pouvoir des huiles essentielles* (Paltz, 1982).

Pelt, Jean-Marie : *La Médecine par les plantes* (Fayard, 1986) et *la Prodigieuse aventure des plantes,* avec J.-P. Cuny (Fayard, 1981).

Pillivuyt, Ghislaine : *Histoire du parfum* (Denoël, 1988).

Poletti, Aldo : *Fleurs et plantes médicinales* (Delachaux et Niestlé, 1987).

Richard, H. : *Quelques épices et aromates et leurs huiles essentielles ;* t. I (Éditions Apria, 1974).

Richard, H. et Vernon : *Quelques épices et aromates et leurs huiles essentielles ;* t. II (Éditions Apria, 1976).

Richard, H., Loo, A. et Lenoir, J. : *Le Nez des herbes et des épices* (Éditions Jean Lenoir, 1987).

Roi, Jacques : *Traité des plantes médicinales chinoises* (Paul Lechevallier, 1955).

Rouvière, André et Meyer, Marie-Claire : *La Santé par les huiles essentielles* (M.A. Éditions, 1986).

Sévelinges : *Thèse de pharmacie* (Lyon, 1929).

Symposium international : *Essential Oils and Aromatics Plants* (Baerheim Svendsen and Scheffer (éditeurs), Nijhoff/ Junk, 1985).

Symposium sur les huiles essentielles de Sao Paulo (1985).

Thiers, H. : *Les Cosmétiques* (Masson, 1986).

Thomson, W.A.R., Shultes, Fnefeli, Bossard et Vonarburg : *Les Plantes médicinales, botanique et ethnologie* (Berger Levrault, 1981).

Valnet, Jean : *Aromathérapie* (Maloine, 1972), *Traitement des maladies par les légumes, les fruits et les céréales* (Maloine, 1972) et *Phytothérapie* (Maloine, 1972).

Valnet, J., Durrafourd, C. et Lapraz, J.-C. : *Une nouvelle médecine : phytothérapie et aromathérapie* (Presses de la Renaissance, 1978).

Viaud, Henri : *Huiles essentielles - Hydrolats* (Présence, 1983).

Vidal, Florence : *Les Épices, une médecine douce* (Garamont - Archimbaud, 1987).

ANNEXE IV

1. Où se procurer des huiles essentielles de qualité ?

En principe, toutes les pharmacies, herboristeries et magasins de produits diététiques devraient pouvoir proposer une gamme de plantes aromatiques et d'H.E. de qualité 100 % pures et naturelles.

La plupart des H.E. proposées sont conformes au *Codex* et aux normes A.F.N.O.R., mais ne constituent pas, pour la plupart, des produits répondant à nos critères de qualité pour un usage aromatique. Seuls quelques fournisseurs français sont capables de garantir la qualité de leurs H.E. et d'en indiquer le chémotype. L'auteur tient à la disposition des détaillants une liste complète de fournisseurs offrant les garanties demandées pour un usage aromathérapique.

N.B. : Attention ! les H.E. toxiques réglementées ne se trouvent qu'en pharmacie. Les H.E. servant à la fabrication de certaines boissons alcoolisées peuvent se trouver en magasins de diététique, herboristeries et pharmacies. Elles nécessitent, pour leur transport, un acquit de régie. Ce sont les H.E. d'anis, aneth, badiane, fenouil...

*
* *

Quelques adresses (liste non limitative) :

— Institut de recherche biologique AXLE (tél. : 40-47-08-18) : spécialisé dans les produits naturels d'Amérique du Sud et d'Amazonie (plantes, H.E., baumes, huiles naturelles à usage cosmétique).

— Laboratoire Prânarom : La Courtête, 11240 Belvèze-du-Razès (tél. : 68-69-07-13) : H.E. naturelles chémotypées.

— Laboratoire Biorégène : 173, rue du Faubourg-Poissonnière, 75009 Paris (tél. : (1) 48-78-93-08) et vers Bordeaux : Z.I. d'Auguste, 33610 Testas (tél. : 56-36-18-03) : H.E. naturelles chémotypées.

— Laboratoire Sanoflore : Eygluy-Escoulin, 26400 Crest (tél. : 75-76-43-93) : H.E. naturelles issues de culture biologique (label « Nature et Progrès »).

— Laboratoire de Combe d'Ase : 04200 Sisteron (tél. : 92-62-07-27) : H.E. naturelles chémotypées issues de cultures contrôlées.

— Laboratoire Diétaroma : rue Claude-Bernard, Bourg-de-Thizy, 69240 Thizy.

— Laboratoire Phyto-Est : 67400 Illkirch.

2. Organismes de recherche en France

— I.T.E.P.M.A.I. (Institut technique des plantes médicinales aromatiques et industrielles) : route de Nemours, B.P. 38, 91490 Milly-la-Forêt (tél. : (1) 64-98-83-77).

— O.N.I.P.P.A.M. (Office national des plantes à parfum aromatiques et médicinales) : 25, rue du Maréchal-Foch, B.P. 8, 04130 Volx.

3. Comment trouver un aromathérapeute ?

Il existe en France plusieurs centaines de médecins et de naturopathes ayant reçu un enseignement en aromathérapie et qui pratiquent cette thérapie sous une forme ou sous une autre. Pour vous renseigner, demandez à votre pharmacien, votre herboriste ou votre magasin de produits diététiques de vous fournir la liste des praticiens réputés, médecins ou praticiens aromathérapeutes de votre région.

Sinon, voici quelques adresses pour vous renseigner :

— Association pour le renouveau de l'herboristerie : « Le Sagittaire C », 6, rue Jongkind, 75014 Paris (tél. : (1) 45-58-66-58).

— G.E.R.M.E.S. (Groupe d'études et de recherches sur les médecines écologiques et la santé) : 41, rue Delaâge, 49100 Angers (tél. : 41-88-12-06).

— Institut des sciences biomédicales (département « Enseignement » de la Fondation biomédicale internationale) : 11240 Belvèze (tél. : 68-69-08-54).

— C.E.R.S. (Centre d'étude et de recherche en sympathicothérapie) : 74230 Thônes (tél. : 50-40-48-20). Liste des sympathicothérapeutes.

Une liste nationale des praticiens aromathérapeutes, médecins et naturopathes est actuellement mise à jour. Pour tous renseignements, écrire (en joignant une enveloppe timbrée) à l'auteur :

Guy ROULIER
41, rue Delaâge
49100 Angers (France)

Quelques cas

Douleurs vertébrales et ostéoporose

Mme D., 79 ans, souffrait depuis des années de sa colonne vertébrale et avait perdu plus de 10 cm de hauteur par décalcification et tassement progressif. Des mouvements d'étirement appropriés et un massage journalier à base d'H.E. de copaïba et d'eucalyptus citronné lui permettent aujourd'hui, à 85 ans, d'être toujours active et indépendante. Elle suit régulièrement une complémentation alimentaire reminéralisante : lithothamne, poudre d'huîtres, dolomite en alternance, ainsi que de l'huile de foie de flétan tous les hivers.

Polyarthrite invalidante

Mme J. souffre depuis plusieurs années de polyarthrite chronique évolutive et marche de plus en plus difficilement. Malgré les anti-inflammatoires et la cortisone, ses articulations sont toujours douloureuses et continuent à se déformer. La mise en place d'un traitement naturel basé sur une alimentation hypervitaminée et reminéralisante, l'acupuncture, la phytothérapie et l'aromathérapie (gaulthérie, bouleau jaune, verveine citronnée) entraîne une amélioration progressive des douleurs et de l'impotence. Parallèlement, les tests biologiques se normalisent. Cinq ans après, pas de récidive grâce à l'adoption d'un mode de vie sain.

Début de gangrène

Mme D. souffre d'une maladie de Raynaud. Chaque année, au retour du froid, ses doigts blanchissent et sa peau se sclérose au niveau des coudes et du dos en plaques dures. Son état s'aggrave malgré les traitements symptomatiques. L'extrémité de ses doigts se nécrose. Le traitement naturel mis en place comprend un ensemble de mesures d'urgence. Traitement réflexe des zones vertébrales afin de provoquer une vasodilatation des membres, acupuncture pour rééquilibrer le foie et système sympathique, applications locales d'H.E. de thuya après des bains de mains alternés. Un traitement homéopathique et oligothérapique est institué. Cicatrisation des lésions en 15 jours. Pas de récidive notable sur trois ans en suivant une thérapie d'entretien.

Cystite chronique

Mme F. souffre de cystite chronique depuis une année et aucun traitement ne lui procure d'effet durable. Un traitement d'ostéopathie gynécologique complété par une aromathérapie de terrain apporte une guérison en 3 mois. Une légère récidive l'année suivante est aussitôt jugulée par le même traitement. H.E. employées dans ce cas : lavande vraie, santal.

Infection osseuse sévère

Mme B. souffre d'une infection des deux hanches suite à une chirurgie orthopédique. Un staphylocoque doré est identifié. La patiente ne peut plus marcher sans ses deux béquilles.

Une aromathérapie intensive interne et externe est entreprise à partir d'H.E. majeures (girofle, sarriette...). Des pansements d'argile verte sont posés sur les plaies. En 2 mois disparition du staphylocoque. Néanmoins, la patiente devra subir une arthrodèse suite à la destruction de l'os au niveau de sa prothèse.

Spasmophilie

Mme B. est traitée depuis des années pour spasmophilie et absorbe des quantités impressionnantes de médicaments sans résultat probant : calmants, calcium, magnésium... Le bilan naturel révèle des carences en sélénium, aluminium, manganèse (analyse des cheveux), un blocage du diaphragme et une insuffisance d'énergie générale et au niveau du foie.

Traitement naturel : correction des carences oligominérales (plantes antistress et reminéralisantes : gomphréna + lithothamne), déblocage du diaphragme et apprentissage d'une respiration antispasmophile (avec maintien en apnée expiratoire), acupuncture et moxas. Application d'H.E. : estragon sur le plexus solaire, menthe suave par voie orale, massage de la colonne vertébrale avec mandarine le soir.

Pas de nouvelle crise l'année suivante.

Sous antibiotiques depuis 30 ans

M. B. est sous traitement antibiotique depuis 30 ans suite à une bronchite chronique avec dilatation des bronches et crises d'hémoptysie depuis quelques années (non tuberculeuse). A l'âge de 20 ans, il a subi une intervention avec ablation d'une partie des poumons. Un traitement naturel de fond est entrepris : oligothérapie, anti-infectieuse (manganèse-cuivre-or-argent), gemmothérapie et H.E. anti-infectieuses et mycolytiques (eucalyptus, hysope, niaouli, thym...) : amélioration progressive. Espacement des infections (une à deux par an) avec recul de 4 ans.

Une tache disgracieuse

Mme H. me consulte en désespoir de cause. Depuis un an, elle a vu apparaître avec consternation une tache violacée s'étendant entre l'œil, la pommette et le nez. Coquette, elle n'ose plus sortir. Après échec des traitements classiques, elle applique sans grand espoir un mélange d'H.E. : carotte, géranium rosat, lavande, hélichryse et voit en quelques mois sa peau reprendre un aspect normal.

Une bonne surprise

Mme M. applique sur son orteil écrasé du baume de copaïba avant de faire un pansement. Quelle n'est pas sa surprise, en enlevant le pansement quelques jours plus tard, de voir se détacher un cor qui la gênait depuis des années !

Une épicondylite rebelle

M. S. voit disparaître en quelques jours une épicondylite qui résistait à tout traitement après déblocage ostéopathique et application de baume de copaïba. Depuis, il ne part jamais en déplacement sans sa précieuse fiole.

Table des matières

Deuxième partie :
LEXIQUE THÉRAPEUTIQUE

Troisième partie :
RÉPERTOIRE DES PLANTES AROMATIQUES

La composition et l'impression
de cet ouvrage ont été réalisées
par CLERC S.A.
18200 SAINT-AMAND - Tél. : 48-96-41-50
pour le compte des ÉDITIONS DANGLES
18, rue Lavoisier - 45800 ST-JEAN-DE-BRAYE

Dépôt légal Éditeur n° 1529 - Imprimeur n° 4258

Achevé d'imprimer en Février 1990